INTERACTIONS 3

MÉTHODE DE FRANÇAIS

Gaël **Crépieux**
Gaëlle **Frenehard**
Olivier **Massé**
Jean-Philippe **Rousse**

www.cle-inter.com

Sauf mention contraire, les photos sont issues de Fotolia (par colonne, de gauche à droite et de haut en bas)

LIVRE

Couverture : Alexi TAUZIN

p. 9 : jackfrog – **p. 10** : Monkey Business ; Sergey ; mimagephotos – **p. 11** : kreizihorse ; ThorstenSchmitt ; Quka/SHUTTERSTOCK (x2) ; kreizihorse ; Kzenon ; Quka/SHUTTERSTOCK (x3) – **p. 12** : kreizihorse ; WavebreakmediaMicro ; kreizihorse (x2) – **p. 13** : DoraZett ; grafikplusfoto ; Gilles Parnalland – **p. 14** : kreizihorse ; ruigsantos ; Quka/SHUTTERSTOCK ; alterfalter/SHUTTERSTOCK – **p. 15** : kreizihorse ; goodluz ; kreizihorse ; manouila (x2) ; Quka/SHUTTERSTOCK ; nyul – **p. 16** : Minerva Studio ; Andrey Kuzmin ; sdmix ; sumire8 ; psynovec ; wladi (x6, bulles) ; 3DSguru/SHUTTERSTOCK (pile magazines) ; Masson/SHUTTERSTOCK (couverture magazine) ; jolopes ; goodluz ; lienchen020_2 (x2) ; Alexander Raths (x2) ; catwalker/SHUTTERSTOCK ; Rido ; snaptitude ; beatrice prève ; md3d (x2) – **p. 17** : SergiyN ; fotofritz16 ; Production Perig – **p. 18** : SergiyN – **p. 19** : Igor Negovelov ; michaeljung – **p. 20** : jinga80 – **p. 21** : lesniewski – **p. 22** : DragonImages ; sidliks ; Michele Perlucci ; timbre71 ; Pascal Huot ; Kzenon ; pabijan (feuille) ; orfeev (mouton x2) ; giorgiomtb (main x3) ; Crb98 ; Gabriel Blaj ; liusa ; Gabriel Blaj – **p. 25** : BAZ – **p. 26** : imagebos ; markos86 – **p. 27** : Andres Rodriguez – **p. 28** : Wild Orchid (x2) – **p. 29** : Monkey Business – **p. 30** : william87 ; Elenathewise ; Fons Laure ; Monkey Business ; Christian Müller ; M.studio ; nerthuz ; jaguardo – **p. 31** : feelphotoartz ; michaeljung ; Phase4Photography – **p. 32** : darren whittingham – **p. 33** : Brian Jackson – **p. 34** : Brad Pict – **p. 35** : vitaliy_melnik – **p. 36** : nyul ; Almgren ; Bruno Bernier – **p. 37** : AKaiser/SHUTTERSTOCK – **p. 38** : cenz07 – **p. 39** : Julien Eichinger – **p. 40** : AKaiser/SHUTTERSTOCK – **p. 42** : william87 ; Warren Goldswain ; Smileus ; Jean-Paul Bounine ; josesilva83 (x2) ; cynoclub ; Maridav ; nickylarson974 ; Robert Kneschke ; photoCD ; Kzenon ; Anatoly Tiplyashin – **p. 43** : nadia1992 (x3, picto) ; Adrien Roussel ; Pavel Losevsky – **p. 44** : Dasha Petrenko – **p. 45** : /BAZ – **p. 46** : Xiongmao ; Veniamin Kraskov – **p. 47** : beermedia.de ; Marie Capitain ; fivepointsix – **p. 49** : MarcoMonticone – **p. 50** : Unbreakable ; Minerva Studio ; Michael Nivelet ; Dean Moriarty ; WavebreakmediaMicro – **p. 53** : WavebreakmediaMicro ; ilro – **p. 56** : Adam Gregor ; iko ; Picture-Factory – **p. 57** : anetlanda – **p. 58** : Mihály Samu – **p. 59** : /BAZ (x2) – **p. 60** : danilkorolev ; auremar – **p. 61** : Minerva Studio – **p. 62** : Rido ; Goodluz/SHUTTERSTOCK ; Elena Dijour/SHUTTERSTOCK ; jan kranendonk/SHUTTERSTOCK ; sumnersgraphicsinc ; Galyna Andrushko ; Kyrien/SHUTTERSTOCK ; Jeanette Dietl ; Cello Armstrong ; Nabil Biyahmadine ; djama ; rdnzl ; momesso ; pab_map ; Dutourdumonde ; FCG/SHUTTERSTOCK – **p. 65** : Zechal ; philipus ; StevanZZ/SHUTTERSTOCK – **p. 66** : Jackin ; Dani Vincek – **p. 67** : eyewave ; SergiyN – **p. 68** : LiliGraphie ; ChantalS ; Martin M303 ; Santi Rodríguez – **p. 69** : djile – **p. 70** : Vikulin/SHUTTERSTOCK ; Oleksiy Mark ; rosasto ; Onidji ; blackday ; Samuel Borges ; vector_master ; benchart ; fotokalle ; Paul Salu ; Rawpixel ; natalinka7626 ; Adam Gregor ; adam121 – **p. 71** : kreizihorse ; jojje11 ; Tsiumpa ; zentilia ; stockphoto-graf ; Production Perig ; algre – **p. 72** : Dirima – **p. 73** : /BAZ ; Kosarev Alexander/SHUTTERSTOCK ; lexan/SHUTTERSTOCK ; Fingerhut/SHUTTERSTOCK ; wladi – **p. 74** : tolism ; M.studio – **p. 75** : Art Allianz – **p. 76** : pio3 ; Nyky ; lightpoet/SHUTTERSTOCK – **p. 77** : kreizihorse ; naftizin (fond) ; fotomek ; Oleksiy Mark ; madpixblue ; Viorel Sima – **p. 78** : apops – **p. 80** : kreizihorse ; MaxFrost – **p. 82** : Mila Supynska ; Vladislav Kochelaevs ; Alex White (x2) ; venimo ; mindscanner (x2) ; alexyndr ; nadezhda1906 ; nadezhda1906 – **p. 84** : michaeljung – **p. 85** : william87 (x2) – **p. 88** : maglara ; nickylarson974 ; Julien Eichinger ; Logostylish ; Chlorophylle ; ilolab ; M.studio – **p. 89** : photophonie – **p. 90** : contrastwerkstatt ; apinun ; Tom Mc Nemar ; hartphotography/SHUTTERSTOCK ; Jeanette Dietl ; riekephotos/SHUTTERSTOCK ; Petr Jilek/SHUTTERSTOCK ; Tupungato/SHUTTERSTOCK (x2) – **p. 91** : kreizihorse ; Jonas Glaubitz – **p. 92** : avatar444 – **p. 93** : moji1980 – **p. 94** : ddraw (x2) ; Subbotina Anna ; peterphoto_92 – **p. 95** : michaeljung – **p. 96** : wavebreakmedia/SHUTTERSTOCK ; Tryfonov ; Sylvie Thenard ; vician_petar ; paylessimages ; Joerg Beuge/SHUTTERSTOCK ; Kuzmick ; kostrez ; Brian Kinney ; Joe Gough ; monticellllo ; StockPhotosArt ; illustrez-vous ; Sergii Moscaliuk ; Patryssia ; Africa Studio/SHUTTERSTOCK ; Jiri Miklo/SHUTTERSTOCK ; Prometheus72/SHUTTERSTOCK ; Goran Bogicevic/SHUTTERSTOCK – **p. 97** : Peredniankina ; M.studio ; alain wacquier ; ExQuisine ; olyina ; Kesu – **p. 99** : HLPhoto ; Tryfonov – **p. 100** : larik_malasha – **p. 101** : mariontxa – **p. 102** : Tyler Olson/SHUTTERSTOCK ; Robert Kneschke ; ostill/SHUTTERSTOCK – **p. 103** : Regormark – **p. 104** : Scriblr ; T. Michel ; Unclesam ; vektorisiert ; Guy Pracros ; Thomas Pajot ; alain wacquier ; Scriblr ; Christophe Fouquin – **p. 105** : /BAZ ; Elenathewise – **p. 106** : fusolino ; T. Michel ; Melorien ; Johan Larson ; Arcady (x2) ; Africa Studio ; sharpnose (x2) ; jonathan ; B. Wylezich – **p. 108** : 3Dmask ; Bank-Bank – **p. 109** : contrastwerkstatt – **p. 110** : Robert Kneschke ; Velirina ; Rrrainbow/SHUTTERSTOCK – **p. 111** : sepy ; Kurhan ; contrastwerkstatt – **p. 112** : Robert Kneschke – **p. 113** : /BAZ ; madoopixels (support photo) ; JackF ; Chlorophylle ; fabianaponzi – **p. 114** : Eléonore H ; goodluz – **p. 115** : Laurent Hamels – **p. 116** : wavebreakmedia/SHUTTERSTOCK ; madtom ; makou (x2) ; racorn/SHUTTERSTOCK ; Pressmaster/SHUTTERSTOCK – **p. 117** : kreizihorse ; mizar_21984 ; Northfoto/SHUTTERSTOCK ; goodluz – **p. 118** : ExQuisine – **p. 119** : /BAZ ; Gil C/SHUTTERSTOCK ; manouila – **p. 120** : goodluz – **p. 121** : Pardoux Pascal ; B.Bouvier – **p. 122** : mimagephotography/SHUTTERSTOCK ; Halfpoint/SHUTTERSTOCK ; Chlorophylle – **p. 123** : padufoto – **p. 124** : Minerva Studio – **p. 125** : Frédéric Massard ; NZ-Photos ; Frédéric Massard – **p. 126** : Alena Ozerova – **p. 127** : ostill/SHUTTERSTOCK – **p. 128 :** Bud Fraker -Paramount Coll. Archives Larbor/BIS ; Ph. Gribayedoff - Coll. Archives Larbor/BIS ; Ph. X.DR © Archives Larbor/ BIS ; s_bukley/SHUTTERSTOCK ; Jaguar PS/SHUTTERSTOCK ; yossarian6 ; pcgrafika ; yossarian6 – **p. 129** : Minerva Studio – **p. 130** : Olesia Bilkei/SHUTTERSTOCK ; by-studio ; Smileus ; ksena32 ; Dasha Petrenko ; gekaskr ; Robert Kneschke ; Andrey Sidey ; illustrez-vous ; Gilles Paire ; Thierry Hoarau ; CandyBox Images ; Tyler Olson ; New Era Works ; contrastwerkstatt ; Matthew Cole ; WimL ; exopixel ; Adam Gregor ; Ingus Evertovskis ; vadim yerofeyev ; imstock ; Igor Bronislavovich ; majivecka ; eveleen007 ; VRD ; Richard Villalon ; Klara Viskova ; savoieleysse ; Dmitry Kalinovsky/SHUTTERSTOCK ; wavebreakmedia/SHUTTERSTOCK – **p. 131** : zmijak – **p. 132** : Andres Rodriguez – **p. 133** : Sychugina Elena ; alain wacquier ; Ruslan Kudrin ; verdateo ; angorius ; tomispin ; gemenacom ; goce risteski ; fotopak ; natalyka – **p. 135** : michaeljung – **p. 136** : wavebreakmedia/SHUTTERSTOCK ; Tyler Olson/SHUTTERSTOCK ; michaeljung/SHUTTERSTOCK – **p. 139** : /BAZ ; xy – **p. 141** : cidepix ; Christophe Fouquin – **p. 142** : Jürgen Fälchle ; Olena Mykhaylova/SHUTTERSTOCK ; Csák István ; Andresr/SHUTTERSTOCK ; Jezper ; Les Cunliffe ; forcdan ; Photocreo Bednarek ; byrdyak ; Kelpfish ; dextorth ; Anatolii ; JPS ; Galyna Andrushko/SHUTTERSTOCK ; Martin Valigursky/SHUTTERSTOCK – **p. 143** : mizar_21984 ; timango ; Nathalie Bosansky (x2) ; createur ; Lotharingia ; Beboy (x2) ; Nathalie Bosansky ; markus_marb ; ddraw (x4) ; Beboy (x2) – **p. 145** : william87 ; PackShot ; andrzej2012 – **p. 146** : mizar_21984 ; ddraw (x2) – **p. 147** : mizar_21984 ; Delphimages – **p. 148** : FunkyKoval ; kuco – **p. 149** : gpointstudio – **p. 150** : Sopotnicki/SHUTTERSTOCK ; Pictures news ; wavebreakmedia/SHUTTERSTOCK ; Shots Studio/SHUTTERSTOCK – **p. 152** : mizar_21984 – **p. 153** : /BAZ (x3) – **p. 154** : Creativa ; Image Point Fr/SHUTTERSTOCK – **p. 156** : Kirill Kedrinski ; Iurii Osadchi/SHUTTERSTOCK ; anekoho ; pict rider ; Karramba Production/SHUTTERSTOCK ; Sergey Peterman ; Denis Kuvaev/SHUTTERSTOCK ; Alexander Gordeyev/SHUTTERSTOCK ; Cousland/SHUTTERSTOCK ; Natursports/SHUTTERSTOCK ; sergojpg – **p. 157** : katyau – **p. 158** : mezzotint_fotolia ; Andrey Kiselev ; WavebreakmediaMicro ; snaptitude ; dechevm – **p. 159** : Onidji (x6) ; Vadym Zaitsev/SHUTTERSTOCK ; Olga Besnard/SHUTTERSTOCK ; Sergii Rudiuk/SHUTTERSTOCK ; Marques/SHUTTERSTOCK ; Paolo Bona/SHUTTERSTOCK ; 360b/SHUTTERSTOCK – **p. 160** : katyau – **p. 161** : naypong – **p. 162** : Ekaterina Pokrovsky ; Robert Kneschke ; Pressmaster/SHUTTERSTOCK – **p. 163** : picsy ; Christian Schwier – **p. 165** : pressmaster – **p. 166** : Brad Pict ; Aurélien Antoine ; Christian Musat – **p. 167** : Magalice – **p. 168** : Jörg Lantelme

DVD

Leçon 1 : Kurhan ; akiyoko ; auremar – **Leçon 2 :** wladi (x2, bulles) ; Thomas Jansa ; Verzh ; belinka ; Sergii Rudiuk/SHUTTERSTOCK ; wladi (x2, bulles) ; Maygutyak ; HappyAlex ; iko ; Alois – **Leçon 3 :** Jeanette Dietl ; Dmitriy Melnikov ; Monkey Business ; dispicture ; aleksangel – **Leçon 6 :** Peter Bernik/SHUTTERSTOCK ; Sven Grundmann– **Leçon 8 :** Jeanette Dietl ; Aleksandar Mijatovic – **Leçon 9 :** Rido ; John Copland/SHUTTERSTOCK ; f9photos ; ODG ; iko ; sumnersgraphicsinc ; dell – **Leçon 10 :** You can more ; tryjek ; bagilex ; Jettyfly ; Samuel Borges ; Oleksandr Moroz – **Leçon 14 :** Bragin Alexey/SHUTTERSTOCK ; Niksphoto dot com/SHUTTERSTOCK ; ffolas/SHUTTERSTOCK ; Natika ; Sisacorn/SHUTTERSTOCK ; mikeledray/SHUTTERSTOCK ; Lizard/SHUTTERSTOCK ; mikeledray/SHUTTERSTOCK ; amenic181/SHUTTERSTOCK ; jreika/SHUTTERSTOCK ; skylarbane ; fotografos/SHUTTERSTOCK ; MaraZe/SHUTTERSTOCK ; Julio Embun/SHUTTERSTOCK ; boonyarak voranimmanont/SHUTTERSTOCK ; ppart/SHUTTERSTOCK – **Leçon 19 :** daniele4486 ; zix777 ; sveta ; radub85 ; Slobodan Djajic (x2) ; antoshkaforever – Annexes : Fernando San Martin (carte francophonie)

Direction éditoriale : Béatrice Rego
Marketing : Thierry Lucas
Édition : Charline Heid-Hollaender
Couverture : Fernando San Martin
Conception maquette : Fernando San Martin
Mise en page : Isabelle Vacher
Illustrations : Conrado Giusti
Enregistrements : Kaproduction
Vidéos : BAZ

AVANT-PROPOS

AVANT-PROPOS

Après des années d'enseignement du FLE, d'étude des publics d'apprenants de langue maternelle proche comme lointaine ainsi que de formation de professeurs, **nous proposons avec *Interactions* une méthode où, à la lumière des théories méthodologique et neurodidactique les plus récentes, l'apprentissage a été repensé au service de l'efficacité de la classe de langue.**

1. Une véritable approche par compétences

En rupture avec le mélange des approches et des compétences qui caractérise fréquemment les matériels pédagogiques, où l'on veut enseigner l'oral par le moyen de l'écrit ; où l'apprentissage de la communication passe par la grammaire, ***Interactions* permet un apprentissage différencié de chacun des savoir-faire spécifiques**. Fondé sur l'approche neuro-linguistique (ANL) développée par C. Germain et J. Netten, *Interactions* prend soin de permettre le développement distinct, par des types de documents et d'activités appropriés, d'*habiletés* pour l'oral, et de *connaissances* pour l'écrit, qui ressortent de types de mémoires différentes, sans oublier la constitution d'une compétence culturelle, par la présentation systématique de repères relationnels, corporels et comportementaux indispensables au dialogue avec les Français. Ainsi est rendue possible, dans chaque page de ce manuel, **une véritable approche par compétences telle que recommandée depuis plus de 10 ans par le *Cadre européen commun de référence pour les langues*** et les travaux de J.-C. Beacco.

2. Une méthode *pour la classe*

Si l'on vient en classe, c'est pour y faire ce qu'on ne peut pas faire seul ou à la maison. Ainsi, **chaque activité *d'Interactions* fait appel à la collaboration des apprenants**. Depuis les échauffements en phonétique jusqu'aux projets de classe, le travail est alors réalisé par **un co-apprentissage s'inscrivant dans une perspective actionnelle**. La motivation pour l'apprentissage d'une langue étrangère est ainsi continuellement alimentée par les interactions sociales de la classe qui préparent à celles en langue étrangère. *Interactions* s'appuie sur l'échange, l'entraide, et chaque apprenant, quel que soit son talent analytique, peut ainsi construire ses énoncés au rythme de ses aptitudes, sans que les plus rapides soient une gêne pour les plus lents ou inversement.

3. Une méthode *pour tous*

En contrepoint de « l'apprentissage à l'envers » de nombreux cours de langue où l'on commence par le plus complexe (comprendre un long document encapsulant tous les objectifs communicatifs et culturels de la leçon), pour finir par le plus motivant (échanger), ***Interactions* repense la séquence pédagogique afin que chaque moment de la classe soit gratifiant.** En adaptant les contenus aux capacités mémorielles de l'oral ; en phasant les étapes de l'apprentissage du plus essentiel au plus élaboré et non l'inverse ; en permettant l'élaboration progressive d'une compétence de communication ; en fournissant des modèles pour chaque tâche demandée ; en favorisant à chaque fois la possibilité de parler de sa propre expérience du monde par la mise à disposition d'outils immédiatement réutilisables ; ***Interactions* donne à l'apprenant, à chaque activité, et jusqu'au terme de l'apprentissage, les moyens de réussir** sans que l'effort intellectuel ne vienne entraver la joie de comprendre et de s'exprimer en langue française.

Les auteurs

TABLEAU DES CONTENUS

A2.1	COMPÉTENCES DE COMMUNICATION		
	INTERACTION ORALE	COMPRÉHENSION ÉCRITE	EXPRESSION ÉCRITE
UNITÉ 1 : PROFILS			
Leçon 1 – Autoportrait	Se présenter. Dire quelle(s) langue(s) on parle. Parler de ses loisirs.	Forum et réseaux sociaux.	Écrire son profil / le profil de quelqu'un.
Leçon 2 – Motivations	Parler de ses apprentissages. Exprimer son intérêt.	Une publicité – Analyser des témoignages.	Décrire ses motivations.
Leçon 3 – Compétences	Exprimer sa capacité. Parler de ses compétences en langues.	Un bulletin scolaire de classe préparatoire.	Écrire un bilan de compétences.
PROJET : Faisons le « Qui est qui ? » de la classe			
UNITÉ 2 : CADRES DE VIE			
Leçon 4 – Relations	Exprimer son point de vue. Parler de ses relations.	Article de revue sur le voisinage.	Prendre des notes sur les relations avec l'entourage.
Leçon 5 – Logement	Exprimer le fait d'aimer. Parler de son lieu de vie.	Forum sur les quartiers.	Décrire un quartier.
Leçon 6 – Préférences	Exprimer la préférence et se justifier. Comparer.	Annonces d'agence immobilière.	Écrire une évaluation sur des moyens de transports.
PROJET : Présentons notre quartier idéal			
UNITÉ 3 : EXPÉRIENCES			
Leçon 7 – Sorties	Raconter des événements passés.	Tchat.	Décrire ses activités du week-end.
Leçon 8 – Études	Parler de sa formation. Parler de son parcours professionnel.	Curriculum Vitæ.	Écrire un curriculum vitæ.
Leçon 9 – Conseils	Interroger sur le vécu. Conseiller (1).	Échange de courriels de demande d'informations.	Écrire à propos d'un lieu.
PROJET : Enquêtons sur notre classe			
UNITÉ 4 : MÉDIAS			
Leçon 10 – Outils	Exprimer un besoin. Conseiller (2).	Article comparatif sur un site technologique.	Décrire des choses utiles.
Leçon 11 – Usages	Parler des médias fréquentés. Donner des précisions.	Une publicité – Analyser une offre d'abonnement.	Décrire des habitudes culturelles.
Leçon 12 – Internet	Parler de son utilisation d'Internet, des réseaux sociaux.	Enquête sur les achats en ligne – S'informer à partir de statistiques.	Décrire des habitudes de consommation.
PROJET : Préparons un « guide de l'apprenant de français »			

COMPRÉHENSION ET EXPRESSION ORALES	COMPÉTENCES LINGUISTIQUES GRAMMAIRE	 PHONÉTIQUE	COMPÉTENCES CULTURELLES
Présentation des candidats dans un jeu radiophonique. Rassurer.	Le masculin et le féminin des professions. « Faire de » + article défini + nom.	Le rythme. La confirmation.	Les professions préférées des Français.
Invitation au téléphone. Demander et donner des explications.	« S'intéresser à » + article défini + nom. « Quand » + une phrase.	Le rythme. L'évitement.	Le temps libre des Français. Les motivations pour le français et ce qui attire en France.
Entretien de recrutement. Exprimer sa capacité de faire quelque chose.	La place de l'adverbe. « Savoir », « être capable de » + infinitif.	L'accentuation. L'assurance.	Présenter ses atouts, se mettre en avant dans un entretien. La notation scolaire. Universités et Grandes écoles. Le pôle emploi.
Conversation de couple le soir. Exprimer l'abattement, réconforter et encourager.	Les pronoms toniques après une préposition. Les verbes pronominaux réciproques.	Le rythme. La plainte (1).	Les relations dans le couple, avec les voisins et au travail.
Coup de téléphone à la résidence universitaire. nteragir au téléphone.	Le pronom relatif « où ». Le pronom complément d'objet indirect (COI).	Le rythme. La plainte (2).	Quartiers de Paris, Bruxelles, Montréal. La vie étudiante.
Discussion autour d'annonces immobilières. Exprimer sa colère, sa mauvaise humeur.	Les comparatifs de supériorité ou d'infériorité. Les comparatifs d'égalité.	La prononciation de « plus ». L'approbation.	Le logement. Le rapport ville / banlieue / campagne. Les moyens de transport.
Récit d'une soirée au téléphone. Exprimer sa satisfaction.	Le passé composé. Le passé composé des verbes pronominaux (« se lever », « se coucher »...).	Le présent ou le passé. L'exclamation.	Modes de vie, week-ends, soirées et fêtes.
Rencontre sur le lieu de travail. S'informer sur le profil de quelqu'un.	L'interrogation « Qu'est-ce que... comme... ? ». Situer dans le temps.	Le présent et le passé. L'interrogation.	Parcours d'études et parcours professionnels. Le tutoiement et le vouvoiement.
Demande de renseignement à l'office du tourisme. Interroger sur la certitude, mettre en doute.	« Il y a » + une durée. « Déjà » ≠ « ne... jamais... ».	Le rythme. L'hésitation.	Découvrir Nantes, Avignon, Lyon, Strasbourg, La Ciotat et les bateaux-mouches à Paris.
Comparaison de modèle chez un concessionnaire automobile. Exprimer la préférence.	Le conditionnel pour exprimer un conseil ou une suggestion. Les comparatifs irréguliers « mieux » et « meilleur ».	L'accentuation et l'intonation. L'exclamation.	L'usage des objets techniques ou technologiques. Manifester son désaccord.
Conversation à propos du multimédia. Répondre à une demande ou à une suggestion.	Caractériser. Exprimer la fréquence (1).	L'intonation. L'évitement.	Les pratiques culturelles, les médias d'information et la diffusion numérique en France.
Conversation à propos des nouvelles technologies. Exprimer un accord ou un désaccord.	Le pronom complément d'objet direct (COD). Exprimer la fréquence (2) : les adverbes de temps.	Le rythme et l'intonation. L'insistance.	Les Français et les services numériques. Les relations sociales.

TABLEAU DES CONTENUS

A2.2	COMPÉTENCES DE COMMUNICATION		
	INTERACTION ORALE	COMPRÉHENSION ÉCRITE	EXPRESSION ÉCRITE
UNITÉ 5 : CONSIGNES			
Leçon 13 – Critiques	Proposer à quelqu'un de faire quelque chose.	Forum sur les restaurants.	Rédiger une critique de restaurant.
Leçon 14 – Recettes	Structurer son propos. Solliciter de l'aide.	Fiche recette de magazine féminin.	Écrire une fiche recette.
Leçon 15 – Normes	Demander une autorisation. Exprimer l'obligation ou l'interdit.	Quiz sur la politesse.	Écrire un règlement.
PROJET : Réalisons le « quiz du citoyen du monde »			
UNITÉ 6 : RÉCITS			
Leçon 16 – Souvenirs	Raconter des souvenirs. Exprimer la cause (1).	Article de revue seniors.	Comparer avant et aujourd'hui.
Leçon 17 – Biographie	Parler de son vécu. Exprimer la cause (2).	Article de site économique.	Décrire un parcours personnel.
Leçon 18 – Faits divers	Interroger sur la joie ou la tristesse. Raconter un incident.	Faits divers.	Raconter un événement.
PROJET : Présentons des grands francophones			
UNITÉ 7 : EXPLICATIONS			
Leçon 19 – Définitions	Chercher, définir un mot ou un lieu. Exprimer le fait d'avoir oublié.	Mots croisés dans un magazine de jeux.	Écrire des devinettes.
Leçon 20 – Réclamations	Se plaindre d'un problème. Exprimer son incertitude.	Échange de courriels de réclamation.	Décrire une situation de réclamation.
Leçon 21 – Avantages	Exprimer sa satisfaction, se plaindre. Exprimer une obligation passée.	Forum touristique.	Rédiger des recommandations de lieux de vacances.
PROJET : Construisons le « jeu de l'oie » de la classe			
UNITÉ 8 : AVENIR			
Leçon 22 – Travail	Parler de ses conditions de travail.	Publicité pour une formation professionnelle.	Décrire des conditions de travail.
Leçon 23 – Prévisions	Exprimer une certitude. Exprimer un point de vue.	Page d'horoscope.	Écrire des pronostics sportifs.
Leçon 24 – Intentions	Exprimer son intention. Exprimer des degrés de certitude.	Offre de stages linguistiques.	Rédiger des résolutions pour l'avenir.
PROJET : Présentons les objets utiles selon notre classe			

COMPRÉHENSION ET EXPRESSION ORALES	COMPÉTENCES LINGUISTIQUES GRAMMAIRE	 PHONÉTIQUE	COMPÉTENCES CULTURELLES
Choix d'un restaurant. Rappeler quelque chose à quelqu'un.	Exprimer une condition : « si » + présent. Commenter un état passé avec l'imparfait.	Le présent ou le passé. L'évitement.	Les repas entre amis et au travail. Les plats préférés des Français.
Recette de cuisine au téléphone. Rassurer.	De l'article indéfini à l'article défini. Le pronom COD avec les verbes à l'impératif.	Le rythme. L'assurance.	Des spécialités culinaires « maison ». L'entraide dans le couple.
Conversation à propos du règlement au travail Exprimer l'obligation, l'interdit.	Le pronom « ce » (« c' ») pour remplacer une phrase. L'infinitif après les prépositions.	L'intonation. La réprimande.	Savoir-vivre français. Obligation et interdit en France et en Europe.
Apéritif entre amis. Expliquer la cause et exprimer sa sympathie.	Exprimer l'habitude passée avec l'imparfait. « Encore » / « toujours » ≠ « ne… plus… ».	Lecture de texte (1). La surprise.	Mode de vie par génération. Les rythmes de l'époque actuelle.
Récit de parcours personnel. Exprimer sa surprise.	« Commencer à… », « continuer à… », « arrêter de… ». Exprimer le but ou la cause.	Le rythme des phrases longues. La surprise.	Vie rurale et vie urbaine. La mobilité des Français.
Déclaration à la police. Vérifier qu'on a bien compris.	Décrire des circonstances passées avec l'imparfait. « Ne… rien… » et « ne… personne… ».	Le présent et le passé. L'interrogation.	Quelques quotidiens régionaux. S'adresser à l'administration.
eu radiophonique. Rapporter des propos.	Les pronoms relatifs « qui » et « que ». Les pronoms interrogatifs au style indirect (1).	Le rythme et l'intonation. La protestation.	Quelques jeux appréciés des Français. Recourir à une périphrase pour se faire comprendre.
éclamation au service après-vente. xprimer son incrédulité et sa colère.	« Assez » , « pas assez », « trop ». Les pronoms interrogatifs au style indirect (2).	Phonie-graphie du son [j]. L'embarras.	Le service clientèle en France.
écit de vacances. emander de raconter.	Les prépositions de lieu devant les noms géographiques. Autres emplois de l'imparfait.	Lecture de texte (2). L'incrédulité.	Les vacances des Français. Territoires francophones.
scussion entre collègues. xprimer son accord avec des réserves.	« Être » + adjectif + « de… ». Les adjectifs verbaux.	Phonie-graphie du son [ã]. Le conseil.	Les conditions de travail en France.
ommentaires sportifs. xprimer son point de vue, son accord son désaccord.	Le futur proche et le futur simple (1). Le superlatif.	Le futur. L'affirmation.	L'horoscope. Les événements sportifs.
ojets entre amies. xprimer son intention de faire quelque chose.	Le futur simple (2). Exprimer la probabilité.	Rythme des phrases longues. L'incrédulité.	Le Nouvel An. Équilibre entre vie privée et vie professionnelle.

MODE D'EMPLOI

Interactions est destinée à un public de vrais débutants, grands adolescents ou adultes, et s'adapte facilement aux différents contextes d'enseignement avec des horaires aisément modulables.

• Niveau 1 A1.1 :	45-50 heures de cours
• Niveau 2 A1.2 :	45-50 heures de cours
• Niveau 3 A2 :	100 heures de cours

• 1 page =	1 heure de cours
• 1 double page =	2 heures de cours
• 1 leçon =	4 heures de cours
• 1 unité	(3 leçons et une page Projet)

Le niveau A2 est composé de 8 unités de 3 leçons chacune. Chaque leçon comprend 4 pages : Interaction orale, Compréhension écrite, Expression écrite et Compréhension et expression orales, et est suivie de 2 pages d'Exercices à faire en autonomie hors du contexte de la classe. À la fin de chaque unité, une page « Projet » permet de reprendre tous les acquis des leçons précédentes.
La méthode est accompagnée d'un DVD-Rom offrant les enregistrements audio des activités, 8 séquences vidéo, des images complémentaires, à exploiter avec l'activité 4, et des annexes.
Les transcriptions et les corrigés de la partie Exercices se trouvent dans un livret séparé.

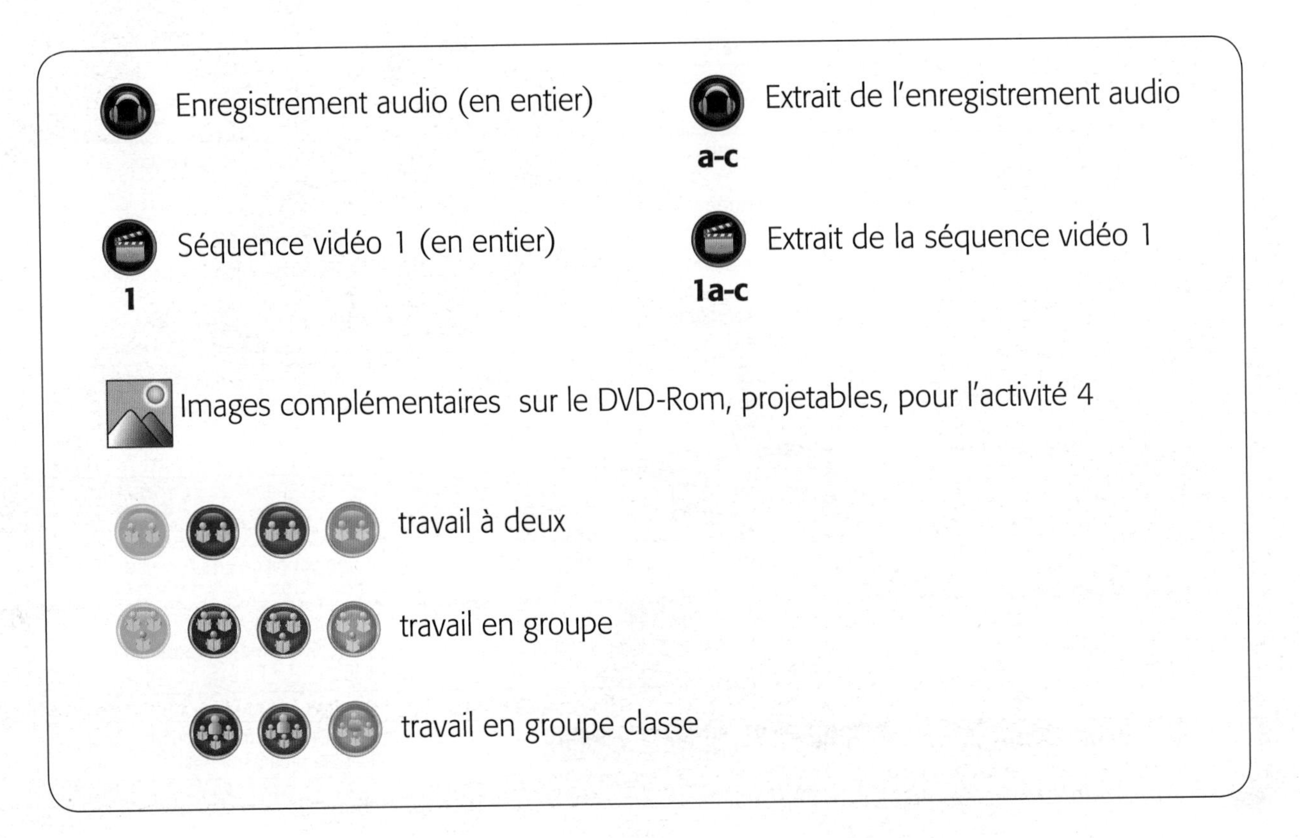

Enregistrement audio (en entier)
Extrait de l'enregistrement audio
a-c
Séquence vidéo 1 (en entier)
1
Extrait de la séquence vidéo 1
1a-c
Images complémentaires sur le DVD-Rom, projetables, pour l'activité 4
travail à deux
travail en groupe
travail en groupe classe

Unité 1
PROFILS
LEÇON 1 – AUTOPORTRAIT
LEÇON 2 – MOTIVATIONS
LEÇON 3 – COMPÉTENCES
PROJET – « QUI EST QUI ? » DE LA CLASSE

ÉCHAUFFEMENT

1 Écoutez et répétez.

Lui, il est vendeur...

ÉCHANGES

2 Écoutez et imitez.

Vous pouvez vous présenter ?
Oui, je m'appelle Paul, je suis de Strasbourg, mais j'habite à Paris, dans le 20e arrondissement, à côté de la station Gambetta. Je suis vendeur, je travaille dans un magasin de vêtements.
Et quels sont vos loisirs, Paul ?
Eh bien, pendant mon temps libre, je fais de la photographie et je joue de la guitare.

3 Interrogez-vous en utilisant le vocabulaire que vous connaissez et celui ci-dessous.

▶ Le travail, les métiers

- un directeur / une directrice
- un(e) employé(e)
- un(e) secrétaire

} travailler dans un bureau

- un boucher / une bouchère : travailler dans une boucherie
- un(e) mécanicien(ne) : travailler dans un garage
- un vendeur / une vendeuse
- un boulanger / une boulangère : travailler dans une boulangerie
- un plombier
- un policier
- un docteur

▶ Les loisirs, le temps libre

- la danse
- la photographie
- la chanson
- les sorties culturelles
- cuisiner
- peindre
- voyager

4 Interrogez-vous à partir des documents.

Exemple :
A : – Tu peux présenter cette personne ?
B : – Oui, il s'appelle...

Prénom : *Lucas*
Ville d'origine : *Brest*
Lieu d'habitation : *Lyon (à 2 min de la gare)*
Profession : *boulanger*
Lieu de travail : *boulangerie du centre-ville*
Loisirs : *peinture*

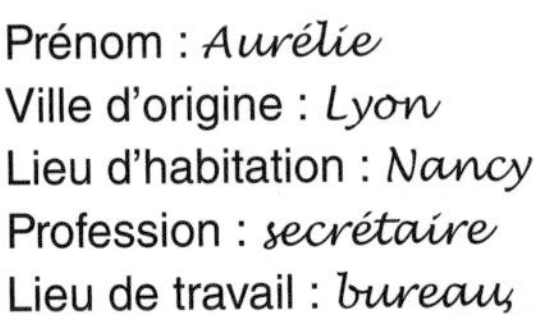

Prénom : *Aurélie*
Ville d'origine : *Lyon*
Lieu d'habitation : *Nancy*
Profession : *secrétaire*
Lieu de travail : *bureau, près de la place Stanislas*
Loisirs : *voyages, danse*

À VOUS DE JOUER

5 Imaginez un dialogue et jouez-le.

ÉCHAUFFEMENT

6 (1) Faites le découpage comme dans l'exemple. (2) Écoutez l'enregistrement et vérifiez avec votre voisin. (3) Lisez les phrases à voix haute.

Le rythme

Exemple : Je suis boulanger, // je fais / du pain / et des croissants.
ʒəsɥibulɑ̃ʒe ʒəfɛ dypɛ̃ edekʀwasɑ̃

1. Je fais de la peinture.
   ʒəfɛ dəlapɛ̃tyʀ
2. J'adore faire de la photo.
   ʒadɔʀ fɛʀ dəlafɔto
3. J'adore faire du sport.
   ʒadɔʀ fɛʀ dyspɔʀ
4. Je suis styliste, j'aime les choses classiques.
   ʒəsɥistilist ʒɛm leʃoz klasik
5. Je suis vendeur, je vends des téléphones.
   ʒəsɥivɑ̃dœʀ ʒəvɑ̃ detelefɔn

LECTURE

7 Observez, puis lisez à voix haute.

www.mon-profil.fr

Romain Faure

Mon métier : pianiste, concertiste

Pendant mon temps libre, j'adore cuisiner (surtout la cuisine asiatique) et voyager (je parle anglais, allemand et mandarin). J'aime aussi faire de la photographie (regardez mes albums sur Flickr).

Je donne des concerts et je travaille aussi pour Allegromusique à Lille. Vous voulez apprendre la musique ou le piano chez vous ? Contactez-moi.

flickr Mes voyages :
- La Grande Muraille
- Le Yunnan
- Tokyo et Kyoto
- Le Vietnam

Un peu de musique

Cours de piano

www.mon-profil.fr

Nathalie Robin

Couturiers, vous avez des projets artistiques ? Contactez-moi !

Je suis styliste et je travaille à la Maison méditerranéenne des Métiers de la Mode à Marseille. J'aime les choses classiques, chics et élégantes (Christian Dior, Hermès), mais j'apprécie aussi les choses originales (Jean Paul Gaultier, Christian Louboutin, Marc Jacobs).

Musicienne : je joue de la guitare et de la batterie.

Sportive : je fais de la danse et j'aime aussi les sports de montagne.

Acheteuse : je connais bien Marseille et sa région, les magasins de vêtements, les restaurants, les cafés.

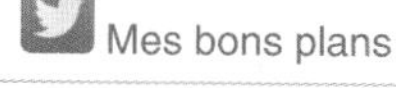 Mes bons plans  Mon CV  Moi et plus encore

8 Lisez le document de l'activité 7, puis interrogez-vous à tour de rôle.

Qui	Lieu de résidence	Profession	Lieu de travail
Romain Faure	....	....	Il travaille à ....
Nathalie Robin	Elle est de	Elle est	....

9 Lisez le document de l'activité 7, puis interrogez-vous à tour de rôle.

Exemple :
A : – Pourquoi est-ce que Romain se présente sur « Mon-Profil.fr » ?
B : – Il se présente sur ce site parce qu'il cherche des élèves.

1. Qu'est-ce qu'il fait pendant son temps libre ?
2. Qu'est-ce qu'il propose sur sa page Flickr ? Sur sa chaîne YouTube ? Sur son LinkedIn ?
3. Quels sont les goûts de Nathalie ?
4. Qu'est-ce qu'elle fait comme activités ?
5. Qu'est-ce qu'elle connaît bien ?

PRATIQUE DE LA LANGUE

10 Interrogez-vous à tour de rôle comme dans l'exemple.

Exemple : (il) un magasin
A : – Il travaille dans un magasin. C'est quoi sa profession ?
B : – Il est vendeur.

il | elle

une pharmacie | un garage | une boucherie | une université | un grand bureau

ÉCHAUFFEMENT

11 Lisez le texte avec vos voisins, recopiez puis comparez.

Aurélie Faure est photographe, elle adore sa profession. Elle voyage souvent en Amérique et en Afrique, et elle parle anglais et arabe. Pendant son temps libre, elle joue de la guitare, mais elle aime aussi publier des photos sur Internet.

GRAMMAIRE

12 Interrogez-vous comme dans l'exemple puis écrivez vos réponses.

Exemple : pâtissier / femme ?
A : – Comment on dit « un pâtissier » au féminin ?
B : – On dit « une pâtissière ».

1. vendeur / femme ?
2. ouvrier / femme ?
3. traductrice / homme ?
4. pharmacienne / homme ?
5. informaticien / femme ?

! RÈGLE 1

Le masculin et le féminin des professions

- En règle générale, au féminin, on ajoute un **~e** au nom masculin.
  - *un client → une cliente*
- S'il y a déjà un **~e** final au masculin, pas de changement au féminin.
  - *Il est journalist**e**. → Elle est journalist**e**.*
- **Attention** à ces changements :
  - **~er → ~ère** : *boulanger → boulang**ère***
  - **~eur → ~euse** : *vendeur → vend**euse***
  - **~teur → ~trice** : *directeur → direc**trice***
  - **~ien → ~ienne** : *mécanicien → mécanic**ienne***

⚠ Certains noms de professions n'ont pas de féminin (*un médecin*) mais on commence aujourd'hui à utiliser de **nouveaux féminins** :
- *un écrivain* ou *une écrivaine*
- *un auteur* ou *une auteure*
- *un professeur* ou *une professeure*

13 Interrogez-vous comme dans l'exemple, puis écrivez vos échanges.

Exemple : Un pianiste ? → piano
A : – Un pianiste, il fait quoi ?
B : – Eh bien... Il fait du piano.

1. Un violoniste ? → violon
2. Une couturière ? → couture
3. Un peintre ? → peinture
4. Un comédien ? → théâtre
5. Une actrice ? → cinéma
6. Une pâtissière ? → pâtisserie
7. Un artiste ? → art
8. Un touriste ? → tourisme

! RÈGLE 2

« Faire de » + article défini + nom

- On utilise « **faire de** » suivi d'un nom de sport, d'instrument de musique, d'activité.
  - « Faire de » + un nom masculin → faire **du ...**
    - *Je fais **du** vélo et **du** yoga. / Elle fait **du** piano.* (~~de + le~~ → du)
  - « Faire de » + un nom féminin → faire **de la ...**
    - *Il fait **de la** natation. / Nous faisons **de la** guitare.* (de + la = de la)
  - « Faire de » + un mot qui commence par **a, e, i, o, u, h** → faire **de l'**...
    - *Vous faites **de l'**athlétisme ? / Ils font **de l'**harmonica.* (~~de + le~~ + voyelle orale = de l' + voyelle orale)

DICTÉE

14 Écoutez et écrivez, puis comparez avec vos voisins.

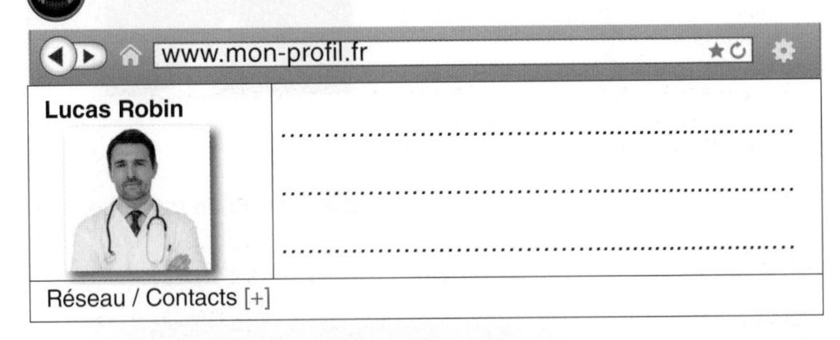

ÉCRITURE

15 (1) Interrogez vos voisins pour connaître leur profil. (2) Remplissez la fiche. (3) Rédigez le profil d'un de vos voisins.

www.mon-profil.fr
Michel	*Il est...*
Réseau / Contacts [+]	

www.mon-profil.fr
....	....
Réseau / Contacts [+]	

ÉCHAUFFEMENT

16 Écoutez et répétez en imitant l'intonation.

La confirmation

1. – Ça va un peu mieux ?
   – Oui, ça va mieux !
2. – Vous habitez à Paris, c'est bien ça ?
   – Oui, oui, c'est ça !
3. – Vous n'êtes pas timide, vous ?
   – Oh non, absolument pas !
4. – Vous n'aimez pas le football, vous ?
   – Oh, non, je déteste ça.

COMPRÉHENSION

17 Écoutez et répondez.

Vous n'êtes pas timide ?

1. Complétez les fiches, puis interrogez votre voisin pour vérifier vos réponses.

Fiche candidat 1 — QUI VEUT DES MILLIONS ?

Prénom : ....

Âge : ....

Lieu d'habitation : ....

Profession / occupation : ....

Loisirs : ....

Fiche candidat 2 — QUI VEUT DES MILLIONS ?

Prénom : ....

Âge : ....

Lieu d'habitation : ....

Profession / occupation : ....

Loisirs : ....

Exemple :
A : – Comment s'appelle le premier candidat ?
B : – Il...

2. Répondez et justifiez.

• À propos de Jean-Paul :
1. Comment est Jean-Paul ?
2. D'où est-ce qu'il vient ?
3. Qu'est-ce qu'il vend ?

• À propos d'Élodie :
4. Avec qui est-ce qu'elle habite ?
5. Qu'est-ce qu'elle fait le week-end ?
6. Comment est Élodie ?

18 Écoutez. Qu'est-ce qu'ils disent ?

Exemple : Jean-Paul est inquiet.
→ Il dit : « J'ai un peu peur. »

1. Le présentateur rassure Jean-Paul.
2. Jean-Paul est soulagé ; il est moins inquiet.
3. Élodie n'a pas du tout peur.
4. Le présentateur propose de commencer.

À VOUS DE JOUER

19 Imitez, puis utilisez entre vous.

Répondre à une salutation, rassurer

a-b

1. A : – Bonsoir Jean-Paul, vous allez bien ? Vous êtes heureux d'être en finale ?
   B : – Oui, oui, ça va, Patrick, mais j'ai un peu peur. Je suis un peu timide.
   A : – Mais il ne faut pas avoir peur, Jean-Paul. Ça va aller.

2. A : – É-lo-die ! Comment allez-vous ?
   B : – Très bien, et vous-même, Patrick ?
   A : – Oh moi, ça va ! Dites-moi, Élodie, vous n'êtes pas timide, vous ?
   B : – Oh non, absolument pas !

20 En situation.

**(1) Écrivez les prénoms des élèves de la classe sur des petits papiers. Mélangez-les.
Le professeur tire au sort un présentateur et deux candidats.
(2) En petits groupes : les présentateurs demandent aux deux candidats de se présenter.
(3) Les présentateurs présentent les deux candidats à la classe.**

ÉCHANGES

Aidez-vous des pages annexes : conjugaison et lexique.

1 Faites comme dans l'exemple.

Exemple : Elle travaille dans une classe. → Elle est professeure.

1. Il travaille dans une boucherie. → ....
2. ....→ Elle est boulangère.
3. Il travaille dans un commissariat de police. → ....
4. ....→ Elle est vendeuse.
5. Il travaille dans un atelier de peinture. → ....

2 Faites comme dans l'exemple.

Exemple : Elle est photographe. → Elle fait de la photographie.

1. Il est danseur.
→ ....
2. Elle est musicienne.
→ ....
3. Ils sont peintres.
→ ....
4. Elle est pianiste.
→ ....
5. Ils sont guitaristes.
→ ....

3 Écoutez leurs explications et faites comme dans l'exemple.

Exemple : Il est directeur.

1. →..
2. →..
3. →..
4. →..

LECTURE

4 Lisez et répondez.

www.mon-profil.fr

Olivier Gauthier

Ma profession : artiste chocolatier

Je suis de Bayonne, dans le Pays basque, une ville célèbre pour son chocolat depuis le XVIIe siècle. Dans ma famille, on est chocolatiers de père en fils. Moi, je cherche de nouveaux goûts, de nouveaux parfums, alors je voyage souvent en Afrique et en Amérique du Sud. J'aimerais rencontrer des chocolatiers du monde entier. J'apprends aussi à jouer à la pelote basque. Pas facile mais amusant !

Mon Facebook flickr Mes photos

1. Il s'appelle comment ?
→ ....
2. Il habite où ?
→ ....
3. Quelle est sa profession ?
→ ....
4. Qu'est-ce qu'il aime faire ? (2 réponses)
→ ....
→ ....
5. Qu'est-ce qu'il cherche sur Internet ?
→ ....

ÉCRITURE

5 Écoutez et écrivez.

6 Sur le modèle de l'exercice 4, rédigez votre profil.

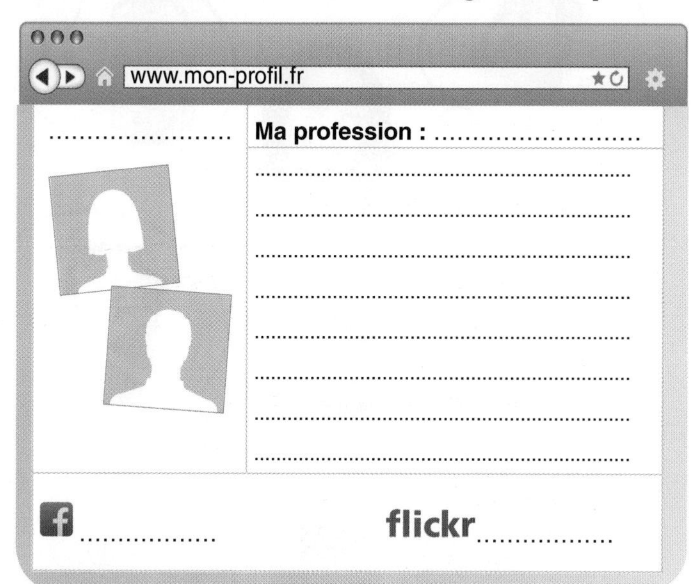

DISCUSSION

7 Écoutez et cochez ce que vous entendez.

	Masculin	Féminin
1.	☑ C'est un Italien.	❑ C'est une Italienne.
2.	❑ C'est un informaticien.	❑ C'est une informaticienne.
3.	❑ C'est un lycéen.	❑ C'est une lycéenne.
4.	❑ Il est mécanicien ?	❑ Elle est mécanicienne ?
5.	❑ Quel musicien !	❑ Quelle musicienne !
6.	❑ Est-ce qu'il est pharmacien ?	❑ Est-ce qu'elle est pharmacienne ?

8 Écoutez et répondez aux questions.

1. Où sont les deux personnes ?
→ ....

2. Complétez les fiches.

Elle
Prénom : ....
Profession : ....
Lieu d'habitation : ....
Lieu de travail : ....
Pourquoi elle va au club ?
....

Lui
Prénom : ....
Profession : ....
Lieu d'habitation : ....
Lieu de travail : ....
Pourquoi il va au club ?
....

3. Qui vient au club pour la première fois ?
→ ....

4. Qu'est-ce qu'il fait du matin au soir ?
→ ....

5. Qu'est-ce qu'elle n'aime pas faire le week-end ?
→ ....

Comment dit-on dans votre langue ?

« Un peu de tout » : ....

« Le travail et les loisirs, ce sont deux choses différentes. » :
....
....

ÉCHAUFFEMENT

1 Écoutez et répétez.

Je m'intéresse…

ÉCHANGES

2 Écoutez et imitez.

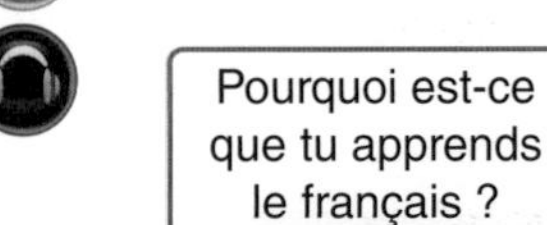
Pourquoi est-ce que tu apprends le français ?

J'apprends le français parce que je m'intéresse à la culture française, et aussi pour pouvoir discuter avec des Français quand je voyage en France.

Et tu t'intéresses à quoi d'autre ?

Je m'intéresse à l'histoire de l'Europe. C'est un peu compliqué, mais je trouve ça passionnant.

3 Interrogez-vous en utilisant le vocabulaire que vous connaissez et le vocabulaire ci-dessous.

▶ **S'intéresser**

à la géographie

à l'histoire

E=mc²
aux sciences

à l'architecture

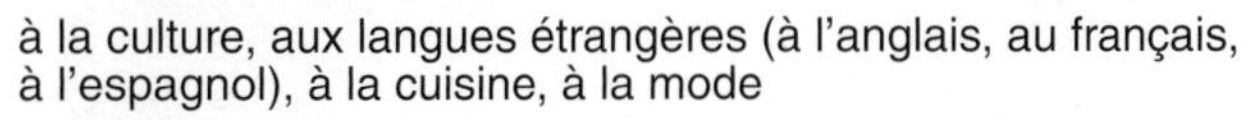
Et aussi :
à la culture, aux langues étrangères (à l'anglais, au français, à l'espagnol), à la cuisine, à la mode

▶ **Donner une opinion**
- *je trouve* + nom + adjectif : *Je trouve Internet compliqué.*
- *je trouve ça* + adjectif : *je trouve ça passionnant, utile, intéressant, difficile, pratique, génial…*

▶ **Parler de ses motivations**
- pour discuter avec des Français, pour le plaisir, pour faire des progrès en français, pour…
- parce que c'est utile pour trouver un emploi, parce que c'est la langue de la culture, parce que c'est une langue internationale, parce que…

4 Interrogez-vous à partir des images.

Exemple :
A : – Pourquoi est-ce qu'elle apprend le français ?
B : – Elle apprend le français parce qu'elle s'intéresse à la mode et aussi pour parler avec son petit ami français.

À VOUS DE JOUER

5 Imaginez un dialogue et jouez-le.

?

?

ÉCHAUFFEMENT

6 (1) Faites le découpage et barrez les lettres finales non prononcées comme dans l'exemple. (2) Écoutez l'enregistrement et vérifiez avec votre voisin. (3) Lisez les phrases à voix haute.

Le rythme

Exemple : Vous vous intéressez / à l'architecture ?
vuvuzɛ̃teʀɛse alaʀʃitɛktyʀ

1. Je m'intéresse à l'histoire.
   ʒəmɛ̃teʀɛs alistwaʀ
2. Je m'intéresse beaucoup à l'histoire de France.
   ʒəmɛ̃teʀɛs boku alistwaʀ dəfʀɑ̃s
3. J'ai commencé à faire de la danse.
   ʒekɔmɑ̃se afɛʀ dəladɑ̃s
4. J'ai commencé à faire de la danse classique.
   ʒɛkɔmɑ̃se afɛʀ dəladɑ̃s klasik
5. J'ai commencé à faire de la danse classique à l'école.
   ʒɛkɔmɑ̃se afɛʀ dəladɑ̃s klasik alekɔl

LECTURE

7 Observez, puis lisez à voix haute.

France Normandie

**Ils apprennent le français.
Comme eux, choisissez *France Normandie* !**

» Boris :
Bonjour !
Je viens de Russie et j'ai 22 ans. Je m'intéresse à la politique européenne. J'ai commencé à étudier le français quand je suis entré à l'université à Moscou. J'aimerais beaucoup travailler dans une organisation internationale dans le futur. Je voudrais bien parler français et à *France Normandie*, je fais beaucoup de progrès !

» Julia :
Salut !
J'ai 19 ans et je suis américaine. J'habite à Chicago. Je voudrais être cuisinière plus tard. La cuisine normande est vraiment très bonne. J'étudie le français parce que je fais un stage à l'*Hôtel Normandie* et parce que je voudrais devenir cuisinière dans un grand restaurant. À *France Normandie*, l'ambiance est géniale et on travaille bien. C'est une super école !

» Yuki :
Bonjour à tous.
Moi, je suis japonais. Je m'intéresse beaucoup à l'histoire de France. La Normandie est une région magnifique et il y a beaucoup de monuments très anciens. Alors, quand je vais en France, j'étudie toujours une ou deux semaines à *France Normandie*, c'est une très bonne école !

8 Lisez la publicité de l'activité 7, puis répondez à deux.

Exemple :
A : – C'est une publicité pour quoi ?
B : – C'est une publicité pour *France Normandie*.

1. *France Normandie*, qu'est-ce que c'est ?
2. Qui sont Boris, Julia et Yuki ?
3. Quelles sont leurs nationalités ?
4. Qu'est-ce qu'ils apprécient à *France Normandie* ?

9 Lisez le document de l'activité 7, puis interrogez-vous à tour de rôle.

Exemple :
A : – Boris, Julia et Yuki ont quel âge ?
B : – Boris a 22 ans, Julia a 19 ans et, pour Yuki, on ne sait pas.

1. Quand est-ce que Boris a commencé à étudier le français ?
2. À quoi s'intéressent Boris, Julia et Yuki ?
3. Pourquoi est-ce qu'ils étudient le français ?
4. Pourquoi est-ce que Julia et Yuki ont choisi la Normandie ?
5. Est-ce qu'ils ont des projets pour le futur ?

PRATIQUE DE LA LANGUE

10 Interrogez-vous oralement à tour de rôle comme dans l'exemple.

Exemple : (elle) la cuisine et les bons restaurants
A : – Qu'est-ce qu'elle voudrait faire, plus tard ?
B : – Elle, elle s'intéresse à la cuisine et aux bons restaurants, alors elle aimerait être cuisinière.

1. (lui) le pain et les croissants
2. (elle) la médecine et aider les gens
3. (elles) les vêtements et la mode
4. (eux) le commerce et la vente
5. (toi) … ?

ÉCHAUFFEMENT

11 Lisez le texte avec vos voisins, recopiez puis comparez.

Max a commencé le piano quand il est entré à l'école primaire et il voudrait devenir pianiste professionnel. Il apprend le français parce qu'il aimerait entrer au Conservatoire national de musique de Paris. Il s'intéresse aussi à la chanson française.

GRAMMAIRE

12 Interrogez-vous comme dans l'exemple puis écrivez vos réponses.

Exemple : Un cuisinier ?
A : – À quoi est-ce qu'un cuisinier s'intéresse ?
B : – Il s'intéresse à la cuisine.

1. Une historienne ?
2. Un photographe ?
3. Des architectes ?
4. Un boulanger ?
5. Des actrices ?

RÈGLE 3

« S'intéresser à » + article défini + nom

- On utilise **« s'intéresser à » + article défini + nom.** Le verbe « s'intéresser » se conjugue comme le verbe « s'appeler » : le pronom « **se** » (« **s'** ») change avec le sujet.
  - « s'intéresser à » + un nom masculin → s'intéresser **au**…
    - *Je **m'**intéresse **au** cinéma français.* (~~à + le~~ → au)
  - « s'intéresser à » + un nom féminin → s'intéresser **à la**…
    - *Tu **t'**intéresses **à la** mode.* (à + la = à la)
  - « s'intéresser à » + un mot qui commence par **a, e, i, o, u, h** → s'intéresser **à l'**…
    - *Vous **vous** intéressez **à l'**architecture ?* (~~à + la~~ + voyelle orale = à l' + voyelle orale)

À la forme interrogative, la préposition « **à** » se place devant « **quoi** ».
- ***À quoi** est-ce qu'il s'intéresse ? = Il s'intéresse **à quoi** ?*

13 Faites une phrase comme dans l'exemple, puis écrivez.

Exemple : (Stéphanie) avoir un enfant → arrêter de fumer
A : – Quand Stéphanie a eu un enfant, elle a arrêté de fumer.

1. (Julien) commencer à travailler → acheter une voiture
2. (elles) entrer à l'école primaire → commencer à faire du piano
3. (je) être fatigué → boire du café
4. (nous) aller au cinéma → manger du popcorn
5. (il) faire chaud → (les enfants) aller à piscine

RÈGLE 4

« Quand » + une phrase

- Pour donner des informations sur le temps ou le moment, on peut préciser l'année ou on peut utiliser « **quand** » + une phrase.
  - *J'ai commencé à étudier le français <u>en 2014</u>.*
  - *J'ai commencé à étudier le français <u>quand je suis entré à l'université</u>.*
- Pour exprimer une habitude, on peut commencer la phrase avec « **quand** ».
  - *Quand je vais en France, je loue une voiture.* (= une habitude)

DICTÉE

14 Écoutez et écrivez, puis comparez avec vos voisins.

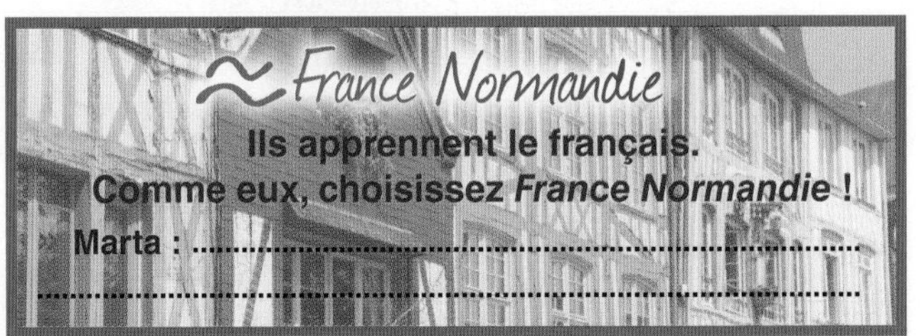
France Normandie
Ils apprennent le français.
Comme eux, choisissez France Normandie !
Marta : ....

ÉCRITURE

15 (1) Interrogez vos voisins pour connaître leurs motivations. (2) Remplissez la fiche. (3) Écrivez ensemble un texte pour faire le bilan de vos motivations.

Nos motivations

Qui ?	Pourquoi ?
• David	• *Il apprend le français parce qu'il veut…*
• Yasmina • Charlotte	• *Elles apprennent le français parce qu'elles voudraient…*
• …	• …

ÉCHAUFFEMENT

16 Écoutez et répétez en imitant l'intonation.

L'évitement

1. – Tu vas bien ?
   – Oui, oui, ça va.
2. – Tu es libre vendredi soir ?
   – Ven-dre-di soir... Ah… Je suis désolé, mais c'est impossible.
3. – Moi aussi, tu sais, je m'intéresse au tango.
   – Ah bon ? C'est vrai ?
4. – C'est fantastique, non ?
   – Ouais… C'est vraiment super !

COMPRÉHENSION

17 Écoutez et répondez.

Je ne comprends pas pourquoi tu apprends cette danse…

1. Complétez l'invitation électronique de Charlotte, puis interrogez votre voisin pour vérifier vos réponses.

INVITATION ÉLECTRONIQUE

Charlotte vous invite
à ....
Jour : .... Heure : ....
Lieu : ....

■ Accepter ■ Peut-être ■ Refuser

Ajouter un commentaire :
....
....

Exemple :
A : – Où est-ce que Charlotte invite David ?
B : – Elle...

2. Répondez et justifiez.

1. Depuis combien de temps est-ce que David apprend le tango ?
2. Pourquoi est-ce que Charlotte croit que David n'aime pas danser ?
3. Est-ce que David aime toutes les danses ?
4. David dit qu'il s'intéresse à quoi ? Pourquoi est-ce que Charlotte ne le croit pas ?
5. Quelle est l'idée de Charlotte ? Est-ce que David est content ?

18 Écoutez. Qu'est-ce qu'ils disent ?

Exemple : Charlotte ne sait pas expliquer pourquoi elle est inquiète.
→ Elle dit : « Ben… euh… comment dire… »

1. Charlotte s'inquiète pour David.
2. David vérifie s'il est libre vendredi soir.
3. Charlotte ne croit pas que David s'intéresse au tango.
4. Charlotte a quelque chose à annoncer à David.

À VOUS DE JOUER

19 Imitez, puis utilisez entre vous.

Demander et donner des explications

a-c

1. A : – Tu es inquiète ? Mais pourquoi ?
   B : – Ben… euh… comment dire… tu ne donnes pas de nouvelles…
   A : – Oh, c'est juste parce que ces derniers jours, je rentre tard du travail.
2. A : – Et tu t'intéresses au tango, toi ?
   B : – Mais évidemment ! Qu'est-ce que tu veux dire ? Tu trouves ça bizarre ?
   A : – Non, c'est pas ça, mais... euh... d'habitude… euh... quand on va en boîte avec mes copines, tu veux pas danser.
   B : – C'est normal ! C'est juste parce que j'ai horreur de l'électro. C'est tout.
3. A : – Bon, peut-être... mais revenons à notre conversation ! Je ne comprends pas pourquoi tu apprends cette danse…
   B : – Oh c'est simple ! Je m'intéresse à la culture brésilienne depuis longtemps. Je trouve ça passionnant.

20 En situation.

(1) Vous téléphonez à un ami pour avoir des nouvelles et pour l'inviter à une soirée.
(2) Votre ami ne peut pas, vous demandez des explications.
(3) Votre ami explique pourquoi (cours de français, de cuisine...).
(4) Votre ami confirme ensuite sa réponse en ligne.

Événement : ....

■ Accepter ■ Peut-être ■ Refuser

Jour : .... Heure : ....
Lieu : ....

Commenter :
....
....

ÉCHANGES

Aidez-vous des pages annexes : conjugaison et lexique.

1 Écrivez ce à quoi ils s'intéressent, comme dans l'exemple.

Exemple : Un cuisinier → Il s'intéresse à la cuisine.

1. Un historien → ……………………………………………………
2. Une scientifique → ……………………………………………………
3. Un architecte → ……………………………………………………
4. Une styliste → ……………………………………………………
5. Des géographes → ……………………………………………………
6. Des traductrices → ……………………………………………………

2 Expliquez pourquoi ils apprennent le français. Utilisez « pour » ou « parce que ». Attention à la conjugaison du verbe « apprendre ».

~~parler français avec sa petite amie~~ – discuter avec des Français – le plaisir – utile pour trouver un emploi – la langue de la culture – une langue internationale

Exemple : Sa petite amie est française. (il)
→ Il apprend le français pour parler français avec sa petite amie.

1. Elle veut travailler en France.
→ ……………………………………………………
2. On peut parler français dans beaucoup de pays. (il)
→ ……………………………………………………
3. Pour eux, aller en cours, c'est un loisir.
→ ……………………………………………………
4. Il y a beaucoup d'écrivains et de peintres français. (vous)
→ ……………………………………………………
5. C'est important de pouvoir communiquer dans d'autres langues. (nous)
→ ……………………………………………………
6. Moi, → ……………………………………………………
……………………………………………………

3 Écoutez leurs explications et faites comme dans l'exemple. Utilisez « pour » ou « parce que ».

Exemple : Parce qu'il trouve que la prononciation du français est jolie.

1. → ……………………………………………………
2. → ……………………………………………………
3. → ……………………………………………………
4. → ……………………………………………………

LECTURE

4 Lisez ce document et répondez aux questions.

ÉCOLE DE CUISINE « *Les nouveaux chefs* »

Bonjour !
Je m'appelle Hans, je suis allemand et j'ai 42 ans. Je m'intéresse à la cuisine depuis longtemps et j'ai commencé à prendre des cours de cuisine quand je me suis marié en France. Eh oui, Julie, ma femme, n'aime pas beaucoup ça ! Aujourd'hui, j'étudie la cuisine française, mais ensuite, j'aimerais beaucoup apprendre aussi les cuisines italienne, chinoise et libanaise ! Ici, aux *Nouveaux Chefs*, je fais beaucoup de progrès et je rencontre des personnes passionnantes !

Vous aussi, comme Hans, venez apprendre les cuisines du monde entier avec nous !
Appelez le 01 44 44 44 40 pour plus d'informations.
www.les-nouveaux-chefs.com

1. *Les Nouveaux Chefs*, qu'est-ce que c'est ?
→ ……………………………………………………
2. Qui est Hans ?
→ ……………………………………………………
3. Quelle est sa nationalité ?
→ ……………………………………………………
4. Pourquoi est-ce qu'il apprend la cuisine ?
→ ……………………………………………………
5. Quels sont ses projets pour le futur ?
→ ……………………………………………………
6. Qu'est-ce qu'il apprécie aux *Nouveaux Chefs* ?
→ ……………………………………………………

ÉCRITURE

5 Écoutez et écrivez.

....

....

....

....

....

....

....

6 Sur le modèle de l'exercice 4, racontez pourquoi vous apprenez le français dans votre école.

ÉCOLE DE FRANÇAIS

....

....

....

....

....

....

....

....

....

DISCUSSION

7 Écoutez et cochez ce que vous entendez.

	[ɛ] à la fin du verbe	[e] à la fin du verbe
1.	☑ Répète, s'il te plaît.	❑ Répétez, s'il vous plaît.
2.	❑ Tu préfères un thé ?	❑ Vous préférez un thé ?
3.	❑ Tu t'appelles Pierre ?	❑ Vous vous appelez Pierre ?
4.	❑ Tu t'intéresses à quoi ?	❑ Vous vous intéressez à quoi ?
5.	❑ Tu achètes le pain ?	❑ Vous achetez le pain ?
6.	❑ Tu paies en espèces ?	❑ Vous payez en espèces ?

8 Écoutez et répondez aux questions.

1. Complétez les informations.

Prénom, nom : ....

Profession : ....

Lieu de travail : ....

2. Quelle question est-ce que la journaliste pose ?

→ ....

3. Complétez le tableau.

Catégories d'étudiants	Raison principale d'étudier le français	Exemples de motivation pour les études de français
Catégorie 1	....	....
Catégorie 2	*Pour le plaisir, parce qu'ils s'intéressent à la culture française*	*Ils aiment la littérature française ou le cinéma français.*
Catégorie 3	....	....
Catégorie 4	....	*Pas d'exemple*

4. Où est-ce que les étudiants australiens peuvent pratiquer leur français ?

→ ....

5. Comment est-ce que Philippe trouve ses étudiants ?

→ ....

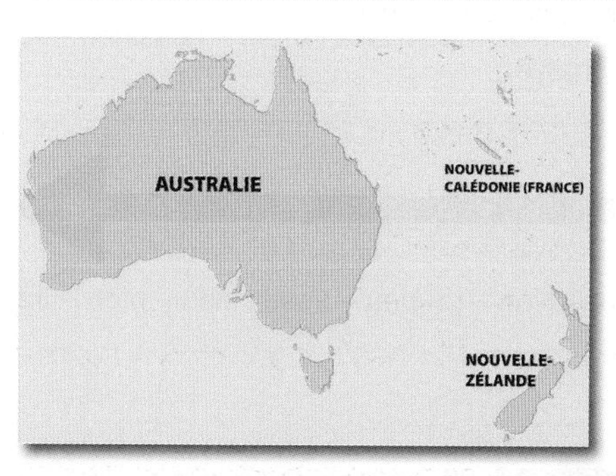

Comment dit-on dans votre langue ?

« Merci d'accepter de nous rencontrer » :

....

« Euh… comment dire… ? » : ....

ÉCHAUFFEMENT

1 Écoutez et répétez.

Est-ce que tu sais …

ÉCHANGES

2 Écoutez et imitez.

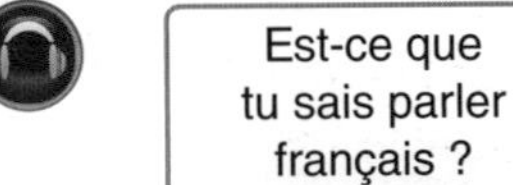
Est-ce que tu sais parler français ?

Oui, ça dépend. Pourquoi ?
Je ne sais pas prononcer ce mot. Tu peux m'aider ?
Euh… Je suis capable de lire en français, mais je ne sais pas bien parler.

3 Interrogez-vous en utilisant le vocabulaire que vous connaissez et le vocabulaire ci-dessous.

Variez votre interrogation avec : parler français – utiliser un ordinateur – jouer du piano / de la guitare / de la flûte – jouer aux échecs – jouer aux cartes – dessiner – nager – danser – chanter

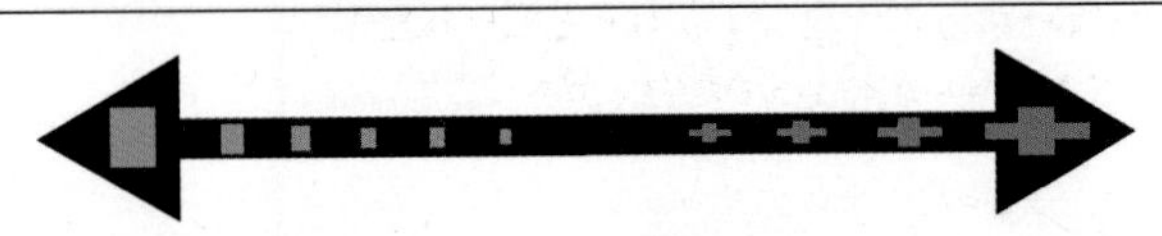

pas du tout – pas bien – un peu – assez bien – bien – très bien

▶ **S'exprimer**

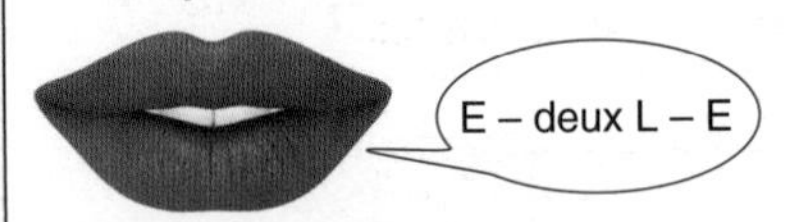
E – deux L – E

prononcer un mot

Et aussi :

- conjuguer un verbe : conjuguer *être : je suis, tu es, il / elle…*
- vouloir dire : *« Salut », ça veut dire « bonjour »*
- traduire (un mot) en français : *Hello = bonjour*
- traduire du français à l'anglais / de l'anglais au français

▶ **Les activités**

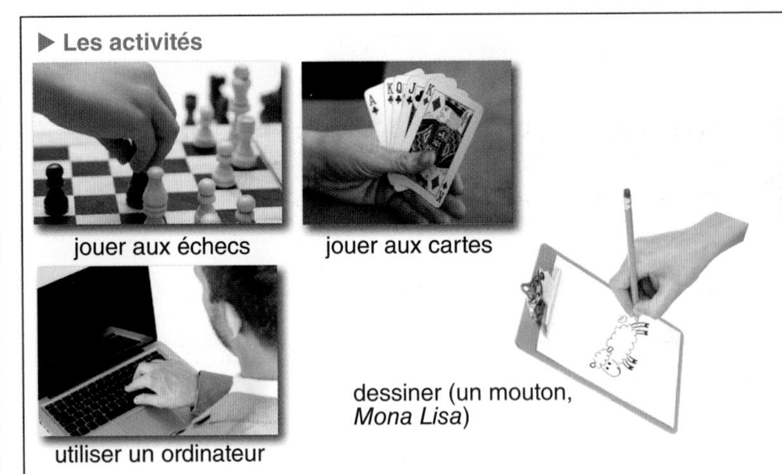

jouer aux échecs

jouer aux cartes

utiliser un ordinateur

dessiner (un mouton, *Mona Lisa*)

Et aussi :

- jouer d'un instrument de musique : *je joue du piano, tu joues de la flûte*
- nager (le crawl, la brasse…)
- utiliser les logiciels informatiques (Word, Excel, Powerpoint...)
- peindre comme Renoir
- danser (le rock, la samba, le tango…)
- chanter (la *Marseillaise*, l'opéra…)

4 Interrogez-vous à partir des images.

Exemple :
A : – Il ne sait pas dessiner un mouton. Son ami peut l'aider ?
B : – Non, il ne peut pas... Il est capable de dessiner un avion, mais il ne sait pas dessiner un mouton.

?
ok
Carmen ?
de la pop : OK,
Carmen

À VOUS DE JOUER

5 Imaginez un dialogue et jouez-le.

ÉCHAUFFEMENT

6 (1) Écoutez l'enregistrement et soulignez les syllabes accentuées. (2) Vérifiez avec votre voisin. (3) Lisez à voix haute.

L'accentuation

Exemple : Elle communique / bien : // elle a / une bonne communication.

1. Il est motivé : // il a / de la motivation.
2. Il connaît / l'histoire : // il a / des connaissances.
3. Elle explique / bien : // elle a / de bonnes explications.
4. Il prépare / bien / ses examens : // il a / une bonne préparation.
5. Elle sait / bien / prononcer / l'anglais : // elle a / une bonne prononciation.

LECTURE

7 Observez, puis lisez à voix haute.

LYCÉE HENRI IV Paris 75005	BULLETIN TRIMESTRIEL Classe : CPGE – École spéciale militaire de Saint-Cyr
Nom : Lemaire – Prénom : Sylvain Né le : 31/08/1994	Année : 2013-14 (1er trimestre) Effectif : 54 élèves

Matière	Moyenne / Moyenne classe	Appréciation
Mathématiques et informatique	16 / 14,3	Très bon trimestre. Vous savez bien utiliser les logiciels. Continuez.
Culture générale	13,5 / 12,8	Beaucoup de connaissances, mais vous oubliez trop souvent de donner votre opinion à la fin de vos analyses. Attention aux retards.
LV1 : Anglais	10,4 / 11,5	Attention à la grammaire et à l'orthographe : vous êtes capable de parler vite et de bien prononcer mais vous faites trop de fautes à l'écrit.
LV2 : Allemand	17,5 / 10,8	Excellent à l'oral comme à l'écrit.
Histoire	8,2 / 12	Votre moyenne est faible parce que vous avez raté un contrôle... Est-ce que vous avez vraiment révisé vos leçons ?
Économie	11,6 / 10,4	Étudiant très motivé. Bons résultats, mais vous analysez trop rapidement les documents de temps en temps.
EPS	16 / 14,5	Bons résultats, bon travail, esprit d'équipe. Continuez comme ça.

Appréciation générale : *Des résultats assez bons, de manière générale, mais M. Lemaire doit faire encore des efforts pour réussir le concours. Entrer dans une grande école, ce n'est pas passer le bac !*	Absences : 0 Retards : 2

Le professeur principal : Simon Blanchard

Le proviseur : le 02/12/2013 Bernard Sanchez

8 Lisez le document de l'activité 7 et répondez à deux.

Exemple :
A : – Qu'est-ce que ça signifie « CPGE » ?
B : – Ça signifie « Classe Préparatoire aux Grandes Écoles ».

1. Sylvain Lemaire a quel âge ?
2. Il a déjà passé son baccalauréat et il est étudiant ou il est encore lycéen ?
3. Où est-ce qu'on prépare le concours d'entrée à l'école militaire de Saint-Cyr ?
4. Pour préparer ce concours, on étudie quelles matières ?
5. Il y a combien d'élèves dans cette « classe prépa » ?

9 Lisez le document de l'activité 7, puis interrogez-vous à tour de rôle.

Exemple :
A : – Qu'est-ce que Sylvain sait bien utiliser ? Dans quelle matière ?
B : – Il sait bien utiliser les logiciels en mathématiques et informatique.

1. Qu'est-ce qu'il oublie trop souvent ? Dans quelle matière ?
2. Qu'est-ce qu'il est capable de bien faire en langues étrangères ?
3. Pourquoi est-ce qu'il n'a pas une bonne moyenne en histoire ?
4. Dans quelles matières est-ce qu'il est vraiment motivé ?
5. Qu'est-ce que Sylvain doit faire pour réussir le concours ?

PRATIQUE DE LA LANGUE

10 Interrogez-vous à tour de rôle comme dans l'exemple.

Exemple : mathématiques ?
A : – Vous aimez les mathématiques ?
B : – Heu ... En mathématiques, je ne suis pas très bon... Je préfère...
ou B : – Oui, en mathématiques, je suis assez bon. Je trouve ça très intéressant.

histoire | géographie | culture générale | cuisine | sport | jeux de société

ÉCHAUFFEMENT

11 Lisez le texte avec vos voisins, recopiez puis comparez.

*Vous faites trop de fautes à l'écrit ?
C'est parce que vous écrivez trop vite !
Analysez bien vos phrases, faites attention à la grammaire et à l'orthographe et relisez votre texte. Faites un effort, vous êtes capable de bien réussir. Bon courage !*

GRAMMAIRE

12 Interrogez-vous sur Sylvain Lemaire avec le bulletin de l'activité 7, puis écrivez vos réponses.

Exemple :
A : – Est-ce que Sylvain est bon en informatique ?
B : – Oui, il sait bien utiliser les logiciels.

1. Est-ce qu'il parle bien allemand ?
2. Est-ce qu'il sait bien donner son opinion en « culture G » ?
3. Est-ce qu'il a bien réussi son contrôle d'histoire ?
4. Qu'est-ce qu'il fait trop vite en économie ?
5. Est-ce qu'il réussit bien en sport ?

RÈGLE 5
La place de l'adverbe

- Un adverbe donne une **information sur le verbe**. Il répond à la question « Comment ? » :
  - *Il mange **vite**.* (comment ? → vite)
  - *Il marche **rapidement**.* (comment ? → rapidement = vite)
- Les adverbes se placent généralement **après** le verbe conjugué.
  - *On dort **bien** dans ce lit.*
  - *On a **bien** dormi cette nuit.*

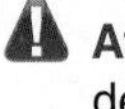

Attention à la place de l'adverbe quand on utilise deux verbes :
- *Il mange **vite**.*
- *Il doit manger **vite**.* (« vite » donne une information sur « manger », pas sur « doit »)
- *Elle sait **bien** travailler. ≠ Elle ne sait pas travailler.*
- *Elle sait **bien** parler anglais. ≠ Elle ne sait pas parler anglais.*

13 Interrogez-vous comme dans l'exemple puis écrivez vos réponses.

Exemple : (vos parents) skier ?
A : – Est-ce que vos parents savent skier ?
B : – Oui, ils savent un peu skier.
ou B : – Non, il ne sont pas vraiment capables de skier.

1. (vous) jouer d'un instrument de musique ?
2. (tu) utiliser le logiciel Excel ?
3. (votre voisin) jouer aux échecs ?
4. (les filles de la classe) cuisiner italien ?
5. (vous) parler français ?

RÈGLE 6
« Savoir », « être capable de » + infinitif

- Pour indiquer une **compétence**, on utilise le verbe « **savoir** » (*je sais, tu sais, il / elle / on sait, nous savons, vous savez, ils / elles savent*) **suivi de l'infinitif** :
  - *Le petit Mathieu a cinq ans mais il **sait lire**.* (= il a appris ou étudié)
- On peut utiliser « **être capable de** » + **infinitif** pour exprimer sa **capacité** :
  - *Cette voiture **est capable de** rouler à 200 kilomètres à l'heure.* (= elle peut)
  - *Je ne **suis** pas **capable** de porter 100 kilos.* (= je ne peux pas, je n'ai pas la force)

DICTÉE

14 Écoutez et écrivez, puis comparez avec vos voisins.

Appréciation générale : ....
....
....

Le professeur principal : Simon Blanchard 
Le proviseur : le 02/12/2013 Bernard Sanchez

ÉCRITURE

15 (1) Interrogez vos voisins sur ce qu'ils savent faire en français. (2) Remplissez la fiche. (3) Écrivez ensemble le bilan de compétences de votre équipe.

Notre bilan de compétences

Qui ?	Quoi ?
• Samia	*sait se présenter en français.*
• Romuald • Steeve	*sont capables de demander un numéro de téléphone.*
• …	• …

LEÇON 3

ÉCHAUFFEMENT

16 Écoutez et répétez en imitant l'intonation.

L'assurance

1. – Jérémy Garcia, n'est-ce pas ?
   – Oui, tout à fait. EXACTLY
2. – Vous savez utiliser un ordinateur, bien sûr ?
   – Bien sûr, madame !
3. – Vous êtes capable d'utiliser Excel ?
   – Les tableaux, tout ça, oui, j'adore, pas de souci.
4. – Vous avez déjà travaillé en équipe ?
   – Parfaitement madame.

COMPRÉHENSION

17 Regardez la vidéo et répondez.

1 **L'entretien Partie 1 – Vous voulez faire un stage ?**

1. Complétez la fiche, puis interrogez votre voisin pour vérifier vos réponses.

FICHE D'ENTRETIEN – Demande de stage

Nom : GARCIA .... Prénom : JEREMY ....
Niveau d'études : 3e ANNÉE ....
Nom de l'école : PARIS BUSINESS SCHOOL ....
Ville : 20e ARRONDISSEMENT ....
Durée possible du stage : DE MARS À AOÛT ....
Période souhaitée : QUATRE ....
Langue(s) étrangère(s) : ANGLAIS .... ☑ écrit ❒ parlé
.... ❒ écrit ❒ parlé
Compétences en informatique : ❒ Word ❒ Excel
❒ Autres : ....
Expérience professionnelle : ❒ Oui ☑ Non
Si oui, préciser : ....

Exemple :
A : – Quel est le nom de famille du stagiaire ?
B : – Son nom, c'est...

2. Répondez et justifiez.

1. Pourquoi est-ce que Jérémy dit que ce n'est pas pratique de faire le stage en été ?
2. Est-ce que l'école de Jérémy est connue ?
3. Est-ce qu'il faut utiliser l'anglais pendant le stage ?
4. Pourquoi est-ce que Jérémy parle de football ?
5. Pourquoi est-ce que Jérémy a de la chance ?

18 Regardez. Qu'est-ce qu'ils disent ?

1

Exemple : La responsable demande à Jérémy de confirmer son nom.
→ Elle dit : « Jérémy Garcia, n'est-ce pas ? »

1. Jérémy essaie de ne pas répondre à la question sur ses connaissances en anglais.
2. Jérémy dit qu'il est plus à l'aise avec Word.
3. La responsable n'a pas confiance dans les connaissances informatiques de Jérémy.
4. Jérémy reconnaît qu'il n'a jamais travaillé.

À VOUS DE JOUER

19 Imitez, puis utilisez entre vous.

Exprimer sa capacité de faire quelque chose

1a-b

1. A : – Est-ce que vous savez bien parler anglais ?
   B : – L'anglais ? Eh bien, ça dépend. C'est au téléphone, ou bien par e-mail ?
   A : – Il y a des clients qui téléphonent quelquefois. Mais c'est plus souvent des e-mails.
   B : – Eh bien, je suis capable d'écrire un e-mail en anglais.
2. A : – Vous savez utiliser un ordinateur, bien sûr ?
   B : – Bien sûr, madame ! Je suis tout le temps sur Internet !
   A : – Oui, je vois. Mais vous êtes capable d'utiliser Excel ? Pas de problème ?
   B : – Oui.... mais... pour quoi faire ?

20 En situation.

Vous allez à Pôle emploi pour trouver un emploi. Vous passez un entretien de compétences. L'agent remplit la fiche.

pôle emploi **FICHE D'ENTRETIEN**

Nom : .... Prénom : ....
Nom de l'agent : ....
Date de l'entretien : ....
Compétences :
• en bureautique (Word, Excel, Photoshop...) :
....
• en langues :
....
Autres compétences :
....

LEÇON 3

ÉCHANGES

Aidez-vous des pages annexes : conjugaison et lexique.

1 Utilisez le verbe « jouer » et faites comme dans l'exemple.

Exemple : Un violoniste → Il joue du violon.

1. Un joueur d'échecs → ....
2. Une guitariste → ....
3. Un footballeur → ....
4. Une joueuse de tennis → ....
5. Un pianiste → ....

2 Faites comme dans l'exemple.

Exemple : Jouer du piano
→ Je sais jouer du piano, mais je ne suis pas capable de jouer du jazz.

1. Nager
→ Il ....
2. Danser
→ Elle ....
3. Utiliser un ordinateur
→ Nous ....
4. Dessiner
→ Il ....
5. Cuisiner
→ Elle ....

3 Écoutez leurs explications et faites comme dans l'exemple.

Exemple : Il ne peut pas. Il sait bien parler français mais il ne sait pas bien écrire.

1. → ....
2. → ....
3. → ....
4. → ....

LECTURE

4 Lisez et répondez.

ÉCOLE BABEL

CLASSE DE FRANÇAIS
MERCREDI 18 h - NIVEAU A2
PROFESSEUR : Marie-Christine GIRARD

Suivi d'apprentissage de : Alex SULLIVAN (Américain)

M. Sullivan est un élève motivé. Il a beaucoup de connaissances en grammaire et en orthographe. Il sait bien utiliser le dictionnaire et le manuel. Il est capable de bien écrire mais il fait beaucoup de fautes de prononciation et il a quelques problèmes à l'oral.
Il doit faire encore des efforts à l'oral pour apprendre à parler vite et bien. Je recommande un cours de conversation et un cours de phonétique pour travailler l'oral.

1. Qui est Marie-Christine ?
→ ....
2. Qui est Alex Sullivan ?
→ ....
3. Quelle est sa nationalité ?
→ ....
4. Quels sont ses points forts ?
→ ....
5. Quels sont ses points faibles ?
→ ....
6. Que recommande le professeur ?
→ ....

ÉCRITURE

5 **Écoutez et écrivez.**

....

....

....

....

....

....

....

6 **Sur le modèle de l'exercice 4, faites votre fiche de suivi d'apprentissage.**

learning

ÉCOLE ....

CLASSE ....

PROFESSEUR : ....

Suivi d'apprentissage de : ....

....

....

....

....

....

....

DISCUSSION

7 **Écoutez les phrases et complétez les mots qui contiennent les sons [jɔ̃], [jɛ̃] ou [jɑ̃].**

Exemple : Il a une bonne prononcia**tion** en ita**lien**.

1. Elle regarde des émiss.........s sc.........tifiques.
2. Son ch......... aussi regarde la télévis......... .
3. Faites attent........., ce cl.........t est important.
4. Sa profess......... ? Il est histor......... .
5. Le dimanche, il aime b......... faire de la natat......... .

8 **Écoutez et répondez aux questions.**

1. Pourquoi est-ce que Jean-Philippe appelle Charlotte ?
→ ....

2. Complétez le programme de la soirée.

Programme de la soirée

Jour : ....

Rendez-vous à : ...... h ....

Transport : ....

› de 20 h à 23 h

Lieu : ....

Activité : ....

› à partir de 23 h

Lieu : ....

3. Complétez.

	Raison donnée par Charlotte	Encouragement de Jean-Philippe
a.	*Je sais pas chanter, moi.*	*C'est pas grave ! Moi non plus, je* ....
b.	....	....
c.	....	....

Comment dit-on dans votre langue ?

« Bof… Rien de spécial. » : ....

« Tu fais comme tout le monde ! » :

....

Faisons le « Qui est qui ? » de la classe

Étape 1 : Lisez le document 1 puis interrogez-vous pour remplir la fiche de renseignements (document 2).

Étape 2 : Écrivez la présentation mystère de votre voisin (document 3), donnez-lui un surnom, puis vérifiez ensemble.

Étape 3 : Rassemblez vos fiches pour jouer au « Qui est qui ? ».

Document 1

Présentation mystère…

Le dessinateur

24 septembre 2014
Par Justine

Il vient d'Australie, il est grand et il porte des lunettes. Il a deux frères et une sœur.
Il apprend le français parce que ses parents parlent aussi français. Il est capable de chanter *Formidable* de Stromae.
Il aime sortir et faire du sport, surtout du tennis.
Il sait très bien dessiner et il s'intéresse beaucoup à la BD.
Alors, qui est-ce ?

Document 2

Nom	....
Surnom	....
Pays, région	....
Description	....
Famille	....
Motivations	....
Goûts	....
Compétences	....

Document 3

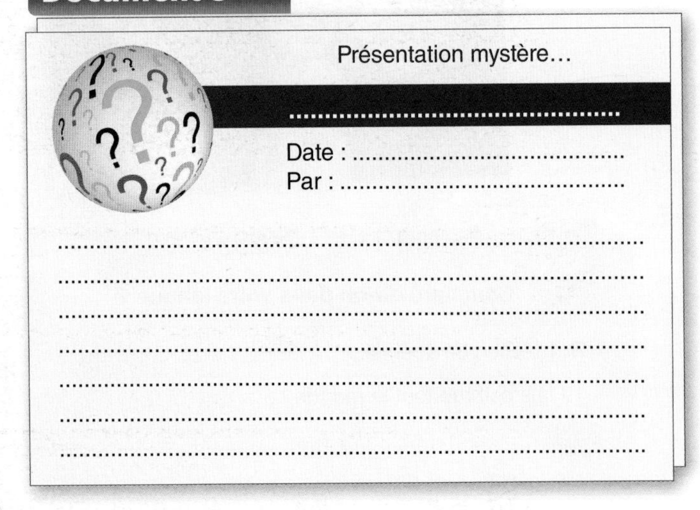

Présentation mystère…

....

Date : ....
Par : ....

....
....
....
....
....
....
....

Unité 2
CADRES DE VIE
LEÇON 4 – RELATIONS
LEÇON 5 – LOGEMENT
LEÇON 6 – PRÉFÉRENCES
PROJET – LE QUARTIER IDÉAL

ÉCHAUFFEMENT

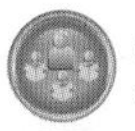

1 Écoutez et répétez.

Les amis…

ÉCHANGES

2 Écoutez et imitez.

Est-ce que les relations avec les voisins, ça compte pour vous ?

Oui, pour moi, c'est important. On se parle un peu dans l'ascenseur. On prend l'apéritif ensemble une fois par mois.

Ah bon ? Vous avez de la chance ! Dans mon immeuble, on se dit bonjour, c'est tout.

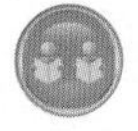

3 Interrogez-vous en utilisant le vocabulaire que vous connaissez et le nouveau vocabulaire ci-dessous.

Variez votre interrogation avec : la famille – les relations avec les collègues – les relations avec les autres étudiants de la classe – les amis

▶ **Socialiser**

rencontrer (quelqu'un)

prendre l'apéritif

aller voir (quelqu'un)

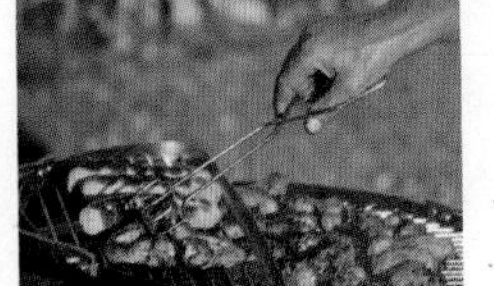
faire un barbecue

Et aussi :
- faire partie d'une association = être dans un club
- un(e) voisin(e) = une personne qui habite (ou qui est assise) à côté

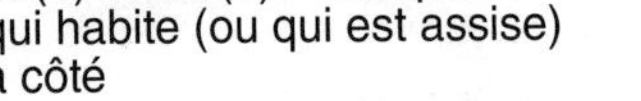

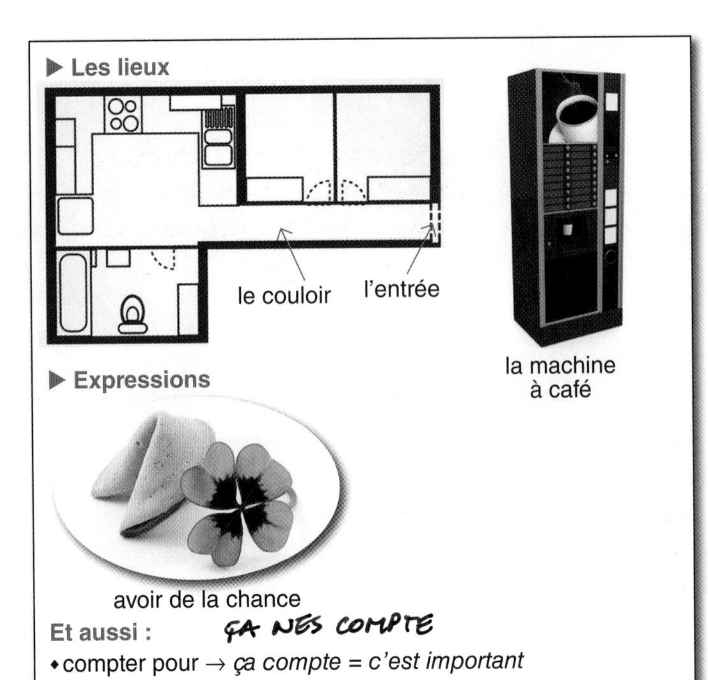

4 Interrogez-vous à partir des images.

Exemple :
A : – Les relations avec les voisins, ça compte pour lui ?
B : – Oui, pour lui, c'est important. Il parle avec eux tous les jours.

Les voisins
> tous les jours

Les collègues

À VOUS DE JOUER

5 Imaginez un dialogue et jouez-le.

ÉCHAUFFEMENT

6 (1) Écoutez l'enregistrement. (2) Associez les phrases à leur transcription API et vérifiez avec votre voisin. (3) Lisez à voix haute.

Le rythme

Exemple :
Nous nous disputons / un peu. • 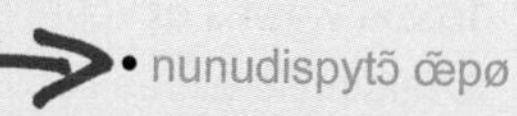 • nunudispytɔ̃ œpø

1. On se téléphone / tous les soirs. • a. vuvutelefɔne ləwikɛnd
2. Nous nous téléphonons / souvent. • b. tuləmɔ̃d sədi bɔ̃ʒuʀ
3. Vous vous téléphonez / le week-end. • c. ɔ̃sətelefɔn tuleswaʀ
4. Tout le monde / se dit / bonjour. • d. tulevwazɛ̃ sədiz bɔ̃ʒuʀ
5. Tous les voisins / se disent / bonjour. • e. nunutelefɔnɔ̃ suvɑ̃

LECTURE

7 Observez, puis lisez à voix haute.

Vivre ensemble dans un immeuble ?

Un petit sujet sur les voisins. On peut les classer en plusieurs catégories. Il y a les voisins sympas et les moins sympas. Reconnaissez-vous vos voisins dans ces 3 profils ?

■ Profil 1 : Bruno Ravel

Il habite au septième étage d'un immeuble sans ascenseur. Quand il rentre chez lui, il met sa musique très fort. Et ce n'est pas tout : il adore ses amis ! Ils se téléphonent tard le soir et se voient chez lui pour faire la fête le samedi soir. En plus, il ne dit jamais bonjour dans les escaliers. Bruno Ravel, bruyant et impoli, est le voisin qu'on veut voir déménager très vite !

■ Profil 2 : Madame Bertrand

C'est une dame souriante et très gentille mais... un peu trop gentille. Elle est vraiment toujours là. Elle sort de son appartement pour parler de son chat ou de la pluie et du beau temps. On la trouve bavarde, mais c'est vrai qu'elle habite seule et qu'elle ne travaille plus. Madame Bertrand connaît tout et tout le monde, mais on est content quand elle va en vacances chez ses enfants !

■ Profil 3 : Nathalie et Pascal Gentil

C'est un couple super sympa. La vie du quartier, les relations avec les autres voisins, se parler et se voir, ça compte vraiment pour eux. Ils participent toujours aux fêtes du quartier et on peut aussi sonner chez eux quand on n'a plus de sucre ou de farine. Ils aiment les enfants et peuvent rendre service de temps en temps. Ils ne se disputent jamais. Nathalie et Pascal, ce sont les voisins que tout le monde voudrait avoir !

Mon logement, mon quartier N° 30 Mars 2014

8 Lisez le document de l'activité 7 et répondez à deux.

Voisin	Identité	Goût (TASTE)	Caractère
1	....	....	*Il n'est pas poli (il ne dit jamais bonjour) et il est bruyant.*
2	....	*Elle aime son chat et elle aime beaucoup parler.*	....
3	*Nathalie et Pascal Gentil*	....	....

9 Lisez le document de l'activité 7, puis interrogez-vous à tour de rôle.

Exemple :
A : – Cet article du magazine *Mon logement, mon quartier* parle de quoi ?
B : – Il parle de la vie dans un immeuble.

1. Est-ce que tous les voisins se parlent ?
2. Pourquoi Mme Bertrand parle toujours de son chat ?
3. Et les Gentil, qu'est-ce qui compte pour eux ?
4. Qu'est-ce que Bruno et ses amis font ensemble ?
5. Qui est-ce que vous aimeriez avoir comme voisins ? Pourquoi ?

PRATIQUE DE LA LANGUE

10 Interrogez-vous à tour de rôle comme dans l'exemple.

Exemple : (lui) calme
A : – Lui, il n'est pas du tout calme... au contraire.
B : – Il est bruyant ?
A : – Oui, c'est ça.

1. (lui) poli
2. (elle) timide
3. (elles) tristes
4. (eux) malheureux ILS N'E SONT PAS DU TOUT MALHEUREUX
5. (l'exercice) difficile IL SA NE PAS DIFFICILE C'EST

ÇA CE N'EST PAS DIFFICILE

EUX → THEM CELUI-CI

ÉCHAUFFEMENT

11 Lisez le texte avec vos voisins, recopiez puis comparez.

Marc habite au dernier étage de son immeuble. Ses voisins et lui se disent bonjour quand ils se voient, ils se parlent et ils se rendent service. De temps en temps, ils prennent l'apéritif ensemble. Les relations avec les voisins, ça compte pour lui.

GRAMMAIRE

12 Interrogez-vous sur les personnes de l'activité 7, puis écrivez vos réponses.

Exemple :
A : – Est-ce que Madame Bertrand aime discuter avec ses voisins ?
B : – Oui, discuter avec eux, ça compte pour elle.

1. Est-ce que Bruno aime écouter de la musique ?
2. Est-ce que Bruno aime parler avec ses voisins ?
3. Est-que Mme Bertrand aime aller chez ses enfants ?
4. Est-ce que pour les Gentil, c'est important d'aider leurs voisins ?
5. Est-ce que c'est important pour vous de parler avec vos amis ?

! RÈGLE 7
Les pronoms toniques après une préposition

- Après une préposition (**avec, sans, pour, contre**…), on utilise un pronom tonique : **moi, toi, lui / elle, nous, vous, eux / elles**.
  - *Les relations avec les voisins, ça compte **pour eux**.*
  - *Je parle **avec lui** tous les jours.*
- Pour donner son opinion, on peut utiliser « **pour** » + **pronom tonique.**
  - ***Pour moi**, c'est important de parler avec les voisins, mais **pour eux**, ce n'est pas important.*

13 Transformez les phrases à l'oral comme dans l'exemple, puis écrivez vos phrases.

Exemple : (mes amis et moi) se téléphoner souvent
→ Mes amis et moi, on se téléphone souvent
(= nous nous téléphonons souvent).

1. (vos voisins et vous) se dire bonjour
2. (Nathalie et ses copines) se parler à la pause
3. (mes amis et moi) se retrouver en ville le samedi soir
4. (mes parents et mes grands-parents) s'écrire encore des lettres
5. (ma famille et moi) ne pas se voir beaucoup

! RÈGLE 8
Les verbes pronominaux réciproques

- Les verbes pronominaux réciproques s'emploient quand **deux personnes font la même action l'une envers l'autre**. Voici quelques exemples : *se parler, se voir, se téléphoner, se rencontrer, s'aimer, se détester, se disputer…*
  - *Bruno voit ses amis. + Ses amis le voient.*
    *→ Bruno et ses amis **se** voient.*
  - *Nathalie aime Pascal. + Pascal aime Nathalie.*
    *→ Nathalie et Pascal **s'**aiment.*

DICTÉE

14 Écoutez et écrivez, puis comparez avec vos voisins.

Vos voisins et vous
....
....
....

ÉCRITURE

15 (1) Interrogez vos voisins sur leurs relations avec leur entourage. (2) Remplissez le tableau. (3) Rédigez un texte sur un membre de votre équipe.

Personne	Voisins	Famille	Amis	Collègues
Gaël	*Il prend l'apéritif avec ses voisins une fois par semaine.*	....	....	....

ÉCHAUFFEMENT

16 Écoutez et répétez en imitant l'intonation.

La plainte

1. – Je suis vraiment crevé...
2. – J'en ai assez... Ces derniers jours, il y a trop de travail...
3. – On se dit rapidement bonjour dans le couloir, c'est tout. Tu trouves ça normal ?
4. – Ça va aller mieux !
   – Ouais, j'espère !
5. – Et Ludovic ?
   – On se parle un peu, mais pas beaucoup...

COMPRÉHENSION

17 Écoutez et répondez.

À la maison
Partie 1 –
La famille, ça compte aussi...

1. Complétez le tableau, puis interrogez votre voisin pour vérifier vos réponses.

D'habitude	En ce moment
....	*Quand Patrick rentre, les enfants dorment déjà.*
On parle devant la machine à café.	....
Ludovic mange à la cafétéria avec Patrick.	....

2. Répondez et justifiez.
1. À quelle heure est-ce que Patrick rentre chez lui ?
2. Pourquoi est-ce que Patrick dit qu'il en a assez ?
3. Qu'est-ce qui compte, pour Patrick ?
4. Qu'est-ce que Nathalie trouve normal ?
5. Qu'est-ce qui compte aussi pour Nathalie ?

18 Écoutez. Qu'est-ce qu'ils disent ?

Exemple : Nathalie s'inquiète pour la santé de Patrick.
→ Elle dit : « Oh là là, mon pauvre, tu as l'air mort de fatigue ! »

1. Nathalie rassure Patrick.
2. Patrick ne croit pas trop que ça va aller mieux.
3. Patrick dit à Nathalie que c'est difficile à croire.
4. Nathalie demande à Patrick s'il a envie de prendre une tisane.

À VOUS DE JOUER

19 Imitez, puis utilisez entre vous.

Exprimer l'abattement, réconforter et encourager

a-c

1. A : – Ça ne va pas ? Tu as des problèmes au bureau ?
   B : – Bof ! J'en ai assez... Ces derniers jours, il y a trop de travail...
2. A : – Tout le monde est stressé.
   B : – Oh, écoute, ça, c'est pas grave.
3. A : – Tu trouves ça normal ?
   B : – Tu t'inquiètes un peu trop, non ? C'est juste une mauvaise semaine, ça va aller mieux !
   A : – Ouais, j'espère !

20 En situation.

Faites le planning d'une journée typique de votre voisin de classe. Remplissez le tableau ci-dessous. Comparez.

Horaire	Lieu	Activité	Personnes	Ambiance
8 h	*Ascenseur*	*Départ pour le travail*	*Voisin*	*Pas très sympathique, seulement « bonjour »*
....	....	....	....	....
....	....	....	....	....

ÉCHANGES

Aidez-vous des pages annexes : conjugaison et lexique.

Faites comme dans l'exemple.

~~les amis~~ – les relations avec les collègues – les relations avec les voisins – les relations avec la famille – les relations avec les autres étudiants

Exemple : Il téléphone souvent à ses copains.
→ Les amis, ça compte pour lui.

1. Je téléphone souvent à mes parents et je vais les voir une fois par mois.
→ ....
2. Nous disons bonjour à nos voisins tous les jours.
→ ....
3. Elle est sympa avec tout le monde dans la classe.
→ ....
4. Il va au café de temps en temps avec les personnes de son bureau.
→ ....

2 Utilisez un pronom réfléchi, comme dans l'exemple.

Exemple : Je vois mes voisins dans l'ascenseur.
(Mes voisins et moi, on)
→ Mes voisins et moi, on se voit dans l'ascenseur.

1. Il voit son collègue devant la machine à café. (Son collègue et lui, ils)
→ ....
2. Je dis bonjour à ma voisine tous les matins. Elle aussi. (Ma voisine et moi, nous)
→ ....
3. Tu téléphones souvent à tes parents ? (Tes parents et toi, vous)
→ ....
4. Je ne parle pas beaucoup à mes voisins d'à côté. Eux non plus. (Mes voisins d'à côté et moi, on)
→ ....
5. Mon collègue dit « tu » à notre chef et lui aussi. (Mon collègue et mon chef)
→ ....

Écoutez leurs explications et faites comme dans l'exemple.

Exemple : Pour elle, les relations avec les voisins, c'est important. Ils se parlent un peu tous les matins.

1. → ....
2. → ....
3. → ....
4. → ....

LECTURE

Lisez ce document et répondez aux questions.

La fête des voisins
le vendredi 23 mai prochain
à partir de 18 h !

On habite dans le même immeuble, on se croise dans l'ascenseur, on se dit bonjour... mais on ne se connaît pas vraiment, et on ne sonne pas facilement chez les autres quand on a besoin d'un service ou d'un tire-bouchon. Les relations avec les autres, se parler et se voir, quand on habite ensemble, ça compte ! Retrouvons-nous dans la cour de l'immeuble, avec des chaises, des quiches et des salades et quelques bouteilles (n'oubliez pas les verres, les assiettes et les fourchettes), et faisons la fête ensemble ! Vendredi prochain, on peut faire du bruit ***avec*** *les voisins !*

1. La fête des voisins, c'est quoi ?
→ ....
2. C'est quand ?
→ ....
3. C'est où ?
→ ....
4. Qu'est-ce qu'il faut apporter ?
→ ....
5. Comment sont les voisins ?
→ ....
6. Pourquoi fait-on la fête des voisins ?
→ ....

LE VOISINAGE

ÉCRITURE

5 Écoutez et écrivez.

....

....

....

....

....

....

....

6 Sur le modèle de l'exercice 4, préparez une annonce pour la « fête de la classe ».

La fête de la classe

....

....

....

....

....

....

....

DISCUSSION

7 Écoutez et cochez ce que vous entendez.

	[s]	[z]
1.	☑ Ils s'aiment.	❑ Ils aiment.
2.	❑ Ils s'adorent.	✓ ❑ Ils adorent.
3.	✗ ❑ Ils s'arrêtent.	✓ ❑ Ils arrêtent.
4.	✓ ❑ Ils s'aident.	❑ Ils aident.
5.	✗ ❑ Ils s'offrent.	✓ ❑ Ils offrent.
6.	❑ Ils s'écoutent.	✓ ❑ Ils écoutent.

8 Écoutez et répondez aux questions.

1. Quelle est la question de l'enquêteur ?

→ ....

2. Complétez.

• Homme
Réponse : ❑ oui ❑ non
Bonnes relations : ❑ oui ❑ non ❑ ça dépend
Lieu de rencontre : ....
Activité(s) faite(s) ensemble : ....
....
Problème(s) ? Pas de problème.

• Femme 1
Réponse : ❑ oui ❑ non
Bonnes relations : ❑ oui ❑ non ❑ ça dépend
Lieu de rencontre : ....
Activité(s) faite(s) ensemble : ....
....
Problème(s) ? ....

• Femme 2
Réponse : ❑ oui ❑ non
Bonnes relations : ❑ oui ❑ non ❑ ça dépend
Lieu de rencontre : ....
Activité(s) faite(s) ensemble : ....
....
Problème(s) ? ....

3. Pourquoi est-ce que la deuxième personne interrogée ne parle pas beaucoup avec ses voisins ?

→ ....

Comment dit-on dans votre langue ?

« Oui, allez-y ! Je vous écoute… » :

....

« J'en ai assez ! » : ....

ÉCHAUFFEMENT

1 Écoutez et répétez.

J'habite…

ÉCHANGES

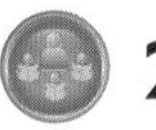
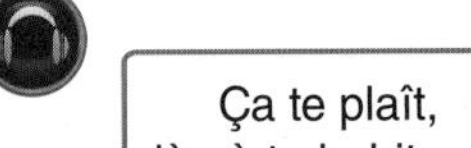

2 Écoutez et imitez.

Ça te plaît, là où tu habites ?

Ah oui, je suis très contente. Je vis dans un quartier où on peut facilement aller au cinéma et pratiquer beaucoup de sport. Et toi ?

Ah, moi, j'habite au rez-de-chaussée d'un immeuble, sur un boulevard. Il fait sombre et c'est bruyant. J'ai envie de déménager et de m'installer à la campagne.

Oh là là, je te comprends…

3 Interrogez-vous en utilisant le vocabulaire que vous connaissez et le vocabulaire ci-dessous.

Variez votre interrogation avec : habiter – étudier – travailler – faire ses courses

▶ L'habitation, le quartier

un studio

s'installer

un escalier

Et aussi :
- les étages (le rez-de-chaussée, le premier, le 2e, …, le dernier étage)
- une rue < un boulevard < une avenue
- un quartier résidentiel = un quartier où on habite
- un espace vert (un parc, un jardin)
- déménager = changer de logement
- plaire à (quelqu'un) : *ce quartier me plaît = j'aime ce quartier*
- *il n'y a rien ≠ il y a tout à proximité (= pas loin)*
- *ça manque d'activités = il n'y a pas assez d'activités*

▶ Voir des spectacles
- voir une pièce de théâtre
- voir un concert
- voir une exposition

4 Interrogez-vous à partir des images.

Exemple :
A : – Ça lui plaît, là où il habite ?
B : – Ah oui, il est très content. Il n'a pas envie de déménager. Il vit dans un quartier où on peut facilement aller au cinéma et pratiquer beaucoup de sport.

À VOUS DE JOUER

5 Imaginez un dialogue et jouez-le.

ÉCHAUFFEMENT

6 (1) Comptez les syllabes et notez les liaisons comme dans l'exemple. (2) Écoutez l'enregistrement et vérifiez avec votre voisin. (3) Lisez ces phrases à voix haute.

Le rythme

Exemple : Mon .quar.tier / est .trè. s a.gré.able. → 3 / 5

1. Mon quartier / est agréable. → ..... / .....
2. C'est un quartier / où il y a / des arbres. → ..... / ..... / .....
3. C'est un quartier / tranquille / où il y a / beaucoup d'arbres. → ..... / ..... / .....
4. C'est un quartier / très tranquille / où il y a / beaucoup d'arbres. → ..... / ..... / ..... / .....
5. C'est un quartier / très tranquille / où il y a / beaucoup d'arbres / et de petits magasins. → ..... / ..... / ..... / .....

LECTURE

7 Observez, puis lisez à voix haute.

Paris-par-quartier.com

Votre immeuble vous plaît ? Il y a des problèmes à l'endroit où vous habitez ? Chaque résidence a des avantages et des inconvénients. Rejoignez notre réseau et notez votre quartier !

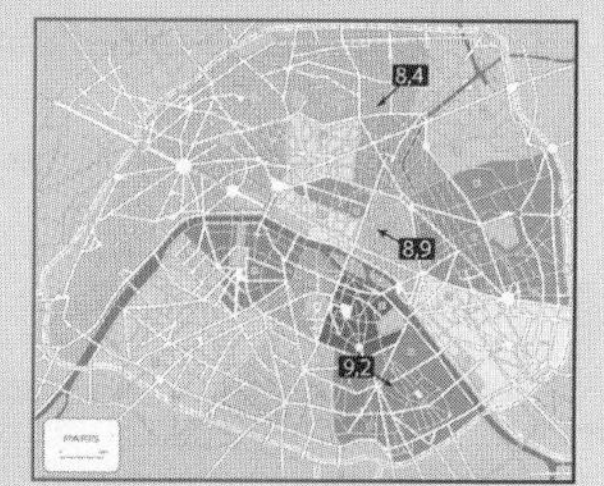

9,2 Le quartier de la Butte aux cailles
Matthieu Moulin
Mon quartier me plaît beaucoup : l'ambiance d'un village dans la ville ! Il y a des commerces, de jolis parcs et c'est assez calme. Sauf le soir, dans la rue des Cinq Diamants, où il y a beaucoup de bars et donc beaucoup de bruit. Sinon, c'est très résidentiel.
→ *Autres commentaires*

8,4 Le quartier de la Goutte d'or
Virginie Rivière
Je vis avec mon mari dans ce quartier ancien, où il y a de beaux immeubles parisiens et où les loyers ne sont pas trop chers. C'est aussi un coin super sympa avec le marché Dejean et ses produits des quatre coins du monde. Surtout, avec les lignes de métro 2, 4 et 12 et les lignes de RER B, D et E, c'est vraiment très pratique pour les transports et ça, ça nous plaît vraiment. Par contre, ce n'est pas un quartier très chic, et ça... ça ne plaît pas beaucoup à mon mari.
→ *Autres commentaires*

8,9 Le quartier de l'Horloge
Jean-Claude Bernard
Le shopping vous plaît mais vous êtes aussi amoureux de la culture ? Situé au cœur de Paris, à côté du Centre Pompidou (le grand centre d'art contemporain), du Forum des Halles et de ses nombreuses boutiques, ce quartier est parfait pour vous. Par contre, attention : les rues sont toujours bruyantes le soir et même la nuit, et il y a des immeubles où les logements du rez-de-chaussée et du premier étage sont sombres et humides.
→ *Autres commentaires*

8 Lisez le document de l'activité 7 et répondez à deux.

Quartiers	Points positifs	Points négatifs	Note finale
La Butte aux cailles	Ambiance de village, commerces, jolis parcs, calme, résidentiel	....	9,2 / 10
La Goutte d'or	....	Pas très chic	8,4 / 10
Le quartier de l'Horloge	....	....	....../......

9 Lisez le document de l'activité 7, puis interrogez-vous à tour de rôle.

Exemple :
A : – Quel est le quartier où les logements ne sont pas chers ?
B : – C'est le quartier de la Goutte d'or, au nord de Paris.

1. Quels sont les quartiers où il y a une bonne ambiance ? Pourquoi ?
2. À votre avis, quels sont les endroits où on peut faire des courses ? Quel genre de courses ?
3. Pour vous, quel quartier est très bien situé ? Pourquoi ?
4. Selon vous, quel endroit est le plus intéressant à visiter ?
5. Et vous, vous aimeriez vous installer où ? Pourquoi ?

PRATIQUE DE LA LANGUE

10 Interrogez-vous à tour de rôle comme dans l'exemple.

Exemple :
A : – Comment tu trouves ton logement ?
B : – Eh bien, pour moi, ça manque de lumière, et aussi...

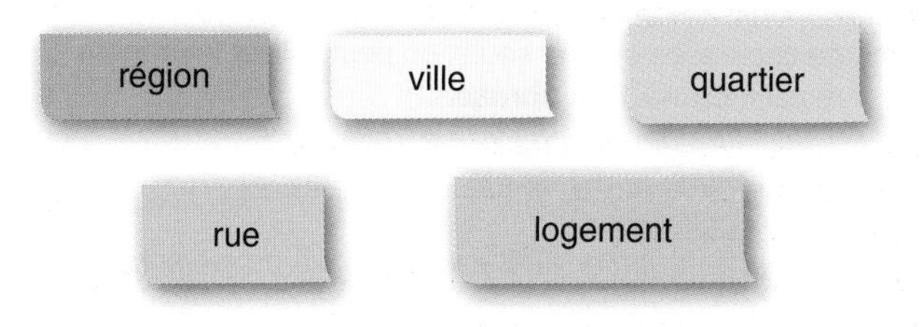

Expression écrite

ÉCHAUFFEMENT

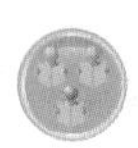

11 Lisez le texte avec vos voisins, recopiez puis comparez.

Bruxelles est la capitale de l'Europe. Dans cette ville, il y a le Quartier européen, où l'architecture est ultramoderne. Mais ce sont surtout des immeubles de bureaux, et habiter là n'est pas pratique. Les Bruxellois préfèrent vivre dans le quartier Jardin aux Fleurs, où faire les magasins et se promener est plus agréable.

GRAMMAIRE

12 Interrogez-vous comme dans l'exemple, puis écrivez vos réponses.

Exemple : pays / fleuves ou montagnes ?
A : – Dans ton pays, il y a surtout quoi : des fleuves ou des montagnes ?
B : – Oh... Mon pays, c'est un pays où il y a surtout des fleuves.

1. classe / garçons ou filles ?
2. quartier / immeubles ou maisons ?
3. rue / jeunes ou personnes âgées ?
4. ville / immeubles anciens ou modernes ?
5. région / usines ou forêts ?

RÈGLE 9
Le pronom relatif « où »

- Pour donner des informations sur **le lieu** et relier deux phrases en une seule, on peut utiliser le pronom relatif « où » + **une phrase**.
  - *Voici une photo de la ville où je suis né.*
    *= Voici une photo de ma ville. Je suis né **dans** cette ville.*
  - *C'est un quartier où il y a beaucoup de maisons.*
    *= C'est un quartier. Il y a beaucoup de maisons **dans** ce quartier.*

13 Interrogez-vous comme dans l'exemple. Ensuite, écrivez vos réponses.

Exemple :
A : – Est-ce que ça vous plaît de parler avec vos voisins ?
B : – Euh... Non, ça ne me plaît pas beaucoup de parler avec mes voisins.
ou B : – Euh ... Oui, ça me plaît bien de parler avec mes voisins.

1. Ça te plaît d'étudier le français ? Pourquoi ?
2. Est-ce que ça plaît à vos amis de sortir en boîte ?
3. Est-ce que tous vos voisins vous disent bonjour ?
4. Vous écrivez souvent des mails à vos amis ?
5. Est-ce que vos parents vous téléphonent tous les jours ?

RÈGLE 10
Le pronom complément d'objet indirect (COI)

- Le pronom COI remplace **« à » + nom** et se place devant le verbe.
  – Est-ce que Jessica aime son nouveau quartier ?
  *– Oui, il **lui** plaît beaucoup. (= Oui, il plaît beaucoup **à Jessica**.)*

*Mes voisins **me** parlent.* (= à moi)	*Mes voisins **nous** parlent.* (= à nous)
*Mes voisins **te** parlent.* (= à toi)	*Mes voisins **vous** parlent.* (= à vous)
*Mes voisins **lui** parlent.* (= à lui, à elle)	*Mes voisins **leur** parlent.* (= à eux, à elles)

DICTÉE

14 Écoutez et écrivez, puis comparez avec vos voisins.

› Montréal
....
....
....

ÉCRITURE

15 (1) Choisissez un quartier intéressant et où vous aimeriez habiter. (2) Écrivez pourquoi et corrigez ensemble. (3) Présentez votre quartier à la classe.

Notre quartier préféré : Montmartre
C'est un quartier de Paris où il y a beaucoup d'artistes. On peut...

LEÇON 5

ÉCHAUFFEMENT

16 Écoutez et répétez en imitant l'intonation.

La plainte

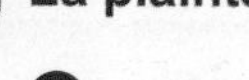

1. – Ben, si maman, c'est vraiment petit.
2. – Et tu sais où il est situé ? Au quatrième étage et il n'y a pas d'ascenseur !
3. – Oh, mon pauvre garçon, c'est vraiment dur !
4. – Pour voir un film, il faut prendre le bus jusqu'en ville. C'est galère !

WHAT A MESS!
IT'S CRAZY!

COMPRÉHENSION

17 Écoutez et répondez.

C'est galère !

1. Complétez le document, puis interrogez votre voisin pour vérifier vos réponses.

Fiche de recherche de logement

Description — Réf. 0341942B

Logement : *chambre d'étudiant*
Superficie : .... m²
Étage : ....
Quartier : ....
....
....
Transport jusqu'au centre-ville : ....
....

Exemple :
A : – Dans quel type de logement est-ce que Nicolas habite ?
B : – Il habite dans une chambre d'étudiant.

2. Répondez et justifiez.

1. Qui téléphone ?
2. Pourquoi est-ce que Nicolas fait une fête ?
3. Est-ce que son logement plaît à Nicolas ? Pourquoi ?
4. Qu'est-ce qui n'est pas pratique ?
5. Pourquoi est-ce que les parents de Nicolas ont choisi ce logement ?
6. Pourquoi est-ce que Nicolas dit que les professeurs ne sont pas stricts ?

18 Écoutez. Qu'est-ce qu'ils disent ?

Exemple : Le père de Nicolas lui demande pourquoi il y a du bruit.
→ Il dit : « C'est quoi, ce bruit ? »

1. La mère de Nicolas se moque de ses remarques sur l'escalier.
2. Nicolas trouve la résidence correcte mais ne l'aime pas beaucoup.
3. Nicolas dit que c'est très compliqué pour aller voir un film.
4. La mère de Nicolas change de sujet et lui demande comment se passent les études.

À VOUS DE JOUER

19 Imitez, puis utilisez entre vous.

Interagir au téléphone

a-c

1. A : – Allô ?
B : – Oui, bonjour, mademoiselle. Est-ce que Nicolas est là, s'il vous plaît ?
A : – Oui, c'est de la part de qui ?
B : – Dites-lui que c'est son père !
A : – Euh… ne quittez pas, monsieur, je l'appelle tout de suite.
B : – Merci, mademoiselle.
2. A : – Ne quitte pas, ta mère voudrait te parler. Allez, bonne fête !
B : – Merci Papa. À bientôt !
3. A : – Allez, je t'embrasse (HUG). Et on attend les résultats de tes examens, hein !
B : – Euh oui, Maman, je vous préviens (PREVENIR) quand je les ai… Merci pour votre appel, à bientôt !
A : – Bisous !

20 En situation.

**Vous téléphonez à un(e) ami(e) français(e) qui veut venir vous voir pendant les vacances. Vous parlez de votre logement et du quartier, et dites ce qui vous plaît et ce qui ne vous plaît pas.
Remplissez la fiche.**

Type de logement : ....

Avantages (+)	Inconvénients (-)
....	

Quartier : ....

Avantages (+)	Inconvénients (-)
....	

Sites touristiques proches : ....

ÉCHANGES

Aidez-vous des pages annexes : conjugaison et lexique.

1 Utilisez le pronom relatif « où » et donnez des définitions, comme dans l'exemple.

Exemple : Un quartier résidentiel, c'est un quartier...
→ Un quartier résidentiel, c'est un quartier où on habite.

1. Une rue commerçante, c'est une rue...
→ ....
2. Un immeuble, c'est un bâtiment...
→ ....
3. Une salle de spectacles, c'est un endroit...
→ ....
4. Un gymnase, c'est une salle...
→ ....
5. Un espace vert, c'est un espace...
→ ....

2 Répondez en utilisant le pronom COI, comme dans l'exemple.

Exemple : Est-ce que ça te plaît d'habiter dans ton quartier ? (oui)
→ Oui, ça **me** plaît.

1. Est-ce que ça plaît à Aurore d'aller au cinéma demain ? (non)
→ ....
2. Est-ce que Jean-Philippe écrit souvent à ses amis ? (oui)
→ ....
3. Est-ce que Marion téléphone souvent à son frère ? (non)
→ ....
4. Est-ce que vos parents vous téléphonent souvent ? (oui / nous)
→ ....
5. Est-ce que tes voisins te parlent souvent ? (non)
→ ....

3 Écoutez leurs explications et faites comme dans l'exemple.

Exemple : Elle est très contente parce qu'elle vit dans un quartier où on peut facilement aller au cinéma.

1. → ....
2. → ....
3. → ....
4. → ....

LECTURE

4 Lisez et répondez.

7,9 Le quartier de la Bibliothèque nationale de France

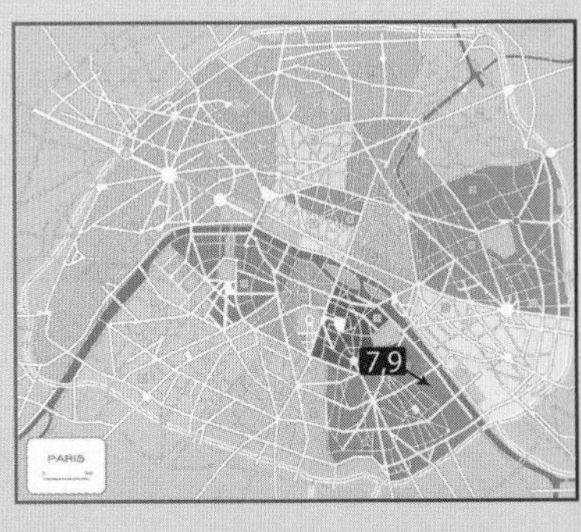

Sandra Muller
Mon mari, ma petite fille de 4 ans et moi, nous sommes très contents d'habiter dans un appartement dans le nouveau quartier autour de la Bibliothèque nationale de France. C'est un quartier tout neuf, avec beaucoup d'espace, et nous sommes presque en face de la Seine ! Au printemps, nous allons nous promener sur les quais, c'est très agréable. Il y a un grand cinéma, des cafés, des galeries d'art contemporain... C'est aussi pratique pour les transports avec le RER et la ligne 14 du métro qui va au cœur de Paris en 10 minutes. Le problème, c'est pour les courses : il n'y a ni marché, ni supermarché, ni petit commerce pour acheter des produits alimentaires. Mais on ne veut pas déménager !

→ Autres commentaires

1. Où habite Sandra Muller ?
→ ....
2. Avec qui ?
→ ....
3. C'est quel genre de quartier ?
→ ....
4. C'est loin du centre de Paris ?
→ ....
5. Quels sont les points positifs de ce quartier ?
→ ....
6. Quels sont les points négatifs ?
→ ....

ÉCRITURE

5 Écoutez et écrivez.

....

....

....

....

....

....

....

6 Sur le modèle de l'exercice 4, décrivez votre quartier, ses points positifs et ses points négatifs.

....

....

....

....

....

....

....

→ *Autres commentaires*

DISCUSSION

7 Écoutez et cochez ce que vous entendez.

	[sə]	[se]
1.	☑ J'aime ce quartier de Paris.	❑ J'aime ces quartiers de Paris.
2.	❑ Je vais souvent dans ce magasin.	❑ Je vais souvent dans ces magasins.
3.	❑ Ce logement est très calme.	❑ Ces logements sont très calmes.
4.	❑ J'adore ce film français.	❑ J'adore ces films français.
5.	❑ Je sors souvent dans ce bar.	❑ Je sors souvent dans ces bars.
6.	❑ Ce studio lui plaît beaucoup.	❑ Ces studios lui plaisent beaucoup.

8 Écoutez et répondez aux questions.

1. Est-ce que le quartier où Mme Langlois habite lui plaît ?

→ ....

2. Complétez la fiche.

Avis de Mme Langlois : ★☆☆☆

Description du logement : ....

....

Voisins : ....

Quartier :

• *Pas beaucoup d'espaces verts*

• ....

• ....

3. Complétez.

Situation de Mme Langlois	Problème	Conséquence
Elle aime se promener.	*Il n'y a pas beaucoup d'espaces verts.*	*Elle ne peut pas se promener. Ce n'est pas agréable.*
....	....	....
....	....	....

4. Qu'est-ce que Mme Langlois veut faire ?

→ ....

5. Qu'est-ce que M. Giraud lui propose de faire ?

→ ....

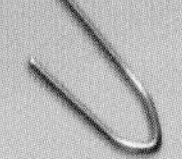

Comment dit-on dans votre langue ?

« C'est de la part de qui, s'il vous plaît ? » :

....

« Justement, c'est pour ça que je vous appelle… » :

....

ÉCHAUFFEMENT

1 Écoutez et répétez.

Vous préférez…

ÉCHANGES

2 Écoutez et imitez.

Vous préférez vous déplacer en voiture ou prendre les transports en commun ?
Oh moi, je préfère prendre le bus ou le Vélib'. Je pense que c'est mieux parce que c'est moins stressant qu'en voiture et c'est plus économique.
Oui, peut-être, mais je trouve qu'on a plus de liberté en voiture, vous ne pensez pas ?
C'est vrai...

3 Interrogez-vous en utilisant le vocabulaire que vous connaissez et le vocabulaire ci-dessous.

Variez votre interrogation avec : se déplacer en voiture ou prendre les transports en commun – vivre en ville ou à la campagne – prendre le train ou l'avion – prendre le taxi ou marcher

▶ **Exprimer son opinion**

tant pis !

Et aussi :
- *peut-être* = oui ou non
- *c'est vrai* = *tu as raison*
- *c'est* ***bien*** < *c'est* ***mieux***
- trouver que…, penser que…
- être tout à fait d'accord = 100 % d'accord

▶ **L'environnement**

un arbre

c'est pollué
= il y a de la pollution

c'est stressant

c'est dangereux ≠ c'est sûr

Et aussi :
- *c'est animé ≠ c'est calme*
- avoir de la liberté = être libre
- le loyer → *Le loyer de l'appartement est de 1 000 euros par mois.*
- *La pollution, c'est* ***mauvais***. ≠ *Le vélo, c'est* ***bon pour l'environnement***.
- les transports en commun (le bus, le train…)

4 Interrogez-vous à partir des images.

Exemple :
A : – Comment est-ce qu'elle préfère se déplacer ?
B : – Elle préfère prendre le Vélib'. C'est mieux parce que c'est moins stressant qu'en voiture et c'est meilleur pour l'environnement.

À VOUS DE JOUER

5 Imaginez un dialogue et jouez-le.

ÉCHAUFFEMENT

6 (1) Écoutez l'enregistrement et cochez ce que vous entendez comme dans l'exemple. (2) Vérifiez avec votre voisin. (3) Lisez les phrases à voix haute.

La prononciation de « plus »

	[ply]		[plys]		[plyz]	
Ex. *Il ne travaille plus / ou il travaille / plus ?*	☑	☐	☐	☑	☐	☐
1. Il ne fait plus / de sport / ou il fait / plus de sport ?	☑	☐	☐	☑	☐	☐
2. En ville, // il y a / plus de magasins / qu'à la campagne.	☐		☑		☐	
3. Le train, // c'est plus rapide / et plus agréable / que la voiture.	☐	☐	☐	☐	☐	☑
4. Dans une maison, // il y a / plus d'espace / que dans un appartement.	☐		☐		☐	
5. Cette maison / est plus sympa / et le quartier / est plus intéressant.	☑	☐	☐	☐	☐	☑

LECTURE

7 Observez, puis lisez à voix haute.

www.ecologie-immobilier.com

Vous trouvez la ville trop polluée, trop stressante, trop bruyante ?
Pourquoi ne pas vivre au grand air ?
Rencontrez nos agents spécialisés dans le logement à la campagne.
Tél : 02 57 40 03 79

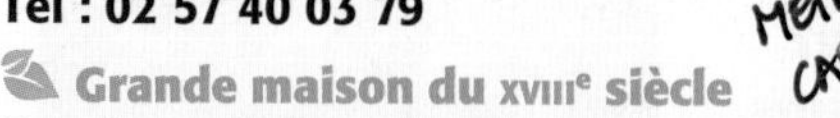

Rouziers-de-Touraine (37360) : 5 000 m² de terrain (forêt et rivière), 280 m² habitables à seulement 1 h de Paris en TGV et à 15 min de Tours nord en voiture. 5 étages, cuisine ouverte sur salle à manger avec cheminée, terrasse, 6 chambres (grands placards), 3 salles de bains (baignoire et douche), salon au rez-de-chaussée et au 1er ét., gar. pour 3 voitures. 370 000 €.

Petite villa moderne en bois

Saint-Roch (37390) : 93 m², 2 ét., magnifique jardin de 1 730 m², 2 chambres de 18 m², cuisine américaine, séjour-salon, salle de bain, WC séparés, petit bureau, garage. 20 min de Tours, 2 h 30 de Paris. École à 5 km, bus. Calme et confortable. 130 000 €

8 Lisez le document de l'activité 7 et complétez le tableau à deux.

Type de logement	Surface habitable	Nombre de pièces	Proximité grande ville	Terrain	Autre
Maison en pierre	....	....	• *15 min : Tours* • *1 heure : Paris*	*5 000 m²*	....
....	*93 m²*	*4 pièces*	....	....	• *Garage* • *École proche*

9 Lisez le document de l'activité 7, puis interrogez-vous à tour de rôle.

Exemple :
A : – Pour aller travailler à Paris, quelle maison est mieux que l'autre ?
B : – C'est la maison en pierre, parce qu'elle est plus près de la ville.

1. Quelle maison est moins pratique avec de jeunes enfants ?
2. Quelle maison a plus d'espace ?
3. Quelle maison est plus agréable pour prendre un petit déjeuner dehors ?
4. Pourquoi vivre à la campagne est mieux que vivre en ville ?
5. Et pour vous, quelle maison est plus intéressante ? Pourquoi ?

PRATIQUE DE LA LANGUE

10 Interrogez-vous à tour de rôle comme dans l'exemple.

Exemple : La pollution : en ville / à la campagne ?
A : – En général, où est-ce qu'il y a plus de pollution, en ville ou à la campagne ?
B : – Hum… D'habitude, en ville, c'est plus pollué.

1. Le stress : dans les grandes villes / dans les villages ?
2. La lumière : près d'une forêt / près d'une rivière ?
3. Le confort : dans un train / dans une voiture ?
4. Le calme : dans un appartement / dans une maison ?
5. Le bruit : dans les salles de classe / à la bibliothèque ?

13 Interrogez-vous comme dans l'exemple, puis écrivez vos réponses.

Exemple : Est-ce que l'appartement en centre-ville est plus petit que l'appartement en banlieue ? → 95 m² tous les deux
A : – Est-ce que l'appartement en centre-ville est plus petit que l'appartement en banlieue ?
B : – Non, il est aussi grand que l'appartement en banlieue.

1. Est-ce que les Français font plus de randonnées que de footing ? → 5 % / 5 %
2. Est-ce que l'appartement a plus de chambres que la maison ? → 3 chambres tous les deux
3. Est-ce que *Le Bistrot Gourmand* est meilleur que *L'Auberge de Provence* ? → ★★★★★/ ★★★★★
4. Est-ce qu'un ticket de bus coûte moins cher qu'un ticket de métro à Paris ? → Ticket t+ : bus et métro à 1,70 €
5. Est-ce que Laurence prend plus de vacances à Noël que Stéphane ? → 1 semaine tous les deux

ÉCHAUFFEMENT

11 Lisez le texte avec vos voisins, recopiez puis comparez.

Moi, je vis aujourd'hui à la campagne, avec ma famille, parce que c'est moins pollué et moins bruyant qu'en ville. En plus, les logements coûtent moins cher. Nous habitons dans une grande maison ancienne, avec un jardin et des arbres, et il y a une école primaire au village : c'est très bien pour mes enfants.

RÈGLE 12

Les comparatifs d'égalité

- On utilise « **aussi** » ou « **autant** » pour comparer deux éléments équivalents. On ajoute **que** devant l'élément comparé.

	aussi / autant (=)
Adjectif	*Le train est **aussi** pratique **que** le bus.*
Adverbe	*La maison coûte **aussi** cher **que** l'appartement.*
Verbe	*Il prend **autant** le bus **que** le train.*
Nom	*La maison a **autant de** pièces **que** l'appartement.*

GRAMMAIRE

12 Interrogez-vous comme dans l'exemple, puis écrivez vos réponses.

Exemple : La maison en pierre / la villa en bois / (-) pièces ?
A : – Est-ce que la maison en pierre a moins de pièces que la villa en bois ?
B : – Non, elle a plus de pièces !

1. La villa en bois / la maison en pierre / (+) salles de bains ?
2. La maison en pierre / la villa en bois / (-) coûter cher ?
3. Les villes / les campagnes / (-) pollué ?
4. Une maison / un appartement / (-) calme ?
5. Les habitants de la campagne / les habitants des villes / (+) sortir le soir ?

DICTÉE

14 Écoutez et écrivez, puis comparez avec vos voisins.

RÈGLE 11

Les comparatifs de supériorité ou d'infériorité

- On utilise « **plus** » et « **moins** » pour comparer deux éléments différents. On ajoute « **que** » devant l'élément comparé.

	Plus (+)	Moins (-)
Adjectif	*Le train est **plus** rapide **que** le bus.*	*Le bus est **moins** rapide **que** le train.*
Adverbe	*L'avion coûte **plus** cher **que** le train.*	*Le train coûte **moins** cher **que** l'avion.*
Verbe	*Ils voyagent **plus que** leurs voisins.*	*Leurs voisins voyagent **moins qu'**eux.*
Nom	*On a **plus de** liberté en voiture **qu'**en bus.*	*En bus, on a **moins de** liberté **qu'**en voiture.*

ÉCRITURE

15 (1) Discutez des avantages et des inconvénients de ces moyens de transport. (2) Remplissez le tableau. (3) Rédigez un texte décrivant les avantages et les inconvénients de ces moyens de transport.

Pour ou contre ?	Le vélo	Le métro	Le bus	La voiture
Avantages	....	....	....	....
Inconvénients	....	....	....	....

ÉCHAUFFEMENT

16 Écoutez et répétez en imitant l'intonation.

L'approbation

1. – Elle n'est pas mauvaise, ta tisane !
   – N'est-ce pas ?
2. – Tout est plus cher dans ce magasin.
   – C'est vrai, tu n'as pas tort…
3. – Écoute ça : grand appartement de 100 m², pour 1 200 euros par mois. Pas mal, non ?
4. – À 5 minutes à pied de mon bureau. C'est plus pratique qu'ici, tu ne trouves pas ?

COMPRÉHENSION

17 Regardez la vidéo et répondez.

2

À la maison Partie 2 – Tu as une meilleure idée ?

1. Complétez les documents, puis interrogez votre voisin pour vérifier vos réponses.

Annonce 2 Réf. WI1449394
Type de logement : apartement
Superficie : .... (Étage : REZ-DE-CHAUSSEE
Nb. de pièces : 2 pieces Nb. de chambres : 3
Localisation : 5 minute a pied de mon bureau
Loyer mensuel : 1.200

Annonce 7 Maison Réf. WI1449399
Type de logement : a la campagne
Superficie : 1420 (Étage : ....)
Nb. de pièces : 4 Nb. de chambres : 3
Localisation : a la 45 minute de centre ville
Loyer mensuel : MILLE EURO ~~en bouleau~~ en banlieau

Exemple :
A : – Quel est le type de logement dans l'annonce 2 ?
B : – C'est...

2. Répondez et justifiez.

1. Qu'est-ce que Patrick pense du magasin en face de chez lui ?
2. Comment est-ce que Nathalie trouve le logement de l'annonce 2 ? TROP CHER
3. Où est-ce qu'elle préfère vivre ? Pourquoi ?
4. Comment est-ce que Patrick trouve le logement de l'annonce 7 ?
5. À votre avis, pourquoi est-ce qu'ils veulent déménager ?

18 Regardez. Qu'est-ce qu'ils disent ?

2

Exemple : Patrick trouve la tisane bonne.
→ Il dit : « Elle n'est pas mauvaise, ta tisane. »

1. Nathalie trouve que Patrick a raison à propos du marchand d'en face.
2. Patrick abandonne l'idée du grand appartement en centre-ville.
3. Patrick se moque de l'excitation de Nathalie pour la maison en banlieue.
4. Patrick trouve que Nathalie ne réfléchit pas sérieusement.

À VOUS DE JOUER

19 Imitez, puis utilisez entre vous.

2a-c

Exprimer sa colère, sa mauvaise humeur

1. A : – C'est plus pratique qu'ici, tu ne trouves pas ?
   B : – Plus pratique pour toi ! Moi, je suis à côté de mon travail, ici ! Ensuite, le loyer de cet appartement est beau-coup plus cher !
   A : – Calme-toi, chérie.
2. A : – Mais attends ! Il - n'y - a - rien à proximité : pas de cinéma, pas de salle de sport, pas de gare. Ça va pas, non ?
   B : – Oh là, du calme ! Tu sais bien… Pour moi, c'est important d'habiter dans un endroit agréable pour les enfants.
3. A : – Tu as raison, mais pour moi, c'est pas possible ! Je ne veux pas passer ma vie dans ma voiture ! Pas question !
   B : – Mais enfin chéri !

20 En situation.

Vous allez passer des vacances d'été en France. Trouvez sur Internet des images de logement et remplissez chacun le tableau ci-dessous. Puis mettez-vous d'accord sur un logement et expliquez votre choix (pensez aux transports, aux activités, à la localisation, etc.).

Lieu	....
Type de logement	....
Situation	....
Étage, jardin, etc.	....
Pièces et description	....
Prix	....
Autres	....

ÉCHANGES

Aidez-vous des pages annexes : conjugaison et lexique.

1 Écrivez des phrases comme dans l'exemple. Utilisez le verbe approprié.

Exemple : (le bus, - stressant)
→ Je préfère prendre le bus. Je pense que c'est mieux parce que c'est moins stressant.

1. (l'avion, + rapide)
→ ....

2. (en ville, + pratique)
→ ....

3. (mon vélo, + écologique)
→ ....

4. (voiture, + liberté)
→ ....

5. (à la campagne, loyer - cher)
→ ....

2 Utilisez « aussi » ou « autant » pour exprimer des points communs.

Exemple : Les Français mangent beaucoup de frites.
Les Belges aussi.
→ Les Français mangent autant de frites que les Belges.

1. Le ticket de métro à Paris coûte moins de 2 euros. Le ticket de bus aussi.
→ ....

2. Les grandes villes d'Europe sont polluées. Les grandes villes d'Asie aussi.
→ ....

3. Il y a beaucoup d'espaces verts dans mon quartier. Dans le centre-ville aussi.
→ ....

4. Pour aller de Paris à Bruxelles, prendre le TGV, c'est rapide. Prendre l'avion, c'est rapide aussi.
→ ....

5. À Paris, il y a beaucoup de monde. À Londres aussi.
→ ....

3 Écoutez leurs explications et faites comme dans l'exemple.

Exemple : Elle préfère prendre son vélo. Elle trouve ça moins stressant qu'en voiture.

1. → ....

2. → ....

3. → ....

4. → ....

LECTURE

4 Lisez ce document et répondez aux questions.

Agence immobilière LOCAFRANCE

Appartement PARIS (IVᵉ), 3 pièces, 50 m² habitable

Situé à quelques mètres du musée Picasso, dans le Marais. Quartier très vivant, même le dimanche.
5ᵉ étage, avec ascenseur.
2 chambres possibles, 1 salle de bain.
1 700 € / mois (charges comprises)

Appartement NICE, quartier nord, avec piscine privée et jardin, grand 3 pièces, 70 m²

Au rez-de-jardin avec 2 chambres doubles, 2 salles de bains, 2 WC, 1 salon / salle à manger, une cuisine équipée, 1 terrasse, grand jardin fleuri avec piscine.
Situé dans un quartier résidentiel, calme, à 15 min en voiture du centre-ville et de la mer. Parking privé.
750 € / mois (plus charges : 190 €)

	Surface habitable / Pièces	Loyer	Proximité centre-ville	Points forts	Points faibles
Annonce 1	....	....	*Centre de Paris*	....	*Pas de parking ?*
Annonce 2	....	....	....	....	....

ÉCRITURE

5 Écoutez et écrivez.

....

....

....

....

....

....

....

6 Sur le modèle de l'exercice 4, rédigez une annonce pour votre appartement.

Agence immobilière LOCAMONDE

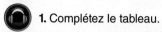

....
....
....
....
....
....
....
....

DISCUSSION

7 Écoutez les phrases et complétez les mots qui contiennent les sons [jœʀ] ou [jø].

1. Tu as une mei**lleure** idée ?
2. À la campagne, c'est m......, non ?
3. Elle est venue plus...... fois.
4. Notre appartement est assez spac...... .
5. Il a fait des études d'ingén...... .
6. Qui est ce Mons...... ?

8 Écoutez et répondez aux questions.

1. Complétez le tableau.

	Paris	Banlieue parisienne	Dans les autres villes françaises
Mode de transport préféré pour aller au travail	❑ à pied ❑ en voiture ❑ en métro ❑ en bus	❑ à pied ❑ en voiture ❑ en métro ❑ en bus	❑ à pied ❑ en voiture ❑ en métro ❑ en bus
Pourcentage des habitants	.... %	.... %	.... %

2. Complétez le tableau.

Mode de transport préféré	Raisons (pourquoi ?)	Pourcentage des personnes interrogées
La voiture	1. .... 2. .... 3.	.... % .... % .... %
Les transports en commun	1. .... 2.	.... % .... %

Comment dit-on dans votre langue ?

« Selon une enquête de l'INSEE » :

....

« parmi les personnes interrogées » :

....

Présentons notre quartier idéal

Étape 1 : Sur le modèle du document 1, faites le plan de votre quartier idéal.

Étape 2 : Listez les avantages et les inconvénients de votre quartier idéal (document 2).

Étape 3 : Présentez votre quartier et ses avantages à la classe. Choisissez ensemble le quartier idéal de la classe.

Document 1

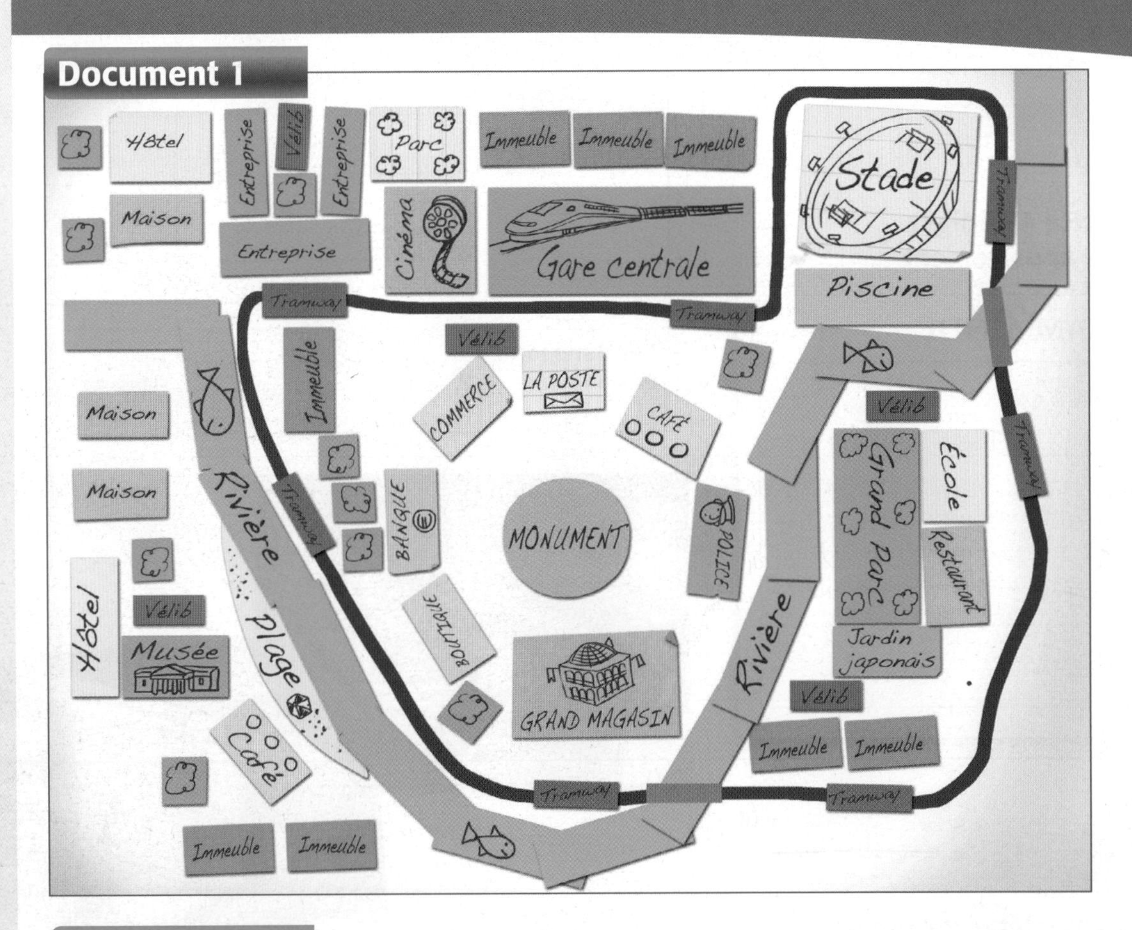

Document 2

Avantages	*Inconvénients*
•	• ....
•	• ....
•	• ....
•	• ....

Unité 3
EXPÉRIENCES
LEÇON 7 – SORTIES
LEÇON 8 – ÉTUDES
LEÇON 9 – CONSEILS
PROJET – UNE ENQUÊTE

ÉCHAUFFEMENT

1 Écoutez et répétez.

Hier soir, j'ai dîné…

ÉCHANGES

2 Écoutez et imitez.

Tu as l'air fatigué ! Tu es sortie hier soir ?
Non, je n'ai rien fait de spécial. Je suis restée chez moi, mais je me suis couchée tard.
Mais t'as fait quoi ?
Ben j'ai regardé un film jusqu'à une heure du matin. Et toi, tu as passé une bonne soirée ?
Excellente !

3 Interrogez-vous en utilisant le vocabulaire que vous connaissez et le vocabulaire ci-dessous.

Variez votre interrogation avec : sortir hier soir / samedi / dimanche – partir en vacances récemment

▶ **Les états physiques** AVOIR FAIM

avoir l'air fatigué ≠ être en forme

▶ **Les occupations**
- se lever : *je me suis levé(e)* ≠ se coucher : *je me suis couché(e)*
- se balader (= se promener) : *je me suis baladé(e)*
- sortir : *je suis sorti(e)* ≠ rester chez soi : *je suis resté(e) chez moi*
- passer un week-end…, une soirée… : *j'ai passé un bon week-end…, une bonne soirée…*
- partir en vacances : *je suis parti(e)*
- lire : *j'ai lu un livre*
- faire : *j'ai fait la cuisine*
- dîner : *j'ai dîné en famille*

▶ **Les exclamations** TOO BAD!
- *Quelle chance !* ≠ *C'est pas de chance !*
- *C'est dommage !* TOO BAD!

4 Interrogez-vous à partir des images.

Exemple :
A : – Il a l'air fatigué ! Il a fait quoi hier soir ?
B : – Il est allé en discothèque et il a dansé toute la nuit. Il s'est couché très tard.

À VOUS DE JOUER

5 Imaginez un dialogue et jouez-le.

ÉCHAUFFEMENT

6 (1) Écoutez l'enregistrement et cochez ce que vous entendez. (2) Vérifiez avec votre voisin. (3) Lisez les phrases à voix haute.

Le présent ou le passé

Exemple :
☑ Il se promène le matin. ❑ Il s'est promené ce matin.

1. ❑ Il se lève tôt. ❑ Il s'est levé tôt.
2. ❑ Tu te couches tard. ❑ Tu t'es couché tard.
3. ❑ Je joue de la guitare. ❑ J'ai joué de la guitare.
4. ❑ Je fais de la photo. ❑ J'ai fait de la photo.
5. ❑ Je finis mon travail à sept heures. ❑ J'ai fini mon travail à sept heures.

LECTURE

7 Observez, puis lisez à voix haute.

Messagerie en ligne

Dimanche 21:22

Julie Coucou, ça va ? Encore sur ton canapé avec tes chips ? T'as fait quoi hier ?

Valentin Je n'ai rien fait de spécial, j'ai regardé des films chez moi toute la nuit. Je me suis couché à 3 h. ☹ Et toi, tu aimes toujours la salade ?

Julie Ben oui, c'est bon pour la santé ! ☺ Et tu sais quoi... Moi, hier, je me suis levée tôt et j'ai couru 5 km !

Valentin Waouh ! Tu veux faire le marathon de Paris ou quoi ?

Julie Mais non… J'ai commencé le sport, pour être en forme, c'est tout…

Valentin Tu es courageuse. Moi, je suis allé chez mes parents aujourd'hui... Déjeuner du dimanche avec toute la famille. Ma mère a fait un couscous et j'ai encore trop mangé !

Julie ☺

Julie Bon, j'ai vu un nouveau café près de chez moi. Il a l'air cool. On y va samedi prochain ?

Valentin Ok. Ça marche.

Julie Et on fait un petit jogging avant ?

Valentin Heu… Non merci, la dernière fois, j'ai eu mal aux jambes pendant trois jours.

Julie Reste avec tes films et tes chips, alors ! À plus.

Valentin Ouais, à samedi ! ☺

8 Lisez le document de l'activité 7 puis interrogez-vous à tour de rôle.

Exemple :
A : – Qui commence ce tchat ?
B : – C'est Julie.

1. Quand est-ce que Julie et Valentin s'écrivent ?
2. Est-ce qu'ils se connaissent bien ? Pourquoi ?
3. Ils parlent de quoi ?
4. Qu'est-ce qu'ils mangent souvent d'après vous ?
5. Où est-ce que Julie et Valentin se trouvent d'après vous ?

9 Lisez le document de l'activité 7, puis interrogez-vous à tour de rôle.

Exemple :
A : – Qu'est-ce que Julie a vu près de chez elle ?
B : – Elle a vu un nouveau café.

1. Qu'est-ce qu'elle a fait samedi ?
2. Est-ce que Valentin a fait quelque chose de spécial samedi ?
3. Et dimanche, il a fait quoi ? Il était où ? Et avec qui ?
4. Pourquoi Julie a commencé le sport ?
5. Pourquoi Valentin ne veut pas courir ?
6. Qu'est-ce que Julie veut faire samedi prochain ?

PRATIQUE DE LA LANGUE

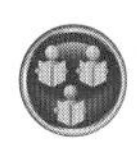

10 Interrogez-vous à tour de rôle comme dans l'exemple.

Exemple :
A : – Alors, qu'est-ce que tu as fait dimanche dernier ?
B : – Dimanche dernier, je me suis levé(e) à midi. J'ai écouté de la musique, puis je me suis baladé(e) au parc. Et, j'ai dîné dehors avec des amis mais je me suis couché(e) tôt. Et toi ?

ce matin | hier soir | vendredi dernier | samedi dernier | dimanche

ÉCHAUFFEMENT

11 Lisez le texte avec vos voisins, recopiez puis comparez.

Avec les copains, nous sommes allés ensemble dans ce nouveau café près du parc. C'était super sympa : il y avait un concert de jazz et on a écouté les musiciens jusqu'à une heure du matin. Après, on est allés en boîte ! On s'est couchés tard, on s'est levés vers deux heures et on a pris un brunch en terrasse.

GRAMMAIRE

12 Interrogez-vous comme dans l'exemple, puis écrivez vos réponses.

Exemple : rester chez soi / week-end dernier ?
A : – Est-ce que tu es resté(e) chez toi ce week-end ?
B : – Ce week-end... Oui, je suis resté(e) chez moi, je n'ai rien fait de spécial.

1. faire la cuisine / hier soir ?
2. lire un livre / cette semaine ?
3. dîner en famille / ce week-end ?
4. sortir / samedi soir ?
5. venir en cours quel jour / la semaine dernière ?

! RÈGLE 13

Le passé composé

- Le passé composé exprime une **action terminée dans le passé**. Il se conjugue avec « être » ou « avoir » au présent + participe passé.

PASSÉ [action terminée] PRÉSENT FUTUR
----------[----------------]--------|-------------->

- Formation du participe passé :

– **Verbes du 1er groupe** (en ~er) : il faut prendre le radical du verbe à l'infinitif et ajouter ~é.
  ▪ *Hier, elle **est restée** chez elle, elle **a dîné** et elle **a regardé** la télé.*

– **Verbes du 2e groupe** (en ~ir) : le participe passé se termine par ~i.
  ▪ *Ça y est ! J'**ai fini** ! J'**ai choisi**.*

– **Verbes du 3e groupe** (en ~ire, ~oir, ~oire, ~re et certains verbes en ~ir) : voir page 170
  ▪ *Qu'est-ce qu'elles **ont fait** hier soir ? Elles **sont sorties** ? → Oui, elles **ont vu** un film, elles **ont bu** un verre puis elles **ont pris** un taxi.*

13 Interrogez-vous comme dans l'exemple, puis écrivez vos réponses.

Exemple : (vous) se balader en montagne / récemment ?
A : – Récemment, vous vous êtes baladés en montagne ?
B : – Oui, moi et mes parents, nous nous sommes baladés dans les Alpes l'été dernier.

1. (tu) se coucher tard / hier soir ?
2. (vous) se coucher / à quelle heure samedi soir ?
3. (ton voisin) se lever / ce week-end ?
4. (ta famille) se lever / à quelle heure ce matin ?
5. (vous) se balader à la campagne / le week-end dernier ?

! RÈGLE 14

Le passé composé des verbes pronominaux (« se lever », « se coucher »...)

- Formation :
  – Les verbes pronominaux se construisent avec le verbe « **être** ».
  ▪ *Je me **suis** baladé dans le parc.*
  – Le participe passé s'accorde avec le **sujet**.
  ▪ *Elle s'est levée tôt ce matin.*
  ▪ *Les enfants se sont couchés tard hier soir.*
  ▪ *On s'est levé(s) en retard lundi matin.*

DICTÉE

14 Écoutez et écrivez, puis comparez avec vos voisins.

Objet : Re : le WE dernier ?

ÉCRITURE

15 (1) Interrogez vos voisins sur ce qu'ils ont fait le week-end dernier. (2) Remplissez le tableau. (3) Rédigez un texte décrivant le week-end de votre équipe.

	Le vendredi	Le samedi	Le dimanche
Matin	Gaëlle et moi, nous avons travaillé...	....	....
Après-midi	....	....	....
Soir	....	Alicia est allée en boîte !	....

ÉCHAUFFEMENT

16 Écoutez et répétez en imitant l'intonation.

L'exclamation

1. – Ouh là là, tu n'as pas l'air en forme, toi !
2. – Tu sais quelle heure il est ? Il est midi !
3. – On a fait une soirée chez Thibault et Anna. C'était super sympa !
4. – À minuit, on est tous sortis dans la rue et on s'est embrassé avec les voisins ! Tu imagines ?
5. – J'ai gagné une place pour le concert de Stromae !

COMPRÉHENSION

17 Écoutez et répondez.

Tu es sortie hier soir ?

1. Complétez le tableau, puis interrogez votre voisin pour vérifier vos réponses.

	Charlotte	Yasmina
Lieu de sortie	....	....
Avec qui	....	....
Activités de la soirée	....	....
Événement à minuit	....	....
Repas	....	....
Boissons	....	....
Impressions	....	....

Exemple : (lieu de sortie ?)
A : – Où est-ce que Charlotte est sortie hier ?
B : – Elle...

2. Répondez et justifiez.

1. C'était quel jour hier ?
2. À quelle heure est-ce que Charlotte s'est couchée ?
3. Qu'est-ce que Charlotte a gagné ?
4. Où est-ce que Yasmina a dormi ?
5. Comment est la maison où Yasmina a passé la nuit ?

18 Écoutez. Qu'est-ce qu'ils disent ?

Exemple : Yasmina trouve que Charlotte a une voix fatiguée.
→ Elle dit : « Tu as une petite voix. »

1. Charlotte s'est vraiment amusée en boîte de nuit.
2. Yasmina pense qu'ils étaient vingt personnes.
3. Charlotte dit qu'elle a mangé seulement un kebab.
4. Yasmina dit qu'un kebab, ce n'est pas un plat de Nouvel An.

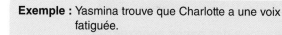

À VOUS DE JOUER

19 Imitez, puis utilisez entre vous.

Exprimer sa satisfaction

a-c

1. A : – Tu es sortie hier soir ? Qu'est-ce que vous avez fait ?
B : – Eh bien, on est tous allés ensemble en boîte de nuit. C'était trop génial...
A : – C'est vrai ?

2. A : – Ah oui ? Vous étiez où ?
B : – On a fait une soirée chez Thibault et Anna. C'était super sympa !
A : – Ah ouais ?

3. A : – Eh ben, tu sais, on a tous dormi là-bas. Et je te téléphone de chez eux !
B : – Tous ???
A : – Oui, ils ont une grande maison, des canapés et deux chambres d'amis à l'étage. On s'est poussés un peu, et tout le monde a pu se coucher, et voilà ! C'était vraiment très sympa.

20 En situation.

Racontez à votre ami(e) ce que vous avez fait pour le Nouvel An. Expliquez où vous avez passé le Nouvel An, avec qui vous étiez, ce que vous avez fait (repas, boissons...), comment c'était.
Complétez la fiche après votre conversation.

Le Nouvel An de ....

Lieu : ....

Avec qui : ....

Activités : ....

Repas : ....

Impressions : ....

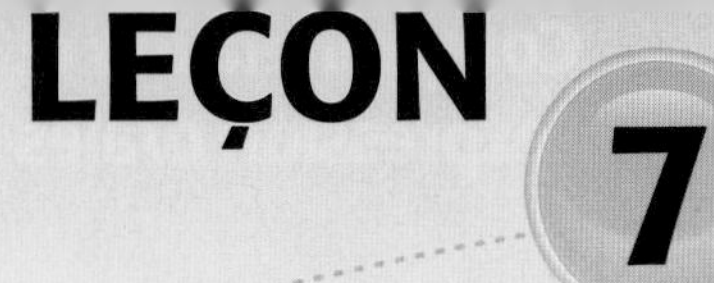

LEÇON 7

ÉCHANGES

Aidez-vous des pages annexes : conjugaison et lexique.

1 Écrivez ce qu'ils ont fait, comme dans l'exemple.

~~travailler~~ – aller au cinéma – étudier le français – se balader – se coucher tard – lire un livre

Exemple : Qu'est-ce que tu as fait aujourd'hui ?
→ J'ai travaillé.

1. Qu'est-ce qu'elle a fait à la bibliothèque ?
→ ....
2. Qu'est-ce qu'ils ont fait dans le parc ?
→ ....
3. Qu'est-ce que tu as fait à l'école ? (je)
→ ....
4. Qu'est-vous avez fait samedi soir ? (nous)
→ ....
5. Il a l'air fatigué. Qu'est-ce qu'il a fait ?
→ ....

2 Réécrivez ce texte au passé. Attention au jour : Mélanie écrit le mail samedi à 11 h 25.

De : Mélanie
Envoyé : jeudi, à 15 h 03

Demain vendredi, je commence le travail à 8 h (on a une réunion importante) ; alors, ce soir, je ne regarde pas la télé, je me couche tôt. Après la réunion de demain, je vais au restaurant avec mes collègues. L'après-midi, je reste au bureau jusqu'à 16 h.
Après, je rentre chez moi, je prépare ma valise et je prends le TGV. Jérôme et moi, nous partons pour Marseille.

De : Mélanie
Envoyé : samedi, à 11 h 25

Hier vendredi, ...
....
....
....
....
....
....
....

3 Écoutez leurs explications et faites comme dans l'exemple.

Exemple : Elle est allée au parc et elle s'est baladée.

1. → ....
2. → ....
3. → ....
4. → ....

LECTURE

4 Lisez et complétez.

a
– Salut Sophie tu sors ce soir ?
– Impossible, je dois me lever tôt demain matin pour une réunion.

b
– Salut Maxime tu sors ce soir ?
– T'es fou ? Je suis super fatigué.
– Ah bon ? T'es sorti hier soir ?
– Non, mais j'ai fait du sport toute la journée aujourd'hui.

c
– Bonjour Catherine, je suis désolé, je ne peux pas venir au bureau aujourd'hui. Mon fils a été malade toute la nuit.
– Hé mais il y a la grosse réunion sur le budget !
– Oui je sais, mais je n'ai pas dormi. Et je ne peux pas laisser Pierre à l'école dans cet état.
– Bon, je comprends. À demain.

d
– On t'attend ! Qu'est-ce-que tu fais ?
– J'ai téléphoné à Brice tout à l'heure ! Je suis en train de dîner.
– Allez, viens tout de suite !
– Peux pas. Ma mère a fait un cassoulet.

e
– Tu as fait quoi ce dimanche ?
– On a fait un pique-nique au bois de Vincennes et on est allé à un concert de jazz.
– Bon… Alors tu ne veux pas boire un verre ce soir ?
– Ce soir ? Mais il est déjà 23 h !

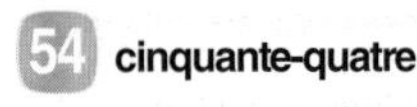

	Qui écrit ?	À qui ?	Pour quoi ?	On lui répond quoi ?
a.	*Un(e) ami(e)*	*À Sophie*	....	....
b.	....	....	*Pour lui proposer de sortir.*	....
c.	....	....	....	....
d.	....	....	....	....
e.	....	....	....	*Il / Elle a fait un pique nique, a été à un concert et maintenant il est trop tard pour sortir*

ÉCRITURE

5 Écoutez et écrivez.

....

....

....

....

....

....

....

6 Sur le modèle de l'exercice 4, écrivez deux échanges par SMS, avec un(e) ami(e) et avec votre patron(ne).

1
- ....
- ....
- ....
- ....

2
- ....
- ....
- ....
- ....

DISCUSSION

7 Écoutez et cochez ce que vous entendez.

1. ❑ Je bois du champagne. ☑ J'ai bu du champagne.
2. ❑ Je finis mes devoirs. ❑ J'ai fini mes devoirs.
3. ❑ Je fais un jogging. ❑ J'ai fait un jogging.
4. ❑ Je dis bonjour à mes voisins. ❑ J'ai dit bonjour à mes voisins.
5. ❑ J'écris un message à Lucie. ❑ J'ai écrit un message à Lucie.
6. ❑ Je choisis un bon restaurant. ❑ J'ai choisi un bon restaurant.

8 Écoutez et répondez aux questions.

1. Complétez.

Emploi du temps de Cécilia et de son mari

Hier
21 h 30 : ....
Après 21 h 30 : ....
Minuit : ....

Aujourd'hui
6 h 30 : ....
avant 8 h : ....
8 h 30 : ....

2. Complétez.

Emploi du temps de Valérie et de son copain

Hier
Pendant l'après-midi : ....
18 h : ....
19 h : ....

Aujourd'hui
7 h : ....
8 h : ....

3. Pourquoi est-ce que Valérie dit : « Oh là là ! » ?
→ ....

4. Dites si c'est Jean-Paul ou Jamal :
a. Il rentre tard le soir : ....
b. Il aide à la maison : ....
c. Il a beaucoup de temps libre : ....
d. Il emmène sa famille en vacances : ....

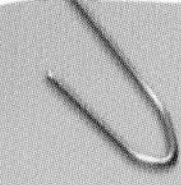

Comment dit-on dans votre langue ?

« Quelle surprise ! » : ....

« Il sait comment plaire ! » : ....

ÉCHAUFFEMENT

1 Écoutez et répétez.

J'ai fait…

ÉCHANGES

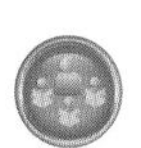

2 Écoutez et imitez.

Qu'est-ce que vous avez fait comme études ?

Après mon baccalauréat, j'ai fait des études d'économie pendant 4 ans et j'ai obtenu mon diplôme en 2006.

Et, pouvez-vous me parler de votre expérience professionnelle ?

Eh bien, après mes études, j'ai travaillé pendant 4 ans comme vendeuse jusqu'en 2010. Depuis 2010, je suis employée dans une banque.

3 Interrogez-vous en utilisant le vocabulaire que vous connaissez et le vocabulaire ci-dessous.

▶ **Les études**
- étudier une matière (le français, l'histoire, le droit, l'économie, les sciences, l'anglais, les mathématiques)
- faire des études de lettres
- obtenir un diplôme (le baccalauréat, une licence de lettres, un master de droit)

▶ **L'entreprise**
- faire un stage de 6 mois en entreprise
- l'expérience professionnelle = le travail qu'on a fait
- être employé(e)
- travailler comme vendeur / vendeuse dans un magasin

4 Interrogez-vous à partir des images.

Exemple :
A : – Qu'est-ce que Julien a fait comme études ?
B : – Après son baccalauréat littéraire, il a fait des études... et…
A : – Et, quelle est son expérience professionnelle ?

Julien

- ***Formation***

06/2011	Master recherche Arts, Lettres et Langues – Anglais
06/2009	Licence de Langues – Anglais
06/2006	Baccalauréat littéraire (L)

- ***Expérience professionnelle***

09/2011	Professeur d'anglais, Lycée Pasteur (Arras)

Déborah

- ***Formation***

09/2004	Licence en Droit
06/2001	Baccalauréat économique et social (ES)

- ***Expérience professionnelle***

09/2007	Conseillère en droit des entreprises (Toulouse)
01/2005	Assistante, Cabinet d'avocats (Toulouse)

À VOUS DE JOUER

5 Imaginez un dialogue et jouez-le.

ÉCHAUFFEMENT

6 (1) Comptez les syllabes et notez les liaisons comme dans l'exemple. (2) Écoutez l'enregistrement et vérifiez avec votre voisin. (3) Lisez ces phrases à voix haute.

Le présent et le passé

Exemple :
Elle fait / des études / de droit / depuis cinq ans. → 2 / 3 / 2 / 4

1. Elle a fait / des études / de droit / pendant cinq ans. → …. / …. / …. / ….
2. Je travaille / depuis deux ans / comme serveur. → …. / …. / ….
3. J'ai travaillé / pendant deux ans / comme serveur. → …. / …. / ….
4. J'habite / en France / depuis un an et demi. → …. / …. / ….
5. J'ai habité / en France / pendant un an et demi. → …. / …. / ….

LECTURE

7 Observez, puis lisez à voix haute.

Lisa Robin 1 rue Jacques Ellul
24 ans 33080 BORDEAUX
célibataire tél : 05 57 12 20 81
Permis A mèl : robindesbois@ijba.u-bordeaux3.fr

ÉTUDES ET DIPLÔMES

2012-2014 : Master de l'Institut de Journalisme de Bordeaux Aquitaine
2008-2011 : Licence de Lettres Modernes, Université Bordeaux 3
2008-2010 : Classes préparatoires littéraires, Lycée Michel de Montaigne
2008 : Baccalauréat L, mention très bien

EXPÉRIENCE PROFESSIONNELLE

Avril-Juin 2014 : Stage au journal *Sud-Ouest*, chargée des sondages (Master 2)
2012-2014 : Animatrice de l'émission « Les enfants de Michel » pour *Radio Campus 88.1 FM*
2012-2014 : Hôtesse d'accueil, entreprise EOM SRL (salons : Equitaine, Equitanima, Conforexpo, Vinitech et Vinexpo)
2010-2011 : Jeune fille au pair à Madrid
2007-2009 : Club de journalisme du Lycée Montaigne
Garde d'enfants, baby-sitting

LANGUES

Espagnol : parlé, lu, écrit – DELE C1 (séjour à Madrid, Espagne, d'octobre 2010 à juin 2011)
Anglais : parlé, lu écrit – niveau B1 (séjour à Torkey, Angleterre, août 2008)

CENTRES D'INTÉRÊT

Sports : équitation, danse flamenco
Association : distribution de repas (pour Les Restos du cœur)

8 Lisez le document de l'activité 7 puis interrogez-vous à tour de rôle.

Exemple : A : – De quel genre de document est-ce qu'il s'agit ?
B : – C'est un curriculum vitae.

1. Classez dans l'ordre les parties du CV de Lisa Robin. En premier, il y a les informations…, en deuxième…, en troisième…
   (a) sur le travail
   (b) personnelles
   (c) sur les activités personnelles
   (d) sur les études
   (e) sur les langues étrangères
2. Dans un CV, qu'est-ce qu'on met comme informations personnelles ?
3. Lisa Robin a un profil plutôt scientifique ou plutôt littéraire ? Pourquoi ?
4. Elle sait parler combien de langues ?

9 Lisez le document de l'activité 7, puis interrogez-vous à tour de rôle.

Exemple :
A : – Qu'est-ce que Lisa Robin a fait comme jobs étudiants entre 2012 et 2014 ?
B : – Elle a travaillé comme hôtesse d'accueil pour des salons.

1. Qu'est-ce qu'elle a fait pendant ses deux premières années de licence ?
2. Qu'est-ce qu'elle a fait pour son stage de fin d'études ? Où et combien de temps ?
3. Qu'est-ce que Lisa Robin a fait comme séjours linguistiques à l'étranger ? Elle est restée pendant combien de temps dans chaque pays ?
4. Qu'est-ce qu'elle a obtenu comme diplôme en langues étrangères ?
5. Elle s'intéresse au journalisme depuis quand ?

PRATIQUE DE LA LANGUE

10 Interrogez-vous à tour de rôle comme dans l'exemple.

Exemple :
A : – Est-ce que vous avez déjà fait de l'animation radio ?
B : – Non je n'ai jamais fait d'animation radio. Et vous ?
ou B : – Oui, j'ai déjà fait de l'animation radio, à l'université. Et vous ?

un stage | du baby-sitting | un séjour à l'étranger
un job d'étudiant | de la danse | de l'animation radio

LEÇON 8
Études

Expression écrite

ÉCHAUFFEMENT

11 Lisez le texte avec vos voisins, recopiez puis comparez.

Caroline a passé un bac scientifique et elle a ensuite fait des études de commerce pendant 5 ans. Pour payer ses études, elle a fait des petits jobs. Après son diplôme, elle a d'abord travaillé pour une petite marque de vêtements et, depuis trois ans, elle travaille dans une grande entreprise de champagne.

GRAMMAIRE

12 Interrogez-vous comme dans l'exemple, puis écrivez vos échanges.

Exemple : (Lisa) séjours à l'étranger ?
→ Angleterre + Espagne
A : – Qu'est-ce que Lisa a fait comme séjours à l'étranger ?
B : – Elle est allée en Angleterre et en Espagne.

1. (vous / je) études à l'université ? → philosophie
2. (eux) stage en France ? → un stage de vente
3. (elles) travail pendant leurs études ? → dans un restaurant
4. (elle) sport au club de vacances ? → yoga
5. (vous / nous) sortie récemment ? → un pique-nique à la mer

RÈGLE 15
L'interrogation « Qu'est-ce que... comme... ? »

- « Comme » sert à interroger sur une catégorie. Dans la langue standard, on utilise souvent la question « Qu'est-ce que… comme… ? » pour remplacer « Quel », « Quelle », « Quels » ou « Quelles » dans le sens de « quel type de… ? »
  - ***Quelles** études est-ce que vous faites ?*
    *= **Qu'est-ce que** vous faites **comme** études ?*
  - ***Quel** stage est-ce que vous avez fait ?*
    *= **Qu'est-ce que** vous avez fait **comme** stage ?*

13 Interrogez-vous comme dans l'exemple. Notez ensuite vos réponses.

Exemple : → études d'ingénieur / 4 ans
A : – Vous avez fait un baccalauréat S. Et après ?
B : – Après mon baccalauréat, j'ai fait des études d'ingénieur pendant 4 ans.

1. Il a fait une licence de littérature. Et après ?
   → en Irlande / 10 mois
2. Et après leurs études, qu'est-ce qu'ils ont fait ?
   → un stage / 6 mois
3. Ils ont habité à Dijon combien d'années ? → 4 ans
4. Qu'est-ce qu'elle fait comme travail ? → EDF / 2011 ~
5. Vous parlez français ? → étudier le français / ... ~

RÈGLE 16
Situer dans le temps

- On utilise « **depuis** » pour indiquer le début d'une action qui continue. SINCE
  - *Je suis employé dans une banque **depuis** 2010. / **depuis** la fin de mes études.*
- On utilise « **après** » + **un nom** pour indiquer le début d'une action qui a pris fin.
  - ***Après** mes études, j'ai travaillé comme vendeur.*
- Pour préciser la durée d'une action, on utilise « **pendant** ». FOR
  - *J'ai travaillé **pendant** 4 ans comme vendeur.*
  - *J'ai appris beaucoup de choses **pendant** mon stage / **pendant** mon année de stage.* DURING

	[← pendant… →]	[depuis…→
avant les études	les études	après les études

DICTÉE

14 Écoutez et écrivez, puis comparez avec vos voisins.

ÉCRITURE

15 (1) Interrogez votre voisin sur son curriculum. (2) Remplissez sa fiche. (3) Présentez le CV de votre voisin à votre groupe.

Fiche curriculum vitæ de : ....

Études et diplômes	2014	....
Expérience professionnelle	....	....
Centres d'intérêt		....

ÉCHAUFFEMENT

16 Écoutez et répétez en imitant l'intonation.

L'interrogation

❶ *Toc toc toc*
– Oui ?

❷ – On se tutoie, d'accord ?

❸ – Pourquoi tu n'es pas resté dans la région ?
Ils n'ont pas de bonnes écoles à Lille ?

❹ – J'ai travaillé pendant l'été à Disneyland.
– Tu as fait quoi exactement ?

COMPRÉHENSION

17 Regardez la vidéo et répondez.

L'entretien Partie 2 – Tu as déjà travaillé ?

3

1. Complétez le document, puis interrogez votre voisin pour vérifier vos réponses.

Jérémy Garcia
230 rue Sadi Carnot
75020 Paris
Tél : 06 45 78 32 55
jeje-foot@orange.fr

– STAGE EN MARKETING –

Formation

....
....

Expérience professionnelle

....
....

Exemple :
A : – Qu'est-ce que Jérémy fait comme études ?
B : – Il...

2. Répondez et justifiez.

1. Quand est-ce que Jérémy commence son stage ? Il va faire quoi ?
2. Pourquoi est-ce que Jérémy n'est pas resté à Lille pour faire ses études ?
3. Qu'est-ce que Jérémy voudrait faire comme métier ?
4. Qu'est-ce que Jean-Marc pense du petit job de Jérémy ?

18 Regardez. Qu'est-ce qu'ils disent ?

3

Exemple : Jean-Marc propose à Jérémy de se tutoyer.
→ Il dit : « Jérémy, on se tutoie, d'accord ? »

1. Jérémy accepte qu'ils se tutoient.
2. Jean-Marc pense que les études de Jérémy ne sont pas utiles.
3. Jean-Marc demande à Jérémy quel travail il a fait à Disneyland.
4. Jean-Marc pense que le travail de Jérémy à Disneyland n'est pas une expérience utile.

À VOUS DE JOUER

19 Imitez, puis utilisez entre vous.

3a-c

S'informer sur le profil de quelqu'un

❶ A : – Alors, Jérémy, si j'ai bien compris, tu veux faire un stage chez nous...
B : – Oui, c'est exact. Dans mon école, nous devons faire un stage de six mois dans une entreprise…

❷ A : – Et tu fais quoi comme études ?
B : – Alors, voilà : après mon baccalauréat, je suis entré à l'école de commerce *Paris Business Institute,* où je fais des études de marketing. Je suis à présent en troisième année.

❸ A : – Et tu as déjà de l'expérience professionnelle ? Tu as déjà travaillé ?
B : – J'ai travaillé pendant l'été à Disneyland.

20 En situation.

Lisez l'annonce et la fiche d'entretien. Vous passez un entretien pour faire un stage dans un centre culturel français à l'étranger. L'interviewer remplit la fiche.

Centre culturel français cherche stagiaire « marketing & communication ». Compétences requises : bonne connaissance de la langue du pays, maîtrise de l'outil informatique (Pack Office, Photoshop…) et des réseaux sociaux (Facebook, Twitter), aptitude pour le travail d'équipe. Début le 1er septembre. Envoyer CV et lettre de motivation à : recrutement@centre-culturel-fle.fr

FICHE D'ENTRETIEN

Nom : .... Prénom : ....
Nom de l'interviewer : ....
Date de l'entretien : ....
Expérience professionnelle : ....
....
Formation / Études : ....
....
Compétences : ....
....
Motivation : ....
....

ÉCHANGES

Aidez-vous des pages annexes : conjugaison et lexique.

1 Posez la question en utilisant « Qu'est-ce que… comme… ? », comme dans l'exemple.

Exemple : J'ai fait des études d'économie. (vous)
→ Qu'est-ce que vous avez fait comme études ?

1. J'ai étudié l'anglais et l'allemand. (tu)
→ ....
2. Elle a obtenu une licence de lettres modernes.
→ ....
3. Ils ont fait un stage de vente en entreprise.
→ ....
4. Il a travaillé comme serveur et comme cuisinier.
→ ....
5. Je n'ai pas d'expérience professionnelle. (vous)
→ ....

2 Regardez le CV ci-dessous et répondez aux questions.

Déborah Deschamp

Formation
09/2004 Licence de Droit
06/2001 Baccalauréat économique et social (ES)

Expérience professionnelle
01/2007 Conseillère en droit des entreprises (Toulouse)
01/2005 Assistante, cabinet d'avocats (Toulouse)

1. Qu'est-ce que Déborah a fait comme études après son baccalauréat ?
→ ....
2. Qu'est-ce qu'elle a fait comme travail avant septembre 2007 ?
→ ....
3. Pendant combien de temps est-ce qu'elle a travaillé comme assistante ?
→ ....
4. Depuis combien de temps est-ce qu'elle travaille comme conseillère en droit ? (utilisez la date d'aujourd'hui)
→ ....
5. À votre avis, qu'est-ce qu'elle a fait entre septembre 2004 et janvier 2005 ?
→ ....

3 Écoutez leurs explications et faites comme dans l'exemple.

Exemple : Il a travaillé comme professeur de mathématiques dans un lycée.

1. → ....
2. → ....
3. → ....
4. → ....

LECTURE

4 Lisez et répondez.

Geoffrey MARTY
pâtissier, chocolatier, confiseur
2e au 14e concours national du chocolat
Né le 30 août 1994

40 route de Saint-Genis
17500 Saint-Germain-de-Lusignan
Tél. : 05 46 48 70 70
geotintin@la-poste.fr

Formation
2014 : Brevet Technique des Métiers (BTM) « Chocolatier Confiseur »
2012 : Certificat d'Aptitude Professionnelle (CAP) « Pâtissier »

Expérience professionnelle
Sept. 2012-Juillet 2014 : apprenti chocolatier confiseur chez *Bouchon*, Chocolatier Confiseur à Saint-Médard-en-Jalles
Sept. 2011-Août 2012 : apprenti pâtissier chez *La Baguette magique*, à Saint-Médard-en-Jalles
Oct. 2010-Juin 2011 : apprenti pâtissier chez *Les Délices du Blé*, boulangerie-pâtisserie à Archiac
Juillet-Août 2010 : stagiaire pâtissier au *Fournil d'Echourgnac*, boulangerie-pâtisserie

Langues
Anglais : élémentaire (niveau A2)

Loisirs
Sports de plein air : ski, moto, planche à voile et kitesurf
Association : aide cuisinier pour les Restos du cœur : distribution de repas (tous les hivers depuis 2010)

1. Quelles sont les qualifications de Geoffrey Marty ?
→ ....
2. Il sait parler combien de langues ?
→ ....
3. Qu'est-ce qu'il aime faire ?
→ ....
4. Est-ce qu'il est un bon chocolatier ?
→ ....

5. Complétez le tableau des expériences de Geoffrey Marty.

Expérience	Où ?	Combien de temps ?
Stagiaire pâtissier	*Le Fournil d'Echourgnac, une boulangerie-pâtisserie*	*2 mois*
....	....	....
....	....	....
....	....	....
....	....	....

ÉCRITURE

5 Écoutez et écrivez.

....

....

....

....

....

....

....

6 Sur le modèle de l'exercice 4, rédigez votre CV.

....
....
....

....
....
....
....

Formation

.... : ....
.... : ....
.... : ....

Expérience professionnelle

.... : ....
.... : ....
.... : ....

Langues

.... : ....
.... : ....

Loisirs

....

DISCUSSION

7 Écoutez et cochez ce que vous entendez.

	[ɔ̃]	[ɔn]
1. Quel est votre numéro de téléphone ?	❑	☑
2. J'ai vu votre annonce dans le journal.	❑	❑
3. Est-ce qu'il a une mention au bac ?	❑	❑
4. Est-ce qu'il y a de bonnes écoles à Lille ?	❑	❑
5. Comme travail, elle fait des sondages.	❑	❑
6. Elle a travaillé dans une crêperie bretonne.	❑	❑

8 Écoutez et répondez aux questions.

1. Complétez.

Arnaud LEPIN

FORMATION

1983 ....
1978 ....

EXPÉRIENCE PROFESSIONNELLE

2005 ....
1997 ....
1987 ....
1986 ....
1985 ....
1983-1985 ....

2. Quelle est l'activité de *Sandwich-minute* ?
→ ....

3. Pourquoi est-ce qu'Arnaud Lepin a quitté son travail en 1985 ?
→ ....

4. Qu'est-ce qu'Arnaud aimerait faire ?
→ ....

Comment dit-on dans votre langue ?

« Si je comprends bien » :
....

« C'est exact ! » : ....

ÉCHAUFFEMENT

1 Écoutez et répétez.

Tu es déjà allée…

ÉCHANGES

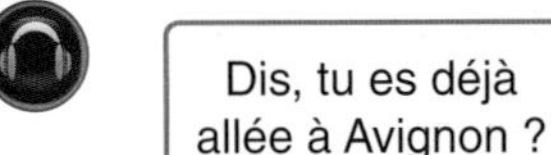

2 Écoutez et imitez.

Dis, tu es déjà allée à Avignon ?
Oui, je suis allée à Avignon il y a deux ans. Pourquoi ?
Oh, eh ben, je vais dans la région le mois prochain, mais je ne sais pas ce qu'il y a à faire. Qu'est-ce que tu me conseilles ?
Tu pourrais visiter le palais des Papes, mais tu devrais peut-être acheter un guide touristique.

3 Interrogez-vous en utilisant le vocabulaire que vous connaissez et le vocabulaire ci-dessous.

Variez votre interrogation avec : Paris – le sud-est de la France – l'Alsace – la Bretagne – les Alpes – Tours – le Québec – la Belgique – la Suisse – le Sénégal

▶ **Donner un conseil**
- *je te conseille…* (conseiller)
- *tu pourrais…*
- *tu devrais...*

▶ **Trouver des informations**

lire un guide touristique

Et aussi :
- contacter une personne = téléphoner ou envoyer un courriel

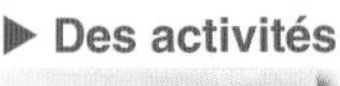
▶ **Des activités**

faire le tour de la ville en bus

faire un tour en bateau

goûter des spécialités régionales

monter au sommet (du mont Blanc, de la tour Eiffel…)

aller s'amuser dans un parc d'attractions

Et aussi :
- faire du shopping (se promener dans les magasins et acheter)
- faire du ski (skier)

4 Interrogez-vous à partir des images.

Exemple :
A : – Elle voudrait aller à Avignon mais elle ne sait pas ce qu'il y a à faire. Qu'est-ce que tu lui conseilles ?
B : – Eh bien, elle pourrait visiter le palais des Papes. Elle devrait aussi contacter l'office de tourisme.

Avignon ?
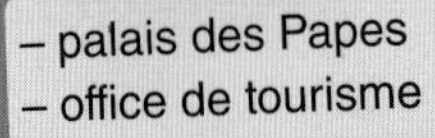
– palais des Papes
– office de tourisme

Paris ?

À VOUS DE JOUER

5 Imaginez un dialogue et jouez-le.

MOULIN ROUGE

ÉCHAUFFEMENT

6 (1) Faites le découpage comme dans l'exemple. (2) Écoutez l'enregistrement et vérifiez avec votre voisin. (3) Lisez les phrases à voix haute.

Le rythme

Exemple : Vous avez déjà visité / Lyon ? vuzavedeʒavizite ljɔ̃

1. Vous avez déjà mangé du cassoulet ?
   vuzavedeʒamɑ̃ʒe dykasulɛ
2. Vous avez déjà visité le château de Versailles ?
   vuzavedeʒavizite ləʃɑto dəvɛʀsaj
3. Je ne connais pas Nantes, qu'est-ce que vous me conseillez de visiter ?
   ʒənəkɔnɛpɑ nɑ̃t kɛskə vuməkɔ̃sɛje dəvizite
4. Je voudrais acheter des souvenirs, où est-ce que je pourrais aller ?
   ʒəvudʀɛ aʃte desuvniʀ uɛskə ʒəpuʀɛ ale
5. Je ne suis jamais allé en France, où est-ce que tu me conseilles d'aller ?
   ʒənəsɥiʒamɛzale ɑ̃fʀɑ̃s uɛskə tyməkɔ̃sɛj dale

LECTURE

7 Observez, puis lisez à voix haute.

De : resa@hotel-poiret.fr
À : denis.charpentier@gmail.com
Objet : Re : Demande de renseignements

Monsieur,
J'ai bien reçu votre demande de renseignements. Notre hôtel, situé en centre-ville, est idéal pour découvrir les rues nantaises. Je ne sais pas ce que vous aimez, mais je vous conseille de visiter le château des Ducs de Bretagne et de goûter des crêpes et des galettes dans le même quartier, rue de la Baclerie ou rue de la Juiverie par exemple. Pour faire des courses, il y a aussi beaucoup de boutiques et les *Galeries Lafayette* dans ce quartier.
Il y a aussi le Lieu unique, il a ouvert il y a 13 ans. C'est l'ancienne usine Lu. Vous pourriez y aller pour prendre un verre, déjeuner ou dîner mais aussi pour voir des spectacles ou des expositions. Il faut aussi voir Les Machines de l'île, surtout le grand éléphant : il fait 12 mètres de haut et vous pouvez monter dessus pour une promenade.
Nous gardons pour vous, à l'accueil de l'hôtel, des plans gratuits de la ville et des petits guides touristiques de la région.
Bien cordialement,

Mélanie
Hôtel Poiret • 2 rue Rubens • 44000 NANTES
tél : 02.40.49.73.79 • fax : 02.40.49.63.75 • resa@hotel-poiret.fr

---

> De : denis.charpentier@gmail.com
> À : resa@hotel-poiret.fr
> Objet : Demande de renseignements
> Madame, Monsieur,
> En voyage d'affaires, je vais séjourner dans votre hôtel du 5 au 9 avril prochain. Je suis déjà venu à Nantes, mais je n'ai jamais visité la ville. Pourriez-vous me donner des renseignements sur les lieux intéressants proches de l'hôtel ?
> En vous remerciant par avance,
> Cordialement,
> Denis Charpentier

8 Lisez le document de l'activité 7 puis remplissez le tableau à deux.

Exemple :
A : – Qu'est-ce qu'il y a à manger à Nantes ?
B : – À Nantes, on peut manger des crêpes.

Visiter	Manger	Acheter des souvenirs
....	*Les crêpes et*	....

9 Lisez le document de l'activité 7, puis interrogez-vous à tour de rôle.

Exemple :
A : – Pourquoi Denis Charpentier écrit à l'hôtel *Poiret* ?
B : – Il écrit pour demander des renseignements.

1. Est-ce qu'il est déjà allé à Nantes ?
2. Il va séjourner dans cet hôtel pendant combien de temps ?
3. Qu'est-ce que Mélanie conseille à M. Charpentier ?
4. Le Lieu unique a ouvert il y a combien d'années ?
5. Et vous, qu'est-ce que vous aimeriez faire à Nantes ?

PRATIQUE DE LA LANGUE

10 Interrogez-vous à tour de rôle comme dans l'exemple.

Exemple :
A : – Je vais bientôt en Bretagne, qu'est-ce que tu me conseilles de goûter ?
B : – Tu peux manger des galettes, c'est très bon.
ou B : – Désolé(e), je ne sais pas ce qu'il y a à goûter en Bretagne, je ne connais pas cette région.

- en Bretagne, goûter
- en Belgique, visiter
- au Louvre, voir
- à Disneyland Paris, faire
- à *La Tour d'Argent*, manger

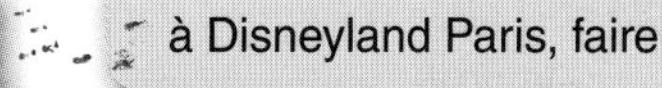

ÉCHAUFFEMENT

11 Lisez le texte avec vos voisins, recopiez puis comparez.

Quand j'ai visité Paris avec ma sœur, il y a trois ans, nous avons dîné sur un bateau-mouche et c'était formidable. Nous avons appris qu'il y a aussi des bateaux-mouches à Lyon ! Nous n'avons jamais visité cette ville. Est-ce que vous voudriez venir avec nous pour découvrir la région lyonnaise ?

GRAMMAIRE

12 Interrogez-vous à tour de rôle comme dans l'exemple puis écrivez vos réponses.

Exemple : Mathilde est allée en France il y a 2 ans.
A : – Moi, je ne suis jamais allé(e) en France. Et toi ?
B : – Moi non plus.
ou B : – Moi si, je suis allé(e) en France il y a 8 mois.

1. Chloé a visité un musée il y a 15 jours.
2. Jade est partie en vacances à l'étranger il y a 3 mois.
3. Lucas a fait du ski il y a environ 3 ans.
4. Théo a fait le tour de Paris en bus il y a 6 mois.
5. Zoé a fait un tour en bateau il y a deux semaines.

RÈGLE 17

« Il y a » + une durée

- On utilise « **il y a** » + **une durée** pour indiquer le temps qui a passé entre une action terminée et le présent.
  - *Je suis allée à Avignon* ***il y a deux ans.***

été 2012 — été 2013 — été 2014
voyage à Avignon — aujourd'hui

13 Interrogez-vous à tour de rôle comme dans l'exemple puis écrivez vos réponses.

Exemple : Aller / Europe ?
A : – Est-ce que tu es déjà allé(e) en Europe ?
B : – Oui, je suis déjà allé(e) en France et en Italie, il y a deux ans, et toi ?
A : – Moi, non, je ne suis jamais allé(e) en Europe.

1. Acheter / guide touristique ?
2. Goûter / spécialités antillaises ?
3. Skier / France ?
4. Monter au sommet / tour Eiffel ?
5. Faire un tour / bateau-mouche ?

RÈGLE 18

« Déjà » ≠ « ne... jamais... »

- Pour interroger sur l'expérience passée, on utilise « **déjà** » avec une question au **passé composé** :
  - *Tu es* ***déjà*** *allé(e) à Avignon ?* (= Tu es allé(e) à Avignon 1 fois dans ta vie ?)
- Si on répond par « oui », on donne des précisions :
  - *Oui, je suis allé(e) à Avignon il y a deux ans.*
- Si on répond par « non », on utilise « **ne... jamais...** » :
  - *Non, je* ***ne*** *suis* ***jamais*** *allé(e) à Avignon.* (= Je suis allé(e) 0 fois à Avignon.)

DICTÉE

14 Écoutez et écrivez, puis comparez avec vos voisins.

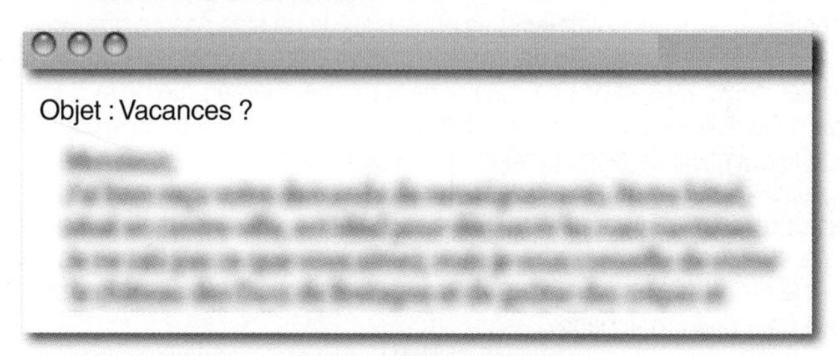
Objet : Vacances ?

ÉCRITURE

15 (1) Interrogez vos voisins sur les lieux intéressants où ils sont allés. (2) Remplissez le tableau. (3) Rédigez un texte en commun à partir de ces informations.

Lieu	Personne	Déjà allé(e) ?	A fait / Voudrait faire quoi ?
· Avignon	- Charles - Justine	est déjà allé 3 fois à Avignon. n'est jamais allée à Avignon.	Il a visité le palais des Papes. Elle voudrait voir le festival de théâtre.

ÉCHAUFFEMENT

16 Écoutez et répétez en imitant l'intonation.

L'hésitation

1. – Que puis-je faire pour vous ?
   – Euh… Voilà : ma femme et moi, nous ne sommes jamais allés dans votre région.
2. – Combien de temps est-ce que vous voulez rester à Avignon, monsieur ?
   – Hum… Je ne suis pas sûr… Une journée, je pense.
3. – Vous avez encore des questions, monsieur ?
   – Euh oui... Et, qu'est-ce que vous me conseillez de visiter ?
4. – Je suis absolument certaine que nos informations sont exactes.
   – Euh… oui, oui, évidemment... Toutes mes excuses.

COMPRÉHENSION

17 Écoutez et répondez.

Vous êtes absolument sûre de ça ?

1. Complétez le document, puis interrogez votre voisin pour vérifier vos réponses.

AVIGNON ET SA RÉGION – Informations pratiques

....

....

Tarif : .... €

....

....

Tarif : .... €

Billet combiné : .... + ... = ... €

▶ **Les Baux-de-Provence :**

....

....

Exemple : A : – Comment s'appelle ce site touristique ?
B : – C'est...

2. Répondez et justifiez.

1. Qu'est-ce que l'homme et sa femme veulent faire pendant leurs vacances ?
2. Pourquoi est-ce que l'employée est sûre que le palais est ouvert ?
3. Pourquoi est-ce que l'homme demande le prix du billet ?
4. Comment est-ce qu'on fait pour accéder au village des Baux-de-Provence ?
5. À la fin, pourquoi est-ce que l'employée n'est pas contente ?

18 Écoutez. Qu'est-ce qu'ils disent ?

Exemple : L'employée demande à l'homme ce qu'il veut.
→ Elle dit : « Que puis-je faire pour vous ? »

1. L'employée dit que le palais des Papes est très beau.
2. L'homme ne sait pas combien de temps il va rester à Avignon.
3. L'homme demande à l'employée de confirmer que c'est le pont d'Avignon.
4. L'homme regrette : on ne peut pas aller en voiture au centre du village des Baux-de-Provence.

À VOUS DE JOUER

19 Imitez, puis utilisez entre vous.

Interroger sur la certitude, mettre en doute

a-c

1. A : – Vous êtes bien sûre qu'il est ouvert le dimanche aussi ? Vous comprenez, je ne voudrais pas venir pour rien.
   B : – Ne vous inquiétez pas, monsieur, nous vendons des billets pour le palais des Papes tous les jours. Il est bien ouvert le dimanche.
2. A : – Vous êtes absolument certaine que c'est 13 € ? Je dis ça parce que sur Internet, c'est écrit qu'il faut payer 15 €.
   B : – 15 €, c'est quand vous achetez un billet pour le palais à 10,50 € et un billet pour le pont à 4,50 €. 13 €, c'est le prix pour le billet combiné pour le palais plus le pont.
3. A : – Vous êtes absolument sûre de ça ? Vous êtes déjà allée aux Baux-de-Provence en voiture ?
   B : – Non, monsieur, mais je travaille à l'office de tourisme depuis 5 ans. Je suis absolument certaine que nos informations sont exactes.

20 En situation.

Vous allez à l'office de tourisme pour avoir des informations sur les activités à faire dans la ville pour un jour. Vérifiez les réponses et prenez des notes.

	Matin	Déjeuner	Après-midi	Soir
Activité	....	....	....	....
Prix	....	....	....	....
Transport	....	....	....	....

ÉCHANGES

Aidez-vous des pages annexes : conjugaison et lexique.

1 Répondez aux questions, comme dans l'exemple.

Exemple : Qu'est-ce qu'il y a à visiter à Avignon ? Tu sais ?
→ Non, je ne sais pas ce qu'il y a à visiter à Avignon.

1. Qu'est-ce qu'on pourrait faire ce week-end ? Tu sais ?
→ ....
2. Qu'est-ce qu'il y a à manger à la maison ? Il sait ? (il)
→ ....
3. Qu'est-ce qu'on peut goûter comme spécialité dans cette région ? Vous savez ? (nous)
→ ....
4. Qu'est-ce que le guide conseille de visiter ? Tu sais ?
→ ....

2 Répondez aux questions selon votre expérience, comme dans l'exemple.

Exemple : Vous avez déjà visité le musée du Louvre ? (Si oui, quand ?)
→ Oui, j'ai visité le Louvre il y a 3 ans.
/ → Non, je n'ai jamais visité le Louvre.

1. Vous êtes déjà monté(e) au sommet d'une montagne ? (Si oui, quelle montagne ?)
→ ....
2. Vous êtes déjà allé(e) en France ? (Si oui, quand et où ?)
→ ....
3. Vous avez déjà goûté des spécialités du sud de la France ? (Si oui, quelles spécialités et où ?)
→ ....
4. Vous avez déjà fait un tour en bateau ? (Si oui, quand et où ?)
→ ....
5. Vous avez déjà skié ? (Si oui, quand et où ?)
→ ....

3 Écoutez leurs explications et faites comme dans l'exemple.

Exemple : Il pourrait aller à Avignon et visiter le palais des Papes.

1. → ....
2. → ....
3. → ....
4. → ....

LECTURE

4 Lisez et complétez.

Hôtel La Ciotat – ***PLAISANCE***

Situé en centre-ville à 200 m du port et à 500 m des premières plages, notre hôtel 2 étoiles, indépendant et familial, vous accueille dans son cadre chaleureux.

Qu'est-ce qu'il y a à faire ? À visiter ?
L'hôtel *Plaisance* est l'idéal pour vos vacances à La Ciotat. Vous pourriez découvrir le Vieux Port de La Ciotat et le bord de mer. Notre recommandation : avec 10 % de réduction pour les clients de l'hôtel, vous devriez réserver un tour en bateau pour visiter les calanques de Figueroles ou D'en Vau. Il faut aussi voir les calanques d'en haut : notre équipe vous conseille sur les meilleures balades. Plans et guides disponibles à l'accueil.

Une étape pour les professionnels
Le chantier naval et le port de plaisance se trouvent à seulement 400 m. Pratique pour vous, les professionnels ! Vous êtes ainsi au cœur de l'activité économique de la ville ! Nous proposons des tarifs spéciaux pour les groupes et les sociétés, nous contacter.
Accueil 24 h / 24 h, wifi gratuit.
Nous vous recommandons également de réserver une place de parking en même temps que votre chambre.

Le petit déjeuner de *Plaisance*
Goûtez les plaisirs d'un petit déjeuner continental dans un cadre relaxant… Mets sucrés et salés sont proposés. Servi chaque matin en salle, ou confortablement dans votre chambre, le petit déjeuner de *Plaisance* est un moment délicieux… à faire durer !

	Avantages de l'hôtel *Plaisance*
Pour les touristes	*Situé à 500 m des premières plages,* ....
Pour les professionnels	....
Pour tout le monde	....

ÉCRITURE

5 **Écoutez et écrivez.**

....

....

....

....

....

....

....

6 **Sur le modèle de l'exercice 4, rédigez une présentation d'un hôtel de votre ville.**

....

....

....

....

....

....

....

....

....

DISCUSSION

7 **Écoutez et notez combien de fois vous entendez les sons.**

	[l]	[z]	[t]	[n]
1.	*1*	*1*	*4*	*0*
2.	...	...	...	...
3.	...	...	...	...
4.	...	...	...	...
5.	...	...	...	...
6.	...	...	...	...

8 **Écoutez et répondez aux questions.**

1. Pourquoi est-ce que Rémi demande conseil à Emma ?
→ ....

2. Quand est-ce qu'Emma est allée dans cette région ?
→ ....

3. Complétez le tableau.

Région : / Durée des vacances :	.... /		
Ville	....	....	*Le Touquet-Paris-Plage*
Informations sur la ville	• *La capitale des Flandres* •	•	• .... • ....
Activités à faire	•	•	• .... • ....
Spécialités locales	• *La carbonade flamande* • .... •	•	• ....

Comment dit-on dans votre langue ?

« Tu peux pas me donner quelques conseils ? » :
....

« Mais non, je plaisante ! » :
.................I'M KIDDING !.................

PLAISANT → TO KID

Enquêtons sur notre classe

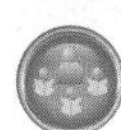 **Étape 1 :** Lisez les enquêtes sur les Français (documents 1 et 2).

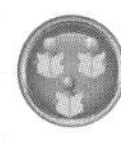 **Étape 2 :** Choisissez un thème (les sorties du week-end, les repas, les lieux de vacances…), préparez les questions de votre enquête puis interrogez les autres groupes à l'aide de vos questionnaires.

 **Étape 3 :** Chaque groupe rassemble ses résultats pour faire un compte rendu.

 **Étape 4 :** Faites un bilan de la classe.

Document 1

Statistiques sur les habitudes culturelles des Français

	15-24 ans	25-39 ans	40-59 ans
Ils ont fréquenté une bibliothèque ces 12 derniers mois.	31 %	20 %	15 %
Ils ont lu 20 livres ou plus ces 12 derniers mois.	16 %	14 %	17 %
Ils ont visité un musée ou une exposition d'art ces 12 derniers mois.	42 %	38 %	39 %
Ils sont allés au cinéma au moins une fois ces 12 derniers mois.	88 %	68 %	55 %
Ils sont sortis le soir au moins une fois par semaine.	70 %	46 %	31 %
Ils sont allés à un concert de musique classique ces 12 derniers mois.	4 %	6 %	8 %

Document 2

Où est-ce que les Français sont partis en vacances ?

Sept Français sur dix ont choisi de rester en France pendant leurs vacances d'été cette année.
Comme presque tous les ans, 58 % des Français sont allés à la mer, 20 % à la campagne, 13 % en ville et 9 % à la montagne. Les régions préférées en été sont la Provence-Alpes-Côte d'Azur, devant le Languedoc-Roussillon et l'Aquitaine.
Pour les vacances à l'étranger, l'Espagne et le Portugal sont restés les destinations favorites.

Unité 4
MÉDIAS
LEÇON 10 – OUTILS
LEÇON 11 – USAGES
LEÇON 12 – INTERNET
PROJET – LE GUIDE DE L'APPRENANT DE FRANÇAIS

ÉCHAUFFEMENT

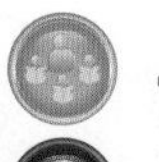

1 Écoutez et répétez.

J'ai besoin…

ÉCHANGES

2 Écoutez et imitez.

J'ai besoin d'une tablette numérique. Vous pourriez me conseiller un modèle, s'il vous plaît ?

Pourquoi vous ne prenez pas cette tablette ? Elle est plus fine et moins lourde que les autres modèles.

Ah oui ? En plus, je la trouve assez jolie !

Et elle n'est pas beaucoup plus chère !

3 Interrogez-vous en utilisant le vocabulaire que vous connaissez et le vocabulaire ci-dessous.

Variez votre interrogation avec : un téléphone portable – une voiture – un vélo – un ordinateur portable

▶ **Les caractéristiques techniques**

être de bonne qualité

fin(e) ≠ épais(se)

large

Et aussi :

- avoir peu ≠ beaucoup d'options
- avoir plus ≠ moins de mémoire (32 Go)
- rapide ≠ lent(e)
- léger / légère (100 g) ≠ lourd(e) (100 kg)
- un modèle de tablette (l'iPad, le Kindle, le Kobo)
- *j'ai besoin de… = il me faut…*
- avoir des appels illimités = pouvoir téléphoner tout le temps
- appeler l'étranger = téléphoner dans un autre pays

4 Interrogez-vous à partir des images.

Exemple :
A : – Il a besoin d'une tablette numérique. Tu pourrais lui conseiller un modèle ?
B : – Pourquoi il ne prend pas la tablette de gauche ? Elle est plus jolie et moins chère que la tablette de droite.

À VOUS DE JOUER

5 Imaginez un dialogue et jouez-le.

ÉCHAUFFEMENT

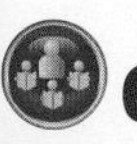

6 (1) Écoutez l'enregistrement et indiquez l'intonation comme dans l'exemple. (2) Vérifiez avec votre voisin. (3) Lisez les phrases à voix haute.

L'accentuation et l'intonation

> **Exemple :** Vous voudriez ↗ une nouvelle voiture ? ↗

1. Vous aimeriez un nouveau smartphone ?
2. Vous préféreriez un téléphone plus léger ?
3. Vous devriez prendre ce modèle.
4. Tu aimerais un nouvel ordinateur ?
5. Tu préférerais un appareil plus rapide ?
6. Tu devrais prendre ce modèle.

LECTURE

7 Observez, puis lisez à voix haute.

VoKia Vision 2* 4G – Caractéristiques	Jiphone 5 / 4G – Caractéristiques
• **Vitesse :** Nouveau processeur (1,9 GHz), téléchargements et surf sur Internet ultra rapide. Parfait pour lire les vidéos en Wifi.	• **Vitesse :** Nouvelle carte X7, téléchargements et surf sur Internet très rapide. Très bon en lecture vidéo en Wifi.
• **Poids :** 135 g	• **Poids :** 110 g
• **Taille :** Un peu gros, trop large pour la poche arrière d'un jean.	• **Taille :** Très mince, largeur parfaite pour la poche arrière d'un pantalon.
• **Écran :** Écran de grande taille et de grande qualité. Parfait pour la lecture vidéo. Écran en verre mais solide.	• **Écran :** Écran petit, mais grande qualité en lecture vidéo. Un peu fragile.
• **Photo :** Qualité exceptionnelle pour un smartphone. Convient à toutes les utilisations.	• **Photo :** De bonnes photos en journée. Excellentes la nuit, ou en faible lumière.
• **Batterie / Autonomie :** Grande autonomie, plus de 13 heures en appel, 8 h 30 en surf 4G et 8 h 30 en lecture vidéo.	• **Batterie / Autonomie :** Grande autonomie, plus de 13 heures en appel, 8 h 30 pour le surf 4G et 8 h 30 pour la lecture vidéo.

8 Lisez le document de l'activité 7 et dites pour chaque caractéristique quel appareil est mieux que l'autre.

> **Exemple :**
> A : – Si on compare le poids des deux appareils, quel smartphone est mieux que l'autre ?
> B : – Le Jiphone est mieux que le VoKia, parce qu'il est plus léger.

Caractéristiques	Le VoKia Vision 2* 4G	Le Jiphone 5 / 4G
Vitesse		
Poids		X
Taille		
Écran		
Photo		
Batterie		

9 Lisez le document de l'activité 7, puis interrogez-vous à tour de rôle.

> **Exemple :**
> A : – Je voudrais lire des vidéos. Quel modèle tu pourrais me conseiller ?
> B : – Pour la lecture vidéo, les deux modèles sont bien, mais l'écran du VoKia est plus grand.

1. On a besoin d'un appareil léger, on pourrait prendre quel modèle ?
2. Pour faire beaucoup de photos, il faudrait conseiller quel téléphone ?
3. Pour surfer plus vite sur Internet, quel téléphone on devrait choisir ?
4. Quel appareil on pourrait conseiller à quelqu'un qui téléphone beaucoup ?
5. Et vous, quel appareil vous préféreriez ?

PRATIQUE DE LA LANGUE

10 Interrogez-vous à tour de rôle comme dans l'exemple.

> **Exemple :**
> A : – J'ai besoin d'un ordinateur. Tu pourrais me donner un conseil ?
> B : – Eh bien moi, j'ai un Chic-Book Air : il est léger, silencieux et, en plus, pas trop cher. Je te recommande ce modèle.
> *ou* B : – Heu… désolé, je ne connais pas bien ces trucs-là...

ÉCHAUFFEMENT

11 Lisez le texte avec vos voisins, recopiez puis comparez.

Les nouveaux smartphones sont aujourd'hui plus rapides et plus légers. Avec ces appareils, on peut aussi prendre de très belles photos. Les tablettes sont maintenant plus fines et plus jolies. Notre conseil ? Vous devriez changer de téléphone ou acheter une tablette !

GRAMMAIRE

12 Interrogez-vous comme dans l'exemple puis écrivez vos phrases.

> **Exemple :** préférer (modèle léger) → pouvoir (prendre ce modèle)
> A : – Je préférerais un modèle léger.
> B : – Vous pourriez prendre ce modèle, non ?

1. aimer (grande maison) → pouvoir (vivre à la campagne)
2. vouloir (ordinateur rapide) → devoir (prendre ce modèle)
3. vouloir (conduire à gauche) → pouvoir (aller au Royaume-Uni)
4. aimer (voir de beaux musées) → devoir (aller à Paris)
5. vouloir (partir en week-end) → pouvoir (aller en Bretagne)

RÈGLE 19

Le conditionnel pour exprimer un conseil ou une suggestion

I WOULD LIKE

- **Conjugaison** : je voud**rais**, tu voud**rais**, il / elle / on voud**rait**, nous voud**rions**, vous voud**riez**, ils voud**raient**

vouloir : je voud**rais** – pouvoir : je pour**rais** – devoir : je dev**rais** – falloir (il faut) : il faud**rait**

- Pour donner un **conseil** ou faire une **suggestion**, on utilise le conditionnel.
  - *Vous **pourriez** prendre cette tablette.* (pouvoir)
  - *Vous **devriez** acheter ce modèle. Il est plus pratique.* (devoir)
- **Rappel :** on utilise aussi le conditionnel pour exprimer un **souhait** ou pour être poli.
  - *J'**aimerais** acheter une tablette numérique.* (souhait)
  - *Vous **préféreriez** quel modèle ?* (politesse)

SOUHAITAIS

TO WISH

13 Interrogez-vous comme dans l'exemple puis écrivez vos réponses.

> **Exemple :** Bon pour l'environnement → train / avion ?
> A : – Qu'est-ce qui est bon pour l'environnement, le train ou l'avion ?
> B : – Je pense que le train est meilleur pour l'environnement.

1. Bon pour la santé → légumes / frites ?
2. Bon pour beaucoup de gens → champagne / vin blanc ?
3. Bien pour prendre des photos → smartphone / tablette ?
4. Bien pour partir en vacances → train / voiture ?
5. Bien pour vous → jogging / marche ?

RÈGLE 20

Les comparatifs irréguliers « mieux » et « meilleur »

- « **Mieux** » est le comparatif de « **bien** ».
  - *Le Vokia est **bien**, mais le Jiphone est **mieux*** (= ~~plus bien~~) *parce qu'il est plus léger.*
- « **Meilleur(e)** » est le comparatif de « **bon(ne)** ».
  - *Prendre le vélo, c'est **meilleur*** (= ~~plus bon~~) *pour la santé.*

« **Meilleur** » est un adjectif. → Il s'accorde avec son sujet (« meilleur », « meilleure », « meilleurs », « meilleures »).

- *Cette voiture est écologique : **elle** est **meilleure** pour l'environnement.*

DICTÉE

14 Écoutez et écrivez, puis comparez avec vos voisins.

ÉCRITURE

15 (1) Discutez des « choses pratiques » dans la vie quotidienne. (2) Écrivez votre liste des 4 choses les plus pratiques. (3) Présentez votre liste à la classe.

Choses pratiques dans la vie de tous les jours	Raisons
En 1er : le smartphone	*Parce que c'est pratique pour regarder ses courriels.*
En 2e :	....

ÉCHAUFFEMENT

16 Écoutez et répétez en imitant l'intonation.

L'exclamation

1. – Ce modèle rouge me plaît beaucoup.
   – Je vous comprends ! Cette voiture est faite pour vous !
2. – Aujourd'hui, c'est important, l'écologie. Pour votre amie aussi !
3. – La nature, les oiseaux, c'est plus important que votre volant en cuir !
4. – La Panthera a un moteur plus puissant.
   – Bonjour le bruit !
5. – C'est une bonne idée !

COMPRÉHENSION

17 Regardez la vidéo et répondez.

4

Chez le concessionnaire
Partie 1 – Pourquoi vous ne prenez pas ce modèle ?

1. Complétez le document, puis interrogez votre voisin pour vérifier vos réponses.

Modèle	Panthera	Natura
Couleur	....	....
Économique	❒ oui ❒ non	❒ oui ❒ non
Caractéristiques	....	....

Exemple :
A : – De quelle couleur est la Panthera ?
B : – Elle...

2. Répondez et justifiez.

1. Le client préfère quel modèle ? Pourquoi ?
2. Pourquoi est-ce que le vendeur dit au client que ce modèle est parfait pour lui ?
3. Quelle scène est-ce que le vendeur imagine pour lui vendre la voiture ?
4. Quel modèle est-ce que le deuxième vendeur recommande ? Pourquoi ?
5. Qu'est-ce que le deuxième vendeur pense de la Panthera ?

18 Regardez. Qu'est-ce qu'ils disent ?

4

Exemple : Le vendeur demande au client s'il a choisi.
→ Il dit : « Alors monsieur, je crois que nous avons choisi ? »

1. Le client n'est pas sûr : la Panthera est-elle vraiment faite pour lui ?
2. Le vendeur ne veut pas que sa collègue donne son avis.
3. La collègue dit que la Panthera est bruyante.
4. Le client ne sait pas comment dire qu'en fait il n'a pas d'amie.

À VOUS DE JOUER

19 Imitez, puis utilisez entre vous.

4a-c

Exprimer la préférence

1. A : – Alors monsieur, je crois que nous avons choisi ?
   B : – Heu oui… C'est pas facile ! Mais ce modèle de couleur rouge me plaît beaucoup. Il a l'air plus rapide.
2. A : – Vous avez vu le modèle près de la vitrine ?
   B : – Heu, le modèle de couleur verte ?
   A : – Tout à fait, monsieur. Il est meilleur pour l'environnement, et plus économique.
3. A : – Oui, mais l'amie de monsieur, elle aime peut-être la vitesse ? La Panthera a un moteur plus puissant.
   B : – Bonjour le bruit !

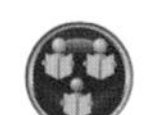

20 En situation.

Vous voulez faire un voyage de 5 jours en France. Vous voulez louer une voiture. Mettez-vous d'accord sur un modèle et expliquez pourquoi.

Voiture minute **Conditions de vente** Kilométrage : 250 km par jour de location Âge minimum : 18 ans	**RENAULT CLIO**	**CITROËN C4 PICASSO**	**PEUGEOT RCZ**
Caractéristiques techniques	5 personnes Boite manuelle 2 bagages Air conditionné 5 portes Puissance : 55 kW Vitesse maxi : 170 km/h	5 personnes Boite automatique 3 bagages Air conditionné 5 portes Puissance : 81 kW Vitesse maxi : 190 km/h	4 personnes Boite manuelle 2 bagages Air conditionné 2 portes Puissance : 147 kW Vitesse maxi : 237 km/h
Émissions de CO_2	C 135 g/km	B 120 g/km	D 155 g/km
Prix	**86,00 €/jour**	**136,01 €/jour**	**199,95 €/jour**

ÉCHANGES

Aidez-vous des pages annexes : conjugaison et lexique.

1 Faites comme dans l'exemple.

Exemple : J'ai besoin d'un costume de luxe pour une soirée de gala, mais ça coûte trop cher. (vous)
→ Vous pourriez louer un costume dans un magasin. C'est moins cher.

1. J'ai besoin d'aller à la gare, mais c'est un peu loin et je n'ai pas envie de marcher. (tu)
→ ....
2. Elle a besoin d'appeler son ami à l'étranger, mais ce n'est pas pratique avec son petit téléphone. (elle)
→ ....
3. Nous avons besoin d'Internet, mais nous ne voulons pas acheter d'ordinateur. (vous)
→ ....
4. J'ai besoin d'arriver au bureau plus vite. J'habite à 2 km, mais le matin, il y a trop de voitures sur la route. (tu)
→ ....

2 Faites comme dans l'exemple.

Exemple : L'éléphant / le lion (lourd, rapide)
→ L'éléphant est plus lourd que le lion, mais il est moins rapide.

1. L'ordinateur portable / la tablette numérique (lourd, options)
→ ....
2. Le téléphone intelligent / le téléphone portable (options, léger)
→ ....
3. Le vélo / la voiture (bon pour la santé, rapide)
→ ....
4. L'ordinateur portable / l'ordinateur de bureau (pratique, puissant)
→ ....

3 Écoutez leurs explications et faites comme dans l'exemple.

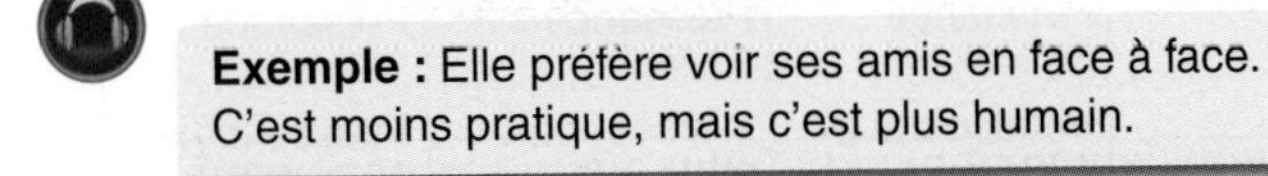
Exemple : Elle préfère voir ses amis en face à face.
C'est moins pratique, mais c'est plus humain.

1. → ....
2. → ....
3. → ....
4. → ....

LECTURE

4 Lisez et répondez.

ÉLECTRO MALIN | Rechercher | OK

Cafetières en promotion : notre comparaison !

Ce mois-ci, nous avons deux cafetières à vous proposer avec, en ce moment, une réduction de 10 % pour l'Espresso Mix II et de 15 % pour Lattissime 15 !

» **Espresso Mix II :** plus chère que l'autre modèle, elle est aussi plus pratique quand on est deux à aimer le café : on peut préparer deux tasses en même temps !

» **Lattissime 15 :** bon rapport qualité-prix. Elle est moins puissante que l'autre modèle, mais elle fait aussi le café au lait !

	ESPRESSO MIX II	LATTISSIME 15
Puissance	19 bars	15 bars
Nombre de tasses simultanées	1 à 2 tasses	1 tasse
Capacité	1,8 L	1,3 L
Hauteur – largeur – profondeur	25 x 30 x 24 cm	31 x 30 x 30 cm
Style de café	Dosette, Capsule.	Capsule.
Confort	Silencieuse, auto-nettoyage	Programmation
Multi-boisson	Non	Oui (lait chaud)
Prix	**249 €** **– 10 % ce mois !**	**189 €** **– 15 % ce mois !**

Pratique...	ESPRESSO MIX II	LATTISSIME 15	Justification
... quand on ne veut pas dépenser trop		X	*Elle coûte moins cher (170 € environ avec la réduction).*
... quand on aime le café au lait			....
... quand on aime boire le café le matin très tôt			....
... quand on veut utiliser tous les styles de café			....
... quand on veut faire un café rapidement			....

LEÇON 10

ÉCRITURE

5 Écoutez et écrivez.

....

....

....

....

....

....

....

6 Sur le modèle de l'exercice 4, décrivez pourquoi votre réfrigérateur / voiture / téléphone / ordinateur est mieux que les autres.

....
....
....
» ....
....
» ....
....

	....
....	....
....	....
....	....
....	....
....	....
....	....
....	....
....	....

DISCUSSION

7 Écoutez les phrases et complétez les mots pour écrire le son [wa] ou [wɛ̃].

1. Le golf n'est pas trop **loin**.
2. C'est m...... dangereux qu'à la campagne.
3. Le premier arrivé gagne 100 p...... !
4. Et vous, vous ch......siriez quel modèle ?
5. Ils veulent perdre du p...... .
6. La nature, les ......seaux, ça compte pour m...... .

8 Écoutez et répondez aux questions.

1. Comment on appelle un smartphone en français ?
→ ....

2. Pour qui est-ce que la dame veut acheter un téléphone ?
→ ....

3. Complétez le tableau.

	Samson Galaxie 2	Whiteberry 5	G-phone 3
Plus léger	✔		
Accès à Outlook			
Moins cher			
Appels illimités avec contrat			
Réception d'e-mails professionnels			
Accès simple à Google Maps			
Plus moderne			
Connexion à Facebook			
Écran plus grand			
Consultation de ses rendez-vous			

4. Pourquoi est-ce que le fils a besoin d'un téléphone ?
→ ....

5. Qu'est-ce que la dame devrait acheter ?
→ ....

Comment dit-on dans votre langue ?

« Vous m'avez fait peur... » : YOU FRIGHTEN ME

« Eh bien, voilà ! » : THERE YOU HAVE IT

ÉCHAUFFEMENT

1 Écoutez et répétez.

Qu'est-ce que vous lisez…

ÉCHANGES

2 Écoutez et imitez.

Qu'est-ce que tu écoutes comme musique, toi ?

Oh, un peu de tout. J'aime bien les groupes comme Daft Punk.

Et tu télécharges leurs albums sur ton ordinateur ?

Oui, j'achète des morceaux sur Internet.

3 Interrogez-vous en utilisant le vocabulaire que vous connaissez et le vocabulaire ci-dessous.

Variez votre interrogation avec : lire… des magazines – regarder… des émissions de télévision – regarder… des films – lire… le journal

Activités culturelles

lire :

une bande dessinée — le journal

un magazine…

… d'information … de mode … littéraire … d'informatique

regarder une émission de télévision :

le journal télévisé — un documentaire — une série télévisée

louer une vidéo — télécharger de la musique

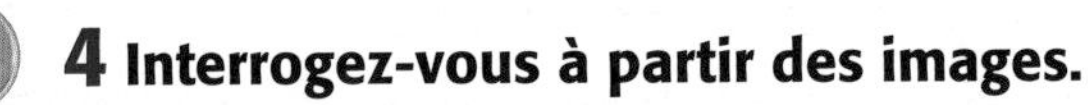

Et aussi :

- un type de musique : la pop, le rock, la musique classique...
- écouter la radio
- écouter les informations à la radio
- être abonné à un journal = recevoir le journal à la maison
- recevoir un magazine une fois par semaine
- lire des articles en ligne

4 Interrogez-vous à partir des images.

Exemple :
A : – Qu'est-ce qu'il écoute comme musique ?
B : – Il aime bien les groupes comme Daft Punk.
Il achète leurs morceaux sur Internet.

À VOUS DE JOUER

5 Imaginez un dialogue et jouez-le.

ÉCHAUFFEMENT

6 (1) Écoutez l'enregistrement et indiquez l'intonation comme dans l'exemple. (2) Vérifiez avec votre voisin. (3) Lisez les phrases à voix haute.

L'intonation

Exemple :
Vous allez / à la bibliothèque ↗ ou vous travaillez / chez vous ? ↘

1. Vous lisez des romans ou des bandes dessinées ?
2. Vous achetez des CD ou vous téléchargez de la musique ?
3. Vous regardez le journal télévisé ou vous lisez le journal ?
4. Vous préférez les magazines de cuisine ou les magazines d'économie ?
5. Vous préférez les livres, les journaux ou les magazines ?

LECTURE

7 Observez, puis lisez à voix haute.

www.lekiosque.fr

Le-kiosque.fr

Lisez ce que voulez, où vous voulez, quand vous voulez !

Quoi ?
Une bibliothèque de plus de 1 200 titres de magazines (mode, sport, informatique, auto, people, etc.), 400 journaux (presse nationale et internationale), 800 bandes dessinées.

Comment ?
Vous choisissez votre abonnement et vos titres se téléchargent sur votre ordinateur, votre tablette ou votre smartphone.

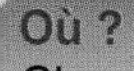

Où ?
Chez vous, au travail, dehors : vos abonnements sont toujours synchronisés et vous pouvez lire vos contenus sur tous vos appareils.

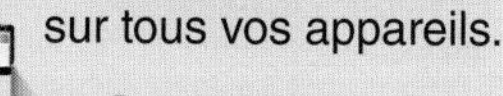

Quand ?
Réception automatique de 2 magazines par mois, 1 journal chaque semaine et 1 bande dessinée différente tous les 14 jours. Et vous arrêtez votre abonnement d'un seul clic quand vous voulez !

La liberté : Pour 9,99 €, choisissez les titres que vous préférez, votre formule de téléchargement et… vous pouvez changer vos abonnements tous les mois.

Offre Premium : Pour 16,99 €, accès illimité à tous nos titres !!!

Essai gratuit : cliquez ici !
Code promotion : tapez votre code OK

8 Lisez le document de l'activité 7, puis répondez à tour de rôle.

Exemple :
A : – Avec la formule à 9,99 € par mois, on peut télécharger combien de magazines par mois ?
B : – Pour 9,99 €, on peut télécharger 2 magazines chaque mois.

Téléchargeables	Magazines	Journaux	Bandes dessinées (BD)
Pour 9,99 € / mois	*2*	…………	…………
Pour 16,99 € / mois	…………	…………	…………

9 Lisez le document de l'activité 7, puis interrogez-vous à tour de rôle.

Exemple :
A : – Qu'est-ce que c'est Le-kiosque.fr ?
B : – C'est une bibliothèque virtuelle pour télécharger des livres, des magazines et des articles de journaux.

1. Comment on fait pour lire les journaux et les magazines achetés sur Le-kiosque.fr ?
2. Est-ce qu'on peut lire plusieurs genres de magazines ? Et on trouve quels types de journaux ?
3. Avec la formule à 9,99 €, est-ce qu'on peut télécharger beaucoup de BD différentes ?
4. Est-ce qu'on peut essayer ce service sans abonnement ?
5. Quelle formule est plus intéressante pour vous ? Pourquoi ?

PRATIQUE DE LA LANGUE

10 Interrogez-vous à tour de rôle comme dans l'exemple.

Exemple :
A : – Est-ce que vous avez déjà acheté des VOD sur Internet ?
B : – Oui, je télécharge de temps en temps des VOD.
ou B : – Non, je n'achète jamais de VOD, je loue des DVD.

1. Télécharger / musique / sur un site en ligne ?
2. Acheter / livres / sur Internet ?
3. Lire / roman / sur une tablette ?
4. Regarder / concert / à la télévision ?
5. Voir / films français / au cinéma ?

ÉCHAUFFEMENT

11 Lisez le texte avec vos voisins, recopiez puis comparez.

En France, les gens regardent
la télévision trois heures par jour en moyenne.
Quels genres de programmes ils préfèrent ?
En premier, les documentaires (45 %)
et les films (42 %), puis les séries (28 %)
et les magazines d'information (25 %),
et enfin le sport (22 %) puis les jeux (9 %).

GRAMMAIRE

12 Interrogez-vous comme dans l'exemple puis écrivez vos questions.

Exemple : journaux / lire ? (il aime le sport)
A : – Quel genre de journaux est-ce qu'il lit ?
B : – Il lit des journaux de sport.

1. Musique / écouter (elle aime Chopin)
2. Plats / apprécier (il aime la cuisine italienne)
3. Magazine / lire (vous aimez la mode → nous)
4. Films / regarder (ils aiment *Star Wars*)
5. Émissions /détester (elles n'aiment pas les débats politiques)

! RÈGLE 21
Caractériser

- Pour avoir des précisions, on pose la question : « **Quel genre de…** ? ».
  - ***Quel genre de*** *magazine est-ce que vous lisez ?*
  - ***Quel genre d'****émission télévisée est-ce qu'ils regardent ?*
- Pour donner une précision, on peut utiliser :
  - **un adjectif** : *un magazine* ***littéraire****, le journal* ***télévisé***
  - **« de » + nom** : *des magazines* ***de sport****, un film* ***de science-fiction***
  - **« pour » + article + nom** : *une émission* ***pour les enfants***
  - **« sur » + article + nom** : *des documentaires* ***sur les animaux***

13 Interrogez-vous comme dans l'exemple à tour de rôle puis écrivez vos réponses.

Exemple : (il) recevoir des magazines littéraires ? → 1 fois / mois
A : – Il reçoit souvent des magazines littéraires ?
B : – Assez souvent : il reçoit des magazines littéraires tous les mois.

1. (ils) aller au cinéma ? → 2 fois / mois
2. (tu / vous) regarder le journal TV ? → 4-5 fois / semaine
3. (elle) regarder la météo ? → 1 fois / jour
4. (vous) louer des DVD ? → 3-4 fois / an
5. (il) télécharger des films ? → environ 2 fois / semaine

! RÈGLE 22
Exprimer la fréquence (1)

- On peut préciser la **fréquence d'une action** avec les expressions suivantes :
  - « **Tous / toutes les…** »
    - *Elle regarde la météo* ***tous les jours****.* (= lundi, mardi, mercredi, jeudi…)
    - *Il me téléphone* ***toutes les deux heures****…* (= à 10 h, à 12 h, à 14 h…)
  - « **Une / Deux... fois par...** »
    - *Ils vont au cinéma* ***une fois par*** *mois.* (= 12 fois par an)
    - *Elle regarde les informations* ***deux fois par*** *jour.* (= le matin et le soir)
    - *Je loue un DVD* ***une fois par semaine****.* (le dimanche en général)

⚠ Ces expressions se placent **après le verbe et son complément**.
- *Je regarde la télévision* ***une fois par jour****.*
(mais : *Je regarde* ***souvent*** *la télévision*.)

DICTÉE

14 Écoutez et écrivez, puis comparez avec vos voisins.

ÉCRITURE

15 (1) Interrogez vos voisins sur leurs habitudes culturelles. (2) Remplissez le tableau. (3) Rédigez ensemble un texte sur vos habitudes culturelles.

Qui ?	Quoi ?	Fréquence
• *Éliane*	*lit des magazines de mode*	*tous les mois.*
• *Abdou*	*loue des films de science-fiction*	*tous les week-ends.*
• ……	………………………………	………………………

ÉCHAUFFEMENT

16 Écoutez et répétez en imitant l'intonation.

L'évitement

1. – Alors, tu ne réponds pas au téléphone ?
   – Ben, attends, tout le monde m'appelle sur mon portable...
2. – Tu devrais peut-être vérifier le prix des abonnements.
   – OK, pourquoi pas… Mais tu sais, moi, les appareils...
3. – Et qu'est-ce que tu as comme musique ?
   – Oh, un peu de tout.
4. – Daft Punk. C'est pas vrai, tu connais pas ?
   – Euh si, évidemment, mais je n'entends pas bien…

COMPRÉHENSION

17 Écoutez et répondez.

Tu sais, moi, les appareils…

1. Complétez le document, puis interrogez votre voisin pour vérifier vos réponses*.

* Parfois, on ne connaît pas la réponse.

	Laurent	Richard
·pe de ·léphonie favori	❒ fixe ❒ portable ❒ Skype	❒ fixe ❒ portable ❒ Skype
·pport musical ·éféré	❒ CD ❒ radio ❒ en ligne ❒ tablette numérique	❒ CD ❒ radio ❒ en ligne ❒ tablette numérique
·nre de ·usique préféré	❒ rock ❒ pop ❒ classique ❒ jazz ❒ rap ❒ reggae ❒ techno ❒ R'n'B ❒ électro	❒ rock ❒ pop ❒ classique ❒ jazz ❒ rap ❒ reggae ❒ techno ❒ R'n'B ❒ électro
·pport lecture préféré	❒ en ligne ❒ papier (magazines, journaux…)	❒ en ligne ❒ papier (magazines, journaux…)
pport préféré ·ur le visionnage films	❒ en ligne ❒ au cinéma ❒ en DVD	❒ en ligne ❒ au cinéma ❒ en DVD

Exemple :
A : – Qu'est-ce que Laurent préfère utiliser pour communiquer ?
B : – Il...

2. Répondez et justifiez.

1. Qui répond au téléphone ? Pourquoi est-ce que ce n'est pas Laurent ?
2. Pourquoi est-ce que Richard n'appelle pas sur son portable ?
3. Pourquoi est-ce que Richard téléphone ?
4. Où est-ce que Laurent achète ses morceaux de musique ?
5. Pourquoi est-ce que Richard dit qu'il n'entend pas bien ?
6. Quelles sont les différences entre Laurent et Richard ?

18 Écoutez. Qu'est-ce qu'ils disent ?

Exemple : Emma demande à Richard qui il est.
→ Elle dit : « Vous êtes Monsieur… ? »

1. Emma dit à son père qu'on le demande au téléphone.
2. Laurent est surpris parce que Richard n'a pas d'abonnement avec appels illimités.
3. Laurent est surpris parce que Richard n'a pas de portable.
4. Richard est rassuré parce que Laurent est un spécialiste de la technique.

À VOUS DE JOUER

19 Imitez, puis utilisez entre vous.

Répondre à une demande ou à une suggestion

a-c

1. A : – Ah oui, et tu pourrais apporter des CD de musique ?
   B : – Des CD ? Je suis désolé, mais on n'a pas de CD à la maison.
2. A : – Si tu veux, je peux apporter ma tablette numérique avec tous mes morceaux de musique.
   B : – Oui, bien sûr, pas de problème ! Mais on va brancher ça comment ?
   A : – T'inquiète pas. Je suis un spécialiste.
   B : – Ouf ! Tant mieux !
3. A : – Tu pourrais avoir un portable comme tout le monde !
   B : – Tu sais, Laurent, moi, je n'aime pas trop tous ces appareils. Et je préfère voir les gens face à face, lire des vrais journaux, sortir au cinéma. Avec tes machins, là, on ne sort jamais, on ne voit personne !

20 En situation.

(1) Lisez le sondage et cochez (☒) votre réponse.
(2) Comparez vos réponses avec votre voisin et (3) faites des suggestions ou demandez-lui pourquoi il a choisi cette réponse.

Sondage sur l'utilisation des médias

Je regarde des films
❒ au cinéma. ❒ sur DVD. ❒ en ligne. ❒ N/A*

Je lis des articles
❒ dans les journaux. ❒ sur Internet. ❒ N/A

Je suis abonné à un magazine
❒ papier. ❒ électronique. ❒ N/A

J'écoute ❒ des CD de musique. ❒ de la musique à la radio.
❒ de la musique en ligne. ❒ N/A

J'ai ❒ un smartphone avec appels illimités.
❒ un portable avec appels payants. ❒ N/A

* non applicable

ÉCHANGES

Aidez-vous des pages annexes : conjugaison et lexique.

1 Faites comme dans l'exemple.

Exemple : J'aime bien les groupes comme Daft Punk.
→ Qu'est-ce que tu écoutes comme musique ?

1. Je regarde des documentaires sur les animaux. (tu)
→ ....
2. Elle lit des magazines de mode.
→ ....
3. Il loue des films d'action.
→ ....
4. Nous lisons le journal régional. (vous)
→ ....
5. Ils écoutent des émissions sur la société.
→ ....

2 Répondez aux questions.

1. Et vous, qu'est-ce que vous regardez comme films ?
→ ....
2. Qu'est-ce que vous écoutez comme musique ?
→ ....
3. Qu'est-ce que vous lisez comme magazines ?
→ ....
4. Qu'est-ce que vous regardez comme émissions à la télévision ?
→ ....

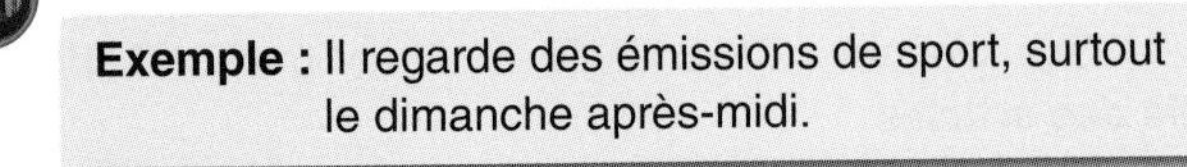

3 Écoutez leurs explications et faites comme dans l'exemple.

Exemple : Il regarde des émissions de sport, surtout le dimanche après-midi.

1. → ....
2. → ....
3. → ....
4. → ....

LECTURE

4 Lisez et complétez.

www.lemeilleurdelamusiqueenligne.fr

MUSIQUE EN LIGNE : NOTRE GUIDE

Et si votre ordinateur était un vrai « jukebox », avec plusieurs millions de titres disponibles ? Sur Internet, vous pouvez écouter vos titres préférés, gratuitement. Artiste francophone, électro, musique classique ou jazz… Tout y est ou presque ! Vous pouvez utiliser votre ordinateur comme une chaîne hi-fi et, en plus, rechercher des titres, créer vos propres listes, écouter les choix de vos amis… Aujourd'hui, il y a de nombreuses offres gratuites… Voici notre sélection.

> Le leader Deezer
Le site Deezer est le premier des sites d'écoute de musique en ligne avec plus de 30 millions de titres de musique. Et en plus, il est français !

Et c'est gratuit ? Oui, pendant les six premiers mois sur votre ordinateur, mais avec de la publicité entre les morceaux. Après ces 6 mois, il est seulement possible d'écouter 10 heures de musique par mois. Et pour ne pas avoir de publicité, il faut payer 4,99 € par mois (les 15 premiers jours sont offerts) ou 9,99 € pour utiliser le service également sur sa tablette et son mobile.

> Le célèbre Spotify
Depuis 2014, le suédois Spotify propose une offre 100 % gratuite pour tout le monde. Vous pouvez écouter aussi longtemps que vous voulez votre musique, car il n'y a plus de limite de durée !

Et c'est gratuit ? Oui, sur tous les supports (mobile, tablette et ordinateur) et sans limite de temps. Pour 9,90 € par mois, vous pouvez également écouter votre musique hors connexion après avoir téléchargé tous les titres souhaités, et il n'y a pas de publicité.

> L'étonnant Musicovery
Sur ce site original, l'internaute a le choix parmi différentes périodes (des années 1950 à nos jours), 18 styles de musique et aussi quatre ambiances (énergique, positif, calme et sombre) ! Le choix fait, Musicovery vous propose un ensemble de musiques.

Et c'est gratuit ? Oui, mais pour 3 euros par mois le site offre des fonctionnalités supplémentaires et une qualité d'écoute supérieure.

Et vous, quelle plate-forme préférez-vous ? Ou bien aimez-vous mieux écouter de bons vieux CD ?

	Deezer	Spotify	Musicover[y]
Qu'est-ce qu'on peut faire gratuitement ?	*Écouter de la musique sur ordinateur.*	SUR TOUS LES SUPPORTS	....
Pendant combien de temps ?	LES SIX PREMIERS MOIS	SANS LIMITE DE TEMPS	....
Et en payant ?	4,99 € PAR MOIS	9,90 € PAR MOIS	3 EUROS PAR MOIS
Combien ça coûte ?	ECOUTER NE PAS PUBLICITÉ	TELECHARGE TITRES SOUHAITES	QUALITÉ D'ECOUTE SUPERIE[URE]
Autres informations	*Numéro 1 mondial français 30 millions de titres*	GRATUITE POUR TOUT LE MONDE	CHOIX PA[R] DIFFEREN[TES] PERIODS

18 STYLES DE MUSIG[UE]

ÉCRITURE

5 Écoutez et écrivez.

....

....

....

....

....

....

....

6 Relisez l'exercice 4 et répondez au dernier paragraphe.

Et vous, quelle plate-forme préférez-vous ? Ou bien aimez-vous mieux écouter de bons vieux CD ?

....

....

....

....

....

....

....

DISCUSSION

7 Écoutez et notez combien de fois vous entendez les sons [ɑ̃] et [ɛ̃].

	[ɑ̃]	[ɛ̃]
1.	1	0
2.	......	......
3.	......	......
4.	......	......
5.	......	......
6.	......	......

8 Écoutez et répondez aux questions.

1. Cochez les cases.

Profil client
N° de client : 079890001435
Prénom : Juliette
Nom : MacPherson

Situation familiale : ❑ célibataire ❑ en couple ❑ en couple, avec des enfants

Sports préférés : ❑ tennis ❑ football ❑ golf ❑ course automobile ❑ cyclisme ❑ basket

Chaînes préférées :

Nouvelles internationales	❑ TV5MONDE ❑ Fox News	❑ BBC World News ❑ Euronews TV
Sports	❑ Eurosport ❑ ESPN2 ❑ Barça TV	❑ ESPN1 ❑ Sky Sports ❑ Sport+
Documentaires	❑ Planète+ ❑ Discovery Channel ❑ Histoire	❑ Voyage ❑ Ushuaïa ❑ National Geographic
Divertissement	❑ Scyfy ❑ RTL9 ❑ Comédie+	❑ Paris Première ❑ 13ème rue ❑ Série Club
Jeunesse	❑ Disney Channel ❑ Mangas ❑ Cartoon Network	❑ Nickelodeon ❑ Discovery Kids
Packs choisis	❑ Cinéma ❑ Musique ❑ International ❑ Divertissement ❑ Comédie	❑ Découverte ❑ Jeunesse ❑ Sport ❑ Information

Location de la boîte numérique : ❑ oui ❑ non
Prix de l'abonnement : .... € / mois

2. Qu'est-ce que la cliente veut regarder comme chaînes ?
→ ....

3. Qu'est-ce que son mari préfère regarder ?
→ ....

4. Quand est-ce que la cliente va commencer à payer ? Pourquoi ?
→ ....

Comment dit-on dans votre langue ?

« Je peux vous aider ? » :
....

« Quelle formule vous intéresse ? » :
....

ÉCHAUFFEMENT

1 Écoutez et répétez.

Est-ce que vous utilisez…

ÉCHANGES

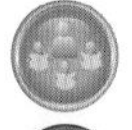

2 Écoutez et imitez.

Est-ce que vous utilisez souvent votre ordinateur ?
Euh… oui, je l'utilise tout le temps. Je regarde des sites sur les films, j'envoie des mails et je télécharge de la musique sur un site payant. Et vous ?
Moi, pas très souvent. En fait, ça ne m'intéresse pas beaucoup.

3 Interrogez-vous en utilisant le vocabulaire que vous connaissez et le vocabulaire ci-dessous.

Variez votre interrogation avec :

ton / votre téléphone portable – ~~ton~~ TA / votre tablette numérique

▶ **Sur Internet**

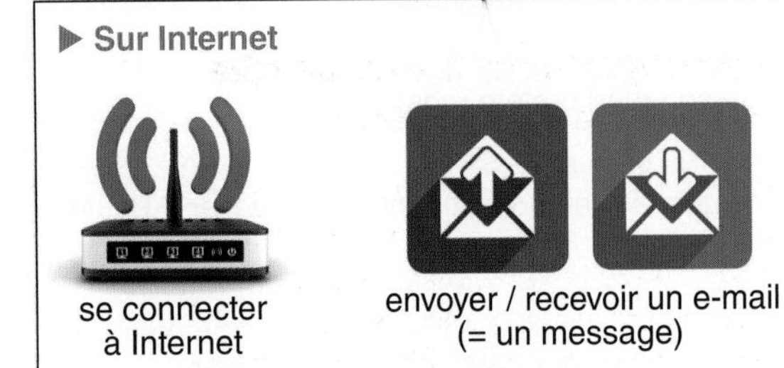

- se connecter à Internet
- envoyer / recevoir un e-mail (= un message)

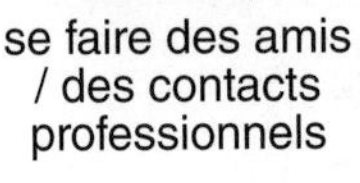

- se faire des amis / des contacts professionnels
- partager des vidéos / des photos (TO SHARE)
- jouer en ligne

Et aussi :

- un site Internet (www.cle-inter.com)
- retrouver des amis
- être membre d'un réseau (network)
- avoir un compte Facebook (account)
- publier des informations
- s'inscrire / être inscrit à un site de téléchargement de musique
- acheter ≠ vendre en ligne

s'abonner TO SUBSCRIBE

4 Interrogez-vous à partir des images.

Exemple :
A : – Est-ce qu'elle utilise souvent son ordinateur ?
B : – Oui, elle l'utilise souvent, surtout pour se connecter à Internet. Elle envoie des e-mails et elle regarde des sites sur les films.

À VOUS DE JOUER

5 Imaginez un dialogue et jouez-le.

ÉCHAUFFEMENT

6 (1) Comptez les syllabes et notez les liaisons comme dans l'exemple. (2) Écoutez l'enregistrement et indiquez l'intonation, puis, vérifiez avec votre voisin. (3) Lisez les phrases à voix haute.

Le rythme et l'intonation

> **Exemple :**
> Son ordinateur, / elle l'utilise / tout le temps. → 5 / 4 / 3

1. Les prix, / ils les comparent / avant d'acheter. → 2 / 4 / 4
2. La télévision, / ils ne la regardent / jamais. → 5 / 5 / 2
3. Les informations, / je les regarde / tous les jours. → 5 / 4 / 3
4. Mes parents, / ils m'appellent / une fois par semaine. → 2 / 3 / 5
5. Nos amis, / ils nous invitent / de temps en temps. → 2 / 4 / 4

LECTURE

7 Observez, puis lisez à voix haute.

IFES 2014	Institut Français d'Enquêtes et de Sondages	**La fréquence des achats sur Internet** 1 010 personnes interrogées 63 % possèdent une tablette ou un smartphone

Question : Est-ce que vous faites souvent des achats sur Internet ?

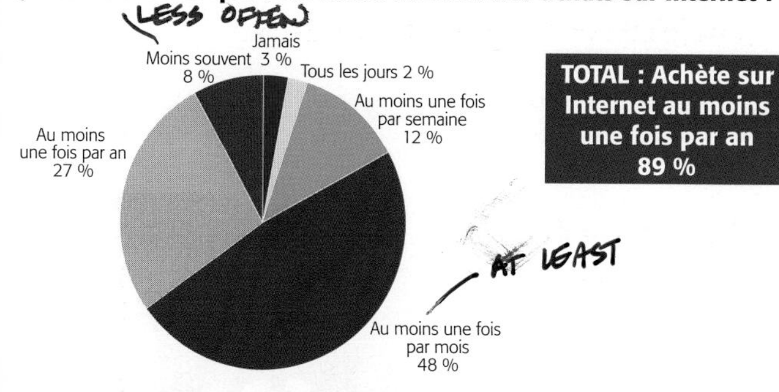

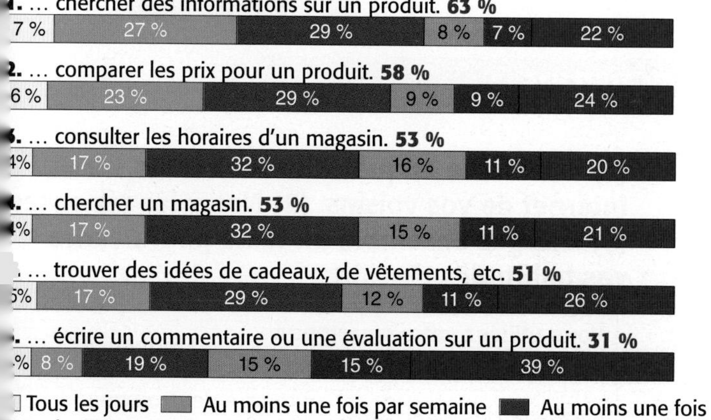

8 Lisez le document de l'activité 7 et répondez à deux.

> **Exemple :**
> A : – Ces documents présentent des informations sur quoi ?
> B : – Ils présentent des informations sur les achats des Français sur Internet.

1. Qui a fait cette enquête ?
2. Elle date de quelle année ?
3. Pour faire cette enquête, on a interrogé combien de personnes ?
4. Le camembert donne des informations sur quoi ?
5. Est-ce que les Français achètent souvent sur Internet ?

9 Lisez le document de l'activité 7, puis interrogez-vous à tour de rôle.

> **Exemple :**
> A : – Est-ce que les Français utilisent souvent leur tablette ou leur smartphone pour connaître les horaires d'ouverture des magasins ?
> B : – Oui, 53 % des Français l'utilisent pour connaître les horaires des magasins.

1. Est-ce que les Français utilisent souvent leur tablette ou leur smartphone pour chercher des informations sur un produit ?
2. Combien de pour cent des Français ne l'utilisent jamais pour chercher un magasin ?
3. Et les prix, est-ce qu'ils les comparent souvent sur leur tablette ou leur smartphone avant d'acheter ?
4. Est-ce qu'ils sont beaucoup à chercher des idées de cadeaux sur Internet ?
5. Et écrire des commentaires sur les achats, est-ce qu'ils le font souvent ? PEU NOMBREUX (NOT TOO MANY)

PRATIQUE DE LA LANGUE

10 Interrogez-vous à tour de rôle comme dans l'exemple.

> **Exemple :**
> A : – Une console de jeux, vous trouvez ça utile, vous ?
> B : – Oui, c'est utile pour jouer, mais aussi pour regarder des DVD, pour se connecter à Internet, etc.
> *ou* B : – Non, je ne trouve pas ça utile, on peut jouer avec un ordinateur.

- une console de jeux vidéo
- une tablette numérique
- un dictionnaire électronique
- un compte Facebook
- un smartphone

ÉCHAUFFEMENT

11 Lisez le texte avec vos voisins, recopiez puis comparez.

Les smartphones et les tablettes ont de nombreuses utilisations. Comment est-ce que les Français les utilisent ? En fait, ils les utilisent tous les jours pour lire leurs courriels, envoyer des messages, lire les journaux. Parfois, ils vont sur Skype pour téléphoner à un ami à l'étranger.

GRAMMAIRE

12 Interrogez-vous comme dans l'exemple. Notez ensuite les réponses.

Exemple : A : – Est-ce que les Français utilisent souvent leur smartphone pour chercher des informations ?
→ souvent
B : – Oui, ils l'utilisent souvent.

1. Est-ce que les jeunes salariés regardent souvent les informations sur Internet ? → souvent
2. Est-ce qu'ils utilisent beaucoup les réseaux sociaux ? → tous les jours
3. Est-ce qu'ils connaissent tous leurs voisins ? → non
4. Leurs amis les invitent chez eux ? → de temps en temps
5. Les parents appellent leurs enfants au téléphone ? → une fois par semaine

RÈGLE 23
Le pronom complément d'objet direct (COD)

- Le pronom COD remplace **un nom** ou **une personne** et se place devant le verbe.
  - *Tu lis souvent **le journal** sur le site Le Monde.fr ?*
    *→ Oui, je **le** lis tous les matins.* (le = le journal)
  - *Est-ce que Stéphanie voit souvent **ses amis** ?*
    *→ Oui, elle **les** voit tous les week-ends.* (les = ses amis)

*Mes amis **m'**appellent sur Skype.* (= moi)
*Je **t'**appelle sur ton JiPhone.* (= toi)
*Ils **le** lisent en ligne.* (= le journal)
*Je **la** regarde souvent.* (= la télévision)
*Elle **l'**utilise tout le temps.* (= son PC)
*Mes parents **nous** appellent.* (= nous)
*Vos voisins **vous** connaissent ?* (= vous)
*Leurs enfants **les** écoutent.* (= leurs parents)

13 Interrogez-vous comme dans l'exemple. Notez ensuite vos réponses.

Exemple :
A : – Marguerite écoute souvent de l'opéra ? → 0 %
B : – Non, elle n'écoute jamais d'opéra. Elle déteste ça.

1. Est-ce que Kevin utilise souvent Facebook ? → 100 %
2. Marie commande des pizzas le vendredi soir ? → 50-75 %
3. Est-ce que les Français achètent des livres et des CD sur Internet ? → 50-75 %
4. Est-ce que Mathieu mange des escargots ? → 0 %
5. Les Français vont souvent au restaurant en famille le soir ? → 25-35 %

RÈGLE 24
Exprimer la fréquence (2) : les adverbes de temps

- On peut préciser la fréquence d'une action avec les adverbes suivants :

0 %	25-35 %	50-75 %	100 %
ne… jamais	**quelquefois, de temps en temps**	**souvent**	**toujours, tout le temps**

- Les adverbes se placent après le verbe :
  - *J'écoute **souvent** de la musique sur mon ordinateur.*
  - *Je vais **de temps en temps** au cinéma mais je regarde **généralement** des DVD.*
  - *Je **ne** lis **jamais** le journal sur Internet. Ce n'est pas agréable.*

DICTÉE

14 Écoutez et écrivez, puis comparez avec vos voisins.

ÉCRITURE

15 (1) Faites une enquête sur les achats sur Internet de vos voisins. (2) Notez les réponses (3) Rédigez ensemble un texte pour décrire vos habitudes d'achats.

	Vous utilisez votre smartphone ou votre tablette pour…	Fréquence
Nadège	• *acheter des films*	• *deux ou trois fois par semaine.*

ÉCHAUFFEMENT

16 Écoutez et répétez en imitant l'intonation.

L'insistance

1. – Tu n'as pas entendu ma question ? Tu trouves ça vraiment utile ?
2. – Enlève cette photo !
   – Bon, si tu veux. Voi-là, c'est fait !
3. – C'est mieux qu'une vieille carte, tu ne trouves pas ? C'est in-te-rac-tif !
4. – Tu es connectée sur Internet mais tu es dé-co-nnec-tée du monde extérieur !
   – Pfff ! C'est absolument faux !

COMPRÉHENSION

17 Écoutez et répondez.

Tu trouves vraiment toutes ces options utiles, toi ?

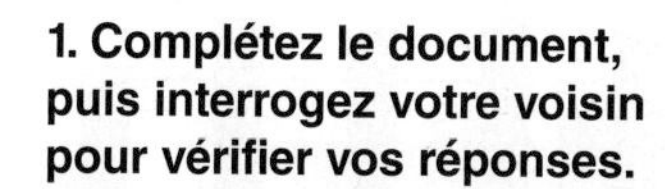
1. Complétez le document, puis interrogez votre voisin pour vérifier vos réponses.

Caractéristiques du téléphone		
Modèle	❒ récent	❒ ancien
Appareil photo	❒ oui	❒ non
Wifi	❒ oui	❒ non
Applications	....	
Les plus	....	
Les moins	....	

Exemple :
A : – Comment est le smartphone d'Anaïs ?
B : – Il...

2. Répondez et justifiez.

1. Pour Mathilde, est-ce que les options du téléphone sont importantes ?
2. Est-ce qu'Anaïs trouve les options utiles ?
3. Qu'est-ce que Mathilde pense d'Internet ?
4. Pourquoi est-ce qu'Anaïs dit que c'est super ?
5. Comment est-ce qu'on peut se faire des amis avec Internet ?
6. Est-ce que Mathilde est d'accord avec elle ?

18 Écoutez. Qu'est-ce qu'ils disent ?

Exemple : Mathilde demande à Anaïs ce qui s'est passé ces derniers jours.
→ Elle dit : « Alors, quoi de neuf ? »

1. Mathilde est surprise parce qu'Anaïs a un téléphone moderne.
2. Mathilde demande encore à Anaïs si elle trouve les options de son téléphone utile.
3. Anaïs ne sait pas si c'est vraiment utile, mais elle trouve ça amusant.
4. Anaïs dit à Mathilde que ce qu'elle dit n'est pas juste.

À VOUS DE JOUER

19 Imitez, puis utilisez entre vous.

Exprimer un accord ou un désaccord

a-c

1. A : – C'est mieux qu'une vieille carte, tu trouves pas ? C'est in-te-rac-tif !
   B : – C'est vrai, tu as raison, c'est pratique, mais tu peux aussi demander à quelqu'un dans la rue, non ?
2. A : – En fait, tu es connectée sur Internet mais tu es dé-co-nnec-tée du monde extérieur !
   B : – Pfff ! C'est absolument faux ! C'est super pour se faire des amis. C'est plus rapide que dans la vraie vie.
3. A : – Oui, mais ce sont des amis virtuels, ce ne sont pas de vrais amis !
   B : – Mais non, absolument pas ! Une fois par mois, nous avons une réunion dans un café. C'est plus facile de rencontrer des personnes comme ça que dans la vie.

20 En situation.

Qui est d'accord avec Mathilde ? Avec Anaïs ? Donnez des exemples pour parler de votre utilisation du smartphone ou de la tablette numérique.

ÉCHANGES

Aidez-vous des pages annexes : conjugaison et lexique.

1 Faites comme dans l'exemple.

~~aller à mon travail en été~~ – dire à mes amis ce que je fais – acheter des produits en ligne – envoyer et recevoir des e-mails – télécharger de la musique – partager des photos sur Internet

Exemple : Mon vélo.
→ Je l'utilise pour aller à mon travail en été.

1. Mon compte iTunes
→ ....
2. Mon compte Flickr
→ ....
3. Mon compte Outlook
→ ....
4. Mon compte Facebook
→ ....
5. Mon compte Amazon
→ ....

2 Répondez aux questions.

1. Est-ce que vous utilisez souvent votre ordinateur ?
→ ....
....
2. Est-ce que vous utilisez souvent votre téléphone portable ?
→ ....
....
3. Est-ce que vous utilisez souvent votre tablette numérique ?
→ ....
....

3 Écoutez leurs explications et faites comme dans l'exemple.

Exemple : Il utilise souvent son ordinateur, surtout pour envoyer des e-mails.

1. → ....
2. → ....
3. → ....
4. → ....

LECTURE

4 Lisez et répondez.

Enquête sur l'usage d'Internet

1. Fréquence d'utilisation d'Internet

	Personne qui a un ordinateur à la maison	Personne qui a Internet à la maison	Personne qui utilise Internet tous les jours	Personne qui a utilisé l'Internet mobile au cours des 3 derniers mois
% des Français	79,1	78,2	79,7	39,7

2. Les activités les plus pratiquées sur Internet au cours des 3 derniers mois

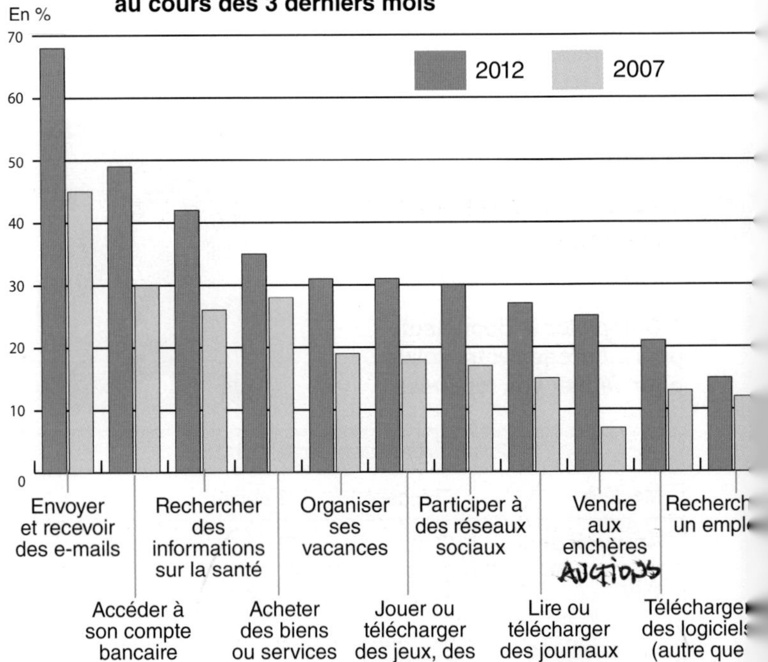

Lecture du graphique : 25 % des Français ont vendu des biens sur Internet en 2012 contre seulement 6 % en 2007.
Source : *Insee, Enquêtes Technologies de l'information et de la communication 2007 et 2012.*

1. Combien de Français utilisent Internet tous les jours ?
→ ....
2. Quelles sont les activités les plus pratiquées sur Internet ?
→ ....
3. Quelles sont les activités qui ont le plus progressé entre 2007 et 2012 ? Et le moins progressé ?
→ ....
4. Classez les activités dans le tableau ci-dessous :

	Communication	Loisirs	Travail et vie quotidienne	Autres
Activités	....	....	• *Accéder à son compte bancaire*	• *Vendr aux enchère*

ÉCRITURE

5 Écoutez et écrivez.

....

....

....

....

....

....

....

6 Relisez l'exercice 4 et décrivez votre utilisation d'Internet.

....
....
....
....
....
....
....
....
....
....
....

DISCUSSION

7 Écoutez et cochez ce que vous entendez.

	le	la	l'+ voyelle	les
1.	☑	❒	❒	❒
2.	❒	❒	❒	❒
3.	❒	❒	❒	❒
4.	❒	❒	❒	❒
5.	❒	❒	❒	❒
6.	❒	❒	❒	❒

8 Écoutez et répondez aux questions.

1. Nombre de Français connectés à Internet : → ....

2. Nombre de Français connectés 2 heures par jour à Internet : → ....

3. Quelle est la question du journaliste ?
→ ....

4. Cochez les bonnes réponses.

• **Personne 1**
Réponse donnée : ❒ oui ❒ un peu ❒ pas du tout
Temps passé sur Internet : ❒ moins de 30 min / jour
❒ entre 30 min et 1 h / jour
❒ entre 1 h et 2 h / jour
❒ plus de 2 h / jour
Utilisation d'Internet pour : ❒ lire des e-mails ❒ écrire des e-mails
❒ lire le journal
❒ poster des messages en ligne
❒ surfer
❒ rester en contact avec les amis
❒ télécharger de la musique
❒ regarder des films ou des séries

• **Le mari de la personne 2**
Réponse donnée : ❒ oui ❒ un peu ❒ pas du tout
Temps passé sur Internet : ❒ moins de 30 min / jour
❒ entre 30 min et 1h / jour
❒ entre 1 h et 2 h / jour
❒ plus de 2 h / jour
Utilisation d'Internet pour : ❒ lire des e-mails ❒ écrire des e-mails
❒ lire le journal
❒ poster des messages en ligne
❒ surfer
❒ rester en contact avec les amis
❒ télécharger de la musique
❒ regarder des films ou des séries

5. À votre avis, quelle est la réponse de la 3e personne à la question du journaliste ?
→ ❒ oui ❒ un peu ❒ pas du tout

Comment dit-on dans votre langue ?

« Je vous écoute. » : I HEAR YOU

« Très bien, allez-y ! » : VERY WELL, GO FOR IT !

Unité 

Préparons un « guide de l'apprenant de français »

Étape 1 : Lisez le document, faites des groupes et choisissez une / des rubrique(s) par groupe.

Étape 2 : Choisissez des choses utiles pour un(e) étudiant(e) puis écrivez pourquoi c'est utile.

Étape 3 : Chaque équipe lit sa / ses rubrique(s) pour en discuter avec la classe.

Étape 4 : Rassemblez les différentes rubriques pour créer la page « Informations pratiques » de votre guide de l'apprenant de français.

Document

Informations pratiques

Lectures

Indiquer quels livres, magazines, dictionnaires, grammaires vous recommandez.

....

....

Sites Internet

Indiquer quels sites Internet vous recommandez.

....

....

Logiciels

Indiquer quels logiciels pour ordinateur (ou application pour tablette numérique) vous recommandez.

....

....

Réseaux sociaux

Indiquer des réseaux sociaux, blogs ou forums que vous recommandez.

....

....

Centres culturels

Indiquer des espaces culturels francophones que vous recommandez.

....

....

Commerces

Indiquer les cafés, restaurants, pâtisseries ou autres commerces que vous recommandez.

....

....

Autres outils

Indiquer tous les autres outils utiles, selon vous, que vous recommandez.

....

....

Unité 5
CONSIGNES
LEÇON 13 – CRITIQUES
LEÇON 14 – RECETTES
LEÇON 15 – NORMES
PROJET – LE QUIZ DU CITOYEN DU MONDE

ÉCHAUFFEMENT

1 Écoutez et répétez.

Si tu aimes…

ÉCHANGES

2 Écoutez et imitez.

Tu vas manger où à midi ?

Je sais pas… Tu as une idée ? Tu proposes quoi ?

Si tu aimes manger chinois, on peut aller au *Dragon d'Or*. C'est excellent et le service est rapide. En plus, tu peux manger sur place ou emporter !

Ça a l'air pas mal. Merci de ton conseil.

TAKE OUT

C'EST PAS TERRIBLE

AVOIR L'AIR (TO SEEM)

3 Interrogez-vous en utilisant le vocabulaire que vous connaissez et le vocabulaire ci-dessous.

Variez votre interrogation avec : ce soir – samedi soir – dimanche midi

PAS TERRIBLE → NOT GREAT

▶ Le restaurant

manger sur place ≠ emporter

pas frais (≠ frais / fraîche)

FRESH

NOT FRENCH

proposer une activité

Et aussi :
- le / la client(e)
- le patron = le boss
- le serveur / la serveuse
- *le service est rapide ≠ lent, bon ≠ mauvais*
- avoir l'air… : *le poisson a l'air frais*
- excellent = très bon

4 Interrogez-vous à partir des images.

Exemple :

A : – Tu ne sais pas où il peut aller manger ? Il n'a pas d'idée...

B : – S'il aime manger chinois, il peut aller au *Dragon d'Or*. C'est excellent, le service est rapide et ce n'est pas cher. En plus, il peut manger sur place ou emporter !

POUCE VERS LE HAUT

À VOUS DE JOUER

5 Imaginez un dialogue et jouez-le.

ÉCHAUFFEMENT

6 (1) Écoutez l'enregistrement et cochez ce que vous entendez. (2) Vérifiez avec votre voisin. (3) Lisez les phrases à voix haute.

Le présent ou le passé

Exemple :
☑ Il se promène le matin. ☐ Il s'est promené ce matin.

1. ☐ Le pain n'est pas très frais. ☐ Le pain n'était pas frais.
2. ☐ Le saumon a une drôle d'odeur. ☐ Le saumon avait une odeur.
3. ☐ Il y a une belle terrasse. ☐ Il y avait une terrasse.
4. ☐ Il n'y a plus de bon croissant. ☐ Il n'y avait plus de croissant.
5. ☐ La serveuse est très bavarde. ☐ La serveuse était bavarde.

LECTURE

7 Observez, puis lisez à voix haute.

Accueil I Mon Profil I Rédiger un avis I Messages I Évènement I Rechercher I

Vous cherchez un bon restaurant près de chez vous ?
Vous voulez découvrir une bonne table ?
Lisez les avis des clients, donnez votre avis !

Lieu : Montélimar, Drôme
Catégorie : Restaurants

8 avis ***Le Palais Impérial***

Sylvain Guilhermond › *Autres commentaires*

Si vous aimez manger asiatique, il faut connaître ce restaurant : bœuf sauté, porc au caramel, crevettes vapeur et crêpes de riz, tout est délicieux ! Le service est très rapide et en plus le patron nous a servi un verre d'alcool gratuit. ☺ Par contre, il y a toujours beaucoup de monde et c'est un peu bruyant. Attention si vous avez des allergies : la dernière fois, la cuisine était très épicée.

4 avis ***Le Chalet du Parc***

Khadîdja Martin › *Autres commentaires*

Ce restaurant est très joli et la vue sur le parc est magnifique. Par contre, la cuisine, c'est pas ça : le saumon mayonnaise avait une drôle d'odeur, la sauce sur la purée du poulet rôti était froide et le pain n'était pas frais. ☹ En plus, le serveur était lent et désagréable. Bref, l'endroit est charmant, mais, le client n'est pas roi !

2 avis ***Le Café de l'Orient***

Sarah Vernet › *Autres commentaires*

Produits naturels et spécialités d'Afrique du Nord. Si vous voulez manger bio, essayez ce restaurant : vous allez adorer ! Je recommande : le couscous au poisson (excellent), les petites brioches au mouton (délicieuses) et aussi les légumes parfumés (carottes ou haricots en salade, ils ont un goût excellent). On peut aussi prendre à emporter. Sinon attention : quelques plats étaient assez chers et... la serveuse était très bavarde !

8 Lisez le document de l'activité 7, puis interrogez-vous à tour de rôle.

Exemple :
A : – Où sont situés les trois restaurants présentés ?
B : – Ils sont situés à Montélimar, dans la Drôme.

1. Qu'est-ce qu'on propose sur le site Internet miam-ou-pas-miam.fr ?
2. Quel restaurant a l'air d'être le meilleur ? Pourquoi ?
3. Combien d'avis est-ce qu'il y a sur *Le Chalet du Parc* ?
4. Qu'est-ce qu'il faut faire si on veut lire d'autres commentaires ?
5. À votre avis, on peut manger quel genre de cuisine dans ces restaurants ?

9 Lisez le document de l'activité 7, puis interrogez-vous à tour de rôle.

Exemple :
A : – Si on veut manger bio, on peut aller dans quel restaurant ? Est-ce que c'est bon ?
B : – Si on veut manger bio, on peut aller au *Café de l'Orient*, c'est délicieux.

1. Si on veut manger rapidement, on peut aller dans quel restaurant ? Pourquoi ?
2. Comment était le serveur du restaurant *Le Chalet du Parc* ? Et le poisson ?
3. À quoi est-ce qu'on doit faire attention si on va au *Café de l'Orient* ?
4. Et où est-ce qu'on peut prendre des plats à emporter ?
5. Et vous, quel genre de cuisine vous aimez ? Dans quel restaurant vous aimeriez aller ?

PRATIQUE DE LA LANGUE

10 Interrogez-vous à tour de rôle comme dans l'exemple.

Exemple :
A : – Est-ce que vous pourriez me conseiller un restaurant où le service est rapide ?
B : – Ah, oui, il y a *Chez Jacques*, c'est à 10 minutes à pied.
ou : B : – Désolé(e), je ne peux pas vous aider...

service rapide | patron gentil | ambiance sympa | cuisine traditionnelle | plats pas trop épicés

ÉCHAUFFEMENT

11 Lisez le texte avec vos voisins, recopiez puis comparez.

Est-ce que vous avez déjà mangé du magret de canard ? C'est le plat préféré des Français. Si vous voulez manger un magret délicieux, je vous recommande l'Hôtel de France. Je suis allé dans ce restaurant situé dans le Sud-Ouest : la viande était excellente et les vins étaient extraordinaires.

GRAMMAIRE

12 Interrogez-vous comme dans l'exemple, puis écrivez vos réponses.

Exemple : (je) des nems ? → (vous) restaurant vietnamien
A : – Si je veux manger des nems, où est-ce que je peux aller ?
B : – Si vous voulez manger des nems, vous pouvez aller dans un restaurant vietnamien.

1. (je) un pot au feu ? → (tu) un restaurant traditionnel
2. (ils) dîner à Nantes ? → (ils) une crêperie bretonne
3. (nous) des huîtres ? → (vous) une brasserie
4. (elle) un bon hamburger ? → (elle) chez *Bioburger*
5. (nous) un couscous ? → (vous) un restaurant maghrébin

RÈGLE 25
Exprimer une condition : « si » + présent

- Pour exprimer une condition, on utilise « **si** » + **présent**.
  - ***Si** tu aimes la cuisine asiatique, on peut manger chinois.*
  - ***Si** vous n'avez pas le temps de manger sur place, vous pouvez aussi emporter.*

si + il ou ils = **s'**il ou **s'**ils

- ***S'il** fait chaud, on peut faire un pique-nique.*
- ***S'ils** n'ont pas le temps, ils peuvent acheter un sandwich.*

13 Interrogez-vous comme dans l'exemple, puis écrivez vos réponses.

Exemple : (tu) aller voir les tableaux de Monet ?
→ tableaux magnifiques / du monde
A : – Tu es allé voir les tableaux de Monet ? C'était comment ?
B : – Les tableaux étaient magnifiques, mais il y avait du monde.

1. Déjeuner dans un bistro du Marais ? → cuisine très bonne / mon dessert préféré
2. Séjourner dans un club de vacances ? → gens sympas / bruit le soir
3. Dîner dans un restaurant à Montparnasse ? → belle terrasse / fumeurs
4. Voyager en Auvergne ? → paysages magnifiques / pas beaucoup de touristes
5. Prendre son petit déjeuner à l'hôtel ? → café excellent / plus de croissant

RÈGLE 26
Commenter un état passé avec l'imparfait

- **Conjugaison :** j'ét**ais**, tu ét**ais**, il / elle / on ét**ait**, nous ét**ions**, vous ét**iez**, ils / elles ét**aient**
- On utilise l'imparfait pour faire des commentaires ou donner des précisions à propos d'un état passé.

PASSÉ [situation passée] PRÉSENT FUTUR

- *Je suis allé à la* Dolce Vita *: la pizza **était** excellente et il n'y **avait** pas trop de monde.*
- *J'ai très mal mangé : les frites **étaient** froides et le steak **avait** une odeur bizarre.*
- *Je ne suis pas venu au travail parce que j'**étais** malade.*

DICTÉE

14 Écoutez et écrivez, puis comparez avec vos voisins.

ÉCRITURE

15 (1) Interrogez vos voisins sur les restaurants qu'ils recommandent. (2) Remplissez le tableau. (3) Rédigez ensemble la critique d'un restaurant.

Restaurant	Situation	Spécialités
Comme des poissons	*À Paris, dans le XVIe arrondissement, rue de la Tour.*	*Les sushis sont délicieux, le poisson est toujours très frais.*
....	....	....

ÉCHAUFFEMENT

16 Écoutez et répétez en imitant l'intonation.

L'évitement

1. – Et toi, ça va ?
   – Ça va, ça va.
2. – On voudrait savoir si tu veux venir avec nous.
   – Oh je sais pas… Qu'est-ce que vous allez faire ?
3. – On pourrait aller à *La Dolce Vita*, non ?
   – Encore *La Dolce Vita* ?
4. – Toi aussi, tu étais d'accord.
   – Ouais, ouais, peut-être…

COMPRÉHENSION

17 Écoutez et répondez.

Qu'est-ce que tu proposes ?

1. Complétez les documents, puis interrogez votre voisin pour vérifier vos réponses.

Lieu : **Brest** Catégorie : …………………………

☆☆☆☆☆ ***La Dolce Vita***

Maxime > Autres commentaires

……………………………………………………………………

……………………………………………………………………

Lieu : **Brest** Catégorie : …………………………

☆☆☆☆☆ ***Le Dragon bleu***

Maxime > Autres commentaires

……………………………………………………………………

……………………………………………………………………

Exemple :
A : – Qu'est-ce que c'est, *La Dolce Vita* ?
B : – C'est...

2. Répondez et justifiez.

1. Pourquoi est-ce que Pauline téléphone à Maxime ?
2. Où est-ce qu'ils vont manger ? Pourquoi ?
3. Qu'est-ce que Pauline veut faire après le restaurant ?
4. Qu'est-ce qu'elle pense du film ? Est-ce que Maxime est d'accord ?
5. Pourquoi est-ce que Maxime ne conseille pas d'aller voir le film du moment ?
6. Maxime est un peu difficile. Expliquez pourquoi.

18 Écoutez. Qu'est-ce qu'ils disent ?

Exemple : Maxime dit à Pauline qu'il va assez bien.
→ Il dit : « Ça va, ça va. »

1. Pauline accepte de ne pas aller à *La Dolce Vita*.
2. Pauline accepte d'aller au restaurant chinois.
3. Pauline refuse d'aller voir une comédie au cinéma.
4. Maxime dit que c'est vrai que la comédie n'était pas terrible la dernière fois.

À VOUS DE JOUER

19 Imitez, puis utilisez entre vous.

Rappeler quelque chose à quelqu'un

a-c

1. A : – Tu te souviens, la dernière fois, on a attendu trente minutes entre l'apéritif et le repas. Et en plus, le serveur ne s'est pas excusé.
   B : – Oui, je me souviens, mais c'était un samedi soir et il y avait beaucoup de monde.
2. A : – Euh… Avec les copains, on veut aller voir *Saint Laurent.*
   B : – *Saint Laurent* ? Je connais pas.
   A : – Mais si, tu connais. C'est l'histoire d'Yves Saint Laurent, tu sais, le couturier.
3. A : – Tu te rappelles, la dernière fois, nous avons tous vu une comédie pour toi, parce que tu ne voulais pas voir un autre film ? C'était pas terrible… Toi aussi, tu étais d'accord.
   B : – Ouais, ouais, peut-être… Mais bon, je ne conseille pas d'aller voir le film du moment…

20 En situation.

(1) Personne 1 : Vous téléphonez à un(e) ami(e) pour l'inviter à sortir dans votre ville. Proposez un restaurant et d'autres activités et expliquez pourquoi.
Personne 2 : Vous aimez rester à la maison devant votre télé. Vous cherchez des raisons ou des excuses pour ne pas sortir. Finalement, vous acceptez.
(2) Indiquez le programme sur votre agenda (heure, activités…).

ÉCHANGES

Aidez-vous des pages annexes : conjugaison et lexique.

1 Faites comme dans l'exemple.

Exemple : J'aime le riz au curry.
→ Si tu aimes le riz au curry, on peut aller manger dans un restaurant indien.

1. J'aime la pizza.
→ ....
2. J'aime le bœuf bourguignon.
→ ....
3. J'aime les sushis.
→ ....
4. J'aime la paëlla.
→ ....

2 Faites un commentaire au passé, comme dans l'exemple.

Exemple : Le serveur nous a servi après 3 minutes.
→ Le service était rapide.

1. On a attendu 30 minutes pour avoir nos plats.
→ ....
2. J'ai été malade. Je pense que c'est à cause du poisson.
→ ....
3. J'ai vraiment bien mangé.
→ ....
4. On a attendu 45 minutes pour avoir une table libre.
→ ....

3 Écoutez leurs explications et faites comme dans l'exemple.

Exemple : Pour elle, c'est important quand c'est bon.

1. → ....
2. → ....
3. → ....
4. → ....

LECTURE

4 Lisez et complétez.

Le Jardin de Mireille
Note : 2/5 5 avis

Clara Boudriche *∆ Autres commentaires*
Petit snack pour les amateurs de produits bio ! Pour le dîner nous avons partagé la spécialité : un caviar végétal. C'était très frais et très bon. Mais les fourchettes en plastique pour un resto bio, c'est un peu bizarre. Et le prix !! Hyper cher pour une toute petite quantité, même si les aliments sont de très bonne qualité.

Chez Toto
Note : 4/5 8 avis

Rémy Roy *∆ Autres commentaires*
Pour manger de la cuisine du Sud-Ouest de grande qualité, venez ici ! Menu très complet ! Les spécialités de l'établissement sont le foie gras (cru au gros sel, mi-cuit, aux figues ou poêlé avec une sauce aux truffes) et le magret, absolument délicieux. Également très belle carte de vins et d'armagnacs. Il y avait du monde, il faut réserver pour être sûr d'avoir une table. Un vrai régal, les patrons sont adorables et en plus il y avait une terrasse très agréable !

	Le Jardin de Mireille	*Chez Toto*
Note	....	....
Style de cuisine	....	....
Spécialité	....	....
Points forts	....	....
Points faibles	....	....

ÉCRITURE

5 Écoutez et écrivez.

....

....

....

....

....

....

....

6 Sur le modèle de l'exercice 4, décrivez un restaurant que vous connaissez.

....

Note : ....

....

....

....

....

....

....

....

....

DISCUSSION

7 Écoutez et cochez ce que vous entendez.

1.	❒ t'es	☑ tu es
2.	❒ t'étais	❒ tu étais
3.	❒ t'avais	❒ tu avais
4.	❒ si t'aimes	❒ si tu aimes
5.	❒ si t'habites	❒ si tu habites
6.	❒ t'as	❒ tu as

8 Écoutez et répondez aux questions.

1. Qui sont Alexandre et Déborah ?
→ ....

2. Complétez le tableau.

Heure de l'appel téléphonique	....
Raison de l'appel	....
Obligation d'Alexandre	....
1re proposition de Déborah	....
Raison du refus d'Alexandre	....
2e proposition de Déborah	....
Raison du refus d'Alexandre	....
3e proposition de Déborah	....
Heure et lieu du rendez-vous	....

Comment dit-on dans votre langue ?

« Dans 20 minutes, ça te va ? » :

....

« Je vais mourir de faim ! » :

....

ÉCHAUFFEMENT

1 Écoutez et répétez.

D'abord, tu coupes…

ÉCHANGES

2 Écoutez et imitez.

Dis, tu pourrais me donner ta recette de l'omelette aux champignons ?

Avec plaisir ! D'abord, tu fais cuire des champignons et des lardons dans une poêle. Après, casse des œufs et mélange-les.

OK, je mélange les œufs… Ensuite ?

Ensuite, tu les ajoutes dans la poêle, avec du sel et du poivre. Et voilà !

3 Interrogez-vous en utilisant le vocabulaire que vous connaissez et le vocabulaire ci-dessous.

Variez votre interrogation avec : ta / votre recette du croque-monsieur – ta / votre recette du gratin de fruits de mer – ta / votre recette du riz au curry

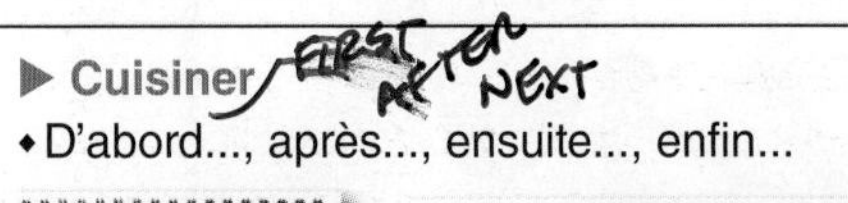

▶ Cuisiner

- D'abord..., après..., ensuite..., enfin...

une recette

faire cuire

couper

mélanger

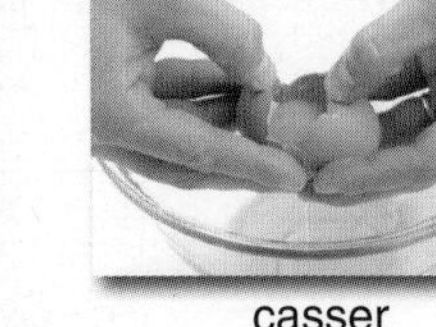
casser

Et aussi :

- ajouter (+) ≠ enlever (-)

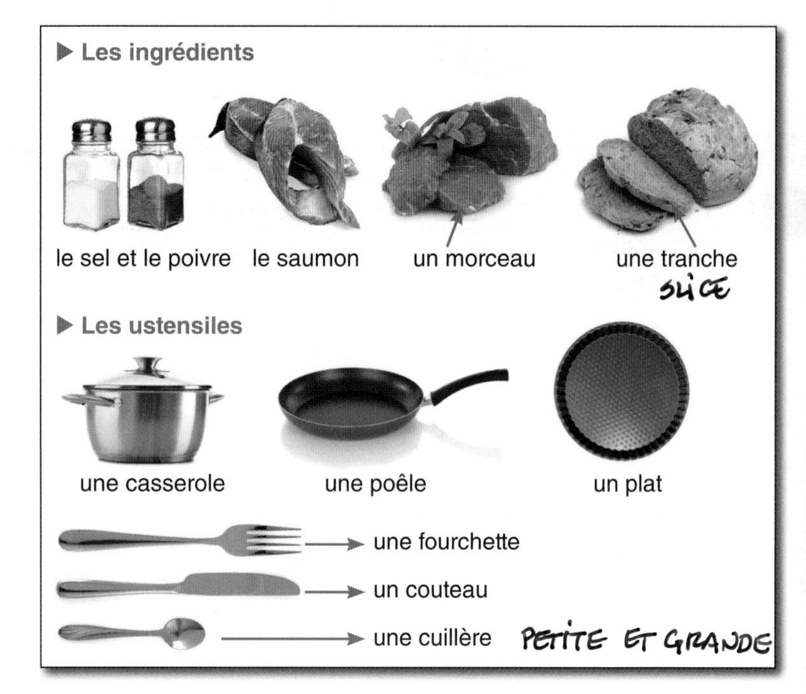

4 Interrogez-vous à partir des images.

Exemple :
A : – Pour faire une omelette aux lardons, il faut d'abord faire cuire des lardons dans une poêle. Ensuite, il faut casser des œufs et les mélanger.
B : – Enfin, on doit ajouter les œufs dans la poêle, avec du sel et du poivre.

Une omelette aux lardons

À VOUS DE JOUER

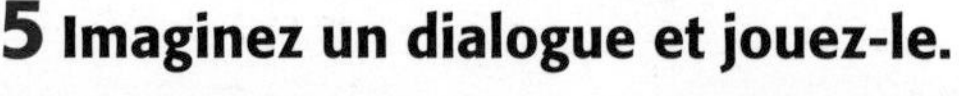

5 Imaginez un dialogue et jouez-le.

ÉCHAUFFEMENT

6 (1) Faites le découpage, comptez les syllabes, notez les liaisons et les enchaînements comme dans l'exemple. (2) Écoutez l'enregistrement et vérifiez avec votre voisin. (3) Lisez ces phrases à voix haute.

Le rythme

Exemple : Prenez / les œufs / et cassez-les. → 2 / 2 / 4

1. Prenez le saumon et mettez-le sur une assiette. → ....
2. Prenez les œufs et coupez-les en deux. → ....
3. Coupez les oignons et cuisez-les dans une poêle. → ....
4. Coupez les pommes de terre et écrasez-les. → ....
5. Lavez la tomate et coupez-la en petits morceaux. → ....

LECTURE

7 Observez, puis lisez à voix haute.

PÂTES AU SAUMON FUMÉ

Une recette idéale pour les petits dîners en famille ou entre amis.

Pour 4 personnes
Préparation : 10 min
Cuisson : 10 min
Prix : moyen
Difficulté : facile

Ingrédients :
- 4 tranches de saumon fumé
- 300 g de pâtes (tagliatelles ou spaghettis)
- 20 cl de crème fraîche
- 1 oignon pas trop gros
- Persil
- 1 c. à soupe d'huile CUILLÈRE
- 1 c. à soupe de beurre
- Sel, poivre

Préparation :

1. Prenez l'oignon et coupez-le en petits morceaux. Lavez le persil et coupez-le très fin. Coupez le saumon en petites tranches.
2. Faites bouillir de l'eau salée dans une grande casserole et faites cuire les pâtes.
3. Faites fondre le beurre avec l'huile dans une poêle, mettez l'oignon dans la poêle et faites le cuire à feu doux. Il doit rester blanc. Ajoutez ensuite la crème et, quand elle est chaude, ajoutez le saumon fumé. Poivrez à votre goût.
4. Mettez les pâtes sur une jolie assiette et versez la sauce au saumon au milieu. Décorez avec le persil.

Conseils :
Cette recette est meilleure avec des pâtes fraîches.
Un peu d'estragon ajoute du goût à la sauce.

8 Lisez le document de l'activité 7 et répondez à deux.

Exemple :
A : – C'est une recette de pâtes à quoi ?
B : – C'est une recette de pâtes au saumon.

1. C'est une recette pour combien de personnes ?
2. Il faut combien de temps pour préparer et cuire ce plat ?
3. Est-ce que c'est un plat cher ?
4. Qu'est-ce qu'il faut comme ingrédients pour le cuisiner ?
5. Pour préparer ce plat, il y a combien d'étapes ?

9 Lisez le document de l'activité 7, puis interrogez-vous à tour de rôle.

Exemple :
A : – Cette recette est idéale pour quels genres de repas ?
B : – Elle est idéale pour les petits dîners en famille ou entre amis.

1. Comment est-ce qu'il faut couper l'oignon, le persil et le saumon ?
2. Qu'est-ce qu'on utilise pour cuire les pâtes ?
3. Qu'est-ce qu'il faut faire quand la crème est chaude ?
4. Qu'est-ce qu'on doit faire quand on a mis les pâtes sur l'assiette ?
5. Qu'est-ce qu'on peut ajouter pour donner plus de goût ?

PRATIQUE DE LA LANGUE

10 Interrogez-vous à tour de rôle comme dans l'exemple.

Exemple :
A : – Qu'est-ce qu'il y a dans l'île flottante ?
B : – Dedans, il y a des œufs, du lait, du sucre et de la vanille.

l'île flottante

les tomates farcies

la paëlla

le gâteau au chocolat

les macarons

ÉCHAUFFEMENT

11 Lisez le texte avec vos voisins, recopiez puis comparez.

Pour faire un gratin, prenez les pommes de terre et épluchez-les. Puis coupez-les en tranches fines et mettez-les dans un plat beurré. Mettez le lait dans un bol, ajoutez la crème fraîche, l'ail, le fromage, du sel et du poivre. Mélangez avec une fourchette et versez sur les pommes de terre. Mettez au four.

GRAMMAIRE

12 Interrogez-vous comme dans l'exemple, puis écrivez vos échanges.

Exemple : Carottes (3) → couper en gros morceaux ?
A : – Vous prenez des carottes. Trois carottes.
B : – Des carottes… d'accord. Et ensuite, je les coupe en gros morceaux ?

1. Pomme (1) / couper en tranches ?
2. Œufs (4) / mélanger avec une fourchette ?
3. Chocolat (1 plaquette) / casser en morceaux ?
4. Roquefort (1 morceau de 100 g) / écraser avec une fourchette ?
5. Haricots (500 g) / mettre dans la casserole ?

RÈGLE 27
De l'article indéfini à l'article défini

- Quand on parle de quelque chose pour la première fois, on utilise **un article indéfini** (« un », « une », « des »).
  - *Prends **un** morceau de fromage.*
- Quand on parle de la même chose, on utilise **l'article défini** (« le », « la », « les »). Pour ne pas répéter le nom, on préfère alors utiliser un pronom COD.
  - *Vous prenez **un morceau** de fromage et vous **le** coupez en petits morceaux.* (le = le même morceau)
  - *Vous prenez **une tomate** et vous **la** coupez en tranches.* (la = la même tomate)
  - *Vous prenez **des lardons** et vous **les** ajoutez dans le plat.* (les = les mêmes lardons)

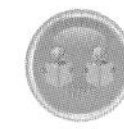

13 Interrogez-vous comme dans l'exemple, puis écrivez vos réponses.

Exemple : (tu) prendre la pizza / mettre au four
A : – Et maintenant, qu'est-ce que je fais ?
B : – Prends la pizza et mets-la au four.

1. (tu) prendre 4 pommes de terre / mettre dans une grande casserole
2. (vous) prendre le beurre / couper en petits morceaux
3. (tu) sortir les steaks hachés du réfrigérateur / écraser avec une fourchette
4. (vous) casser les œufs / ajouter les œufs au sucre
5. (tu) couper les légumes / m'appeler quand c'est fini

RÈGLE 28
Le pronom COD avec les verbes à l'impératif

- Rappel : Pour donner des consignes ou des instructions, on peut utiliser **le présent ou l'impératif** :
  - ***Tu prends** un steak ! / **Prends** un steak !*
- Pour ne pas répéter le nom, on utilise le **pronom COD**, avec le verbe au présent ou à l'impératif. À l'impératif, le pronom COD se place après le verbe :
  - *Prends un steak et fais-**le** cuire dans une poêle !* (= tu le fais cuire)
  - *Prends une tranche de tomate et coupe-**la** en petits morceaux !* (= tu la coupes)
  - *Casse des œufs et mélange-**les** !* (= tu les mélanges)
  - *Si c'est trop difficile, appelle-**moi*** (= tu m'appelles) *ou appelle-**nous** !* (= tu nous appelles)

DICTÉE

Les œufs mimosa
....
....

14 Écoutez et écrivez, puis comparez avec vos voisins.

ÉCRITURE

15 (1) Choisissez une recette que vous aimez avec votre équipe. (2) Écrivez sa fiche recette et corrigez ensemble. (3) Présentez votre recette à la classe.

Notre fiche recette : *Le taboulé*
Ingrédients :
....
Préparation :
1. ....
2. ....
3. ....
Conseils :
....

ÉCHAUFFEMENT

16 Écoutez et répétez en imitant l'intonation.

L'assurance

1. – Pas de problème ! Ça va aller.
2. – Oui, oui, t'inquiète pas… Tout va bien.
3. – Oui, oui, pas de problème.
4. – Pas de panique !
5. – Ça va ?
   – Oui oui, tout va bien !

COMPRÉHENSION

17 Écoutez et répondez.

Tu peux faire un hachis parmentier.

1. Répondez et justifiez.

1. Pourquoi est-ce que la femme est désolée ?
2. Qu'est-ce que son mari doit faire ?
3. Comment vont les enfants ?
4. Pourquoi est-ce que le mari rappelle sa femme ?

2. (1) Indiquez le numéro et vérifiez avec votre voisin.
(2) Interrogez-vous comme dans l'exemple.

La recette du hachis parmentier (pour 5 personnes)

Faire cuire les morceaux dans une poêle avec du beurre. ..3..
Ajouter du sel et du poivre. 5
Ajouter la viande et les oignons. ..8..
Ajouter du fromage et mettre au four à 200 degrés. 10
Cuire trois steaks avec les oignons. .4
Faire cuire quatre pommes de terre dans de l'eau salée. 1
Ajouter du beurre et du lait et bien mélanger. .7
Écraser et mélanger le tout. 9
Écraser les pommes de terre dans un plat. 6
Prendre un oignon et le couper en morceaux. 2

Exemple :
A : – Dis, tu pourrais m'aider à compléter la recette du hachis parmentier ?
B : – Bien sûr ! D'abord, tu fais cuire quatre pommes de terre dans l'eau salée.
A : – Ensuite, tu...

18 Écoutez. Qu'est-ce qu'ils disent ?

Exemple : La femme dit à son mari qu'il est gentil de s'occuper des enfants.
→ Elle dit : « Merci mon chéri, tu es un amour. »

1. La femme dit à son mari de ne pas s'inquiéter.
2. Le mari dit à sa femme d'expliquer sa recette.
3. Le mari n'est pas d'accord avec sa femme qui dit que ce n'est pas compliqué.
4. Le mari demande à sa femme de rappeler rapidement.

À VOUS DE JOUER

19 Imitez, puis utilisez entre vous.

Rassurer

a-c

1. A : – Je vais probablement rentrer vers huit heures et demie. Tu peux t'occuper des enfants ?
   B : – Pas de problème ! Ça va aller, tu me connais. Je suis parfaitement capable de m'occuper des enfants, tu sais.
2. A : – Allô, chéri ? Qu'est-ce qui se passe ? Tout va bien, j'espère !
   B : – Oui, oui, t'inquiète pas… Tout va bien.
3. A : – Le hachis parmentier, c'est bon, tu as réussi ?
   B : – Euh… Non non, mais tout va bien ! On mange une omelette...

20 En situation.

Vous faites du baby-sitting chez un(e) ami(e). Il / Elle vous téléphone pour vous dire qu'il / elle va rentrer plus tard. Vous demandez ce que vous pouvez cuisiner. Votre ami(e) vous explique une recette.
(1) Jouez la situation. (2) Complétez le mémo.

Recette de ....

- ....
- ....
- ....
- ....

ÉCHANGES

Aidez-vous des pages annexes : conjugaison et lexique.

1 Faites comme dans l'exemple.

Exemple : Est-ce que je casse les œufs ?
→ Oui, casse-les !

1. Est-ce que je coupe les tomates ?
→ ....
2. Est-ce que j'ajoute le fromage sur la pizza ?
→ ....
3. Est-ce que je mélange la préparation ?
→ ....
4. Est-ce que je mets le plat dans le four ?
→ ....
5. Est-ce que je fais cuire les lardons ?
→ ....

2 Complétez le texte avec « un », « une », « des », « du », « de la », « de l' », « le », « la », « l' » ou « les ».

1. Pour faire une tarte au saumon fumé pour quatre personnes, il faut acheter .... pâte brisée, ... paquet de 2 tranches de saumon fumé, ... boîte de six œufs, 20 centilitres de crème fraîche et quatre tomates.
2. Ensuite, il faut mettre .... pâte brisée dans .... plat à tarte. Coupez .... tranches de saumon en morceaux et mettez-......... sur .... pâte brisée.
3. Prenez .... tomates, coupez-......... en tranches et ajoutez-......... sur .... saumon. Prenez deux œufs, cassez-......... et mélangez-......... avec .... crème fraîche.
4. Versez .... mélange dans .... plat. Puis, mettez .... tarte dans .... four, à 180°C, et faites cuire environ 30 minutes.

3 Écoutez leurs explications et faites comme dans l'exemple.

Exemple : Il faut acheter une boîte de six œufs, cinq pommes de terre, cinq cents grammes de crème fraîche et soixante grammes de fromage râpé.

1. → Il faut d'abord..........
2. → ....
3. → ....
4. → ....

LECTURE

4 Lisez et répondez.

LA TARTIFLETTE

Plat principal – Très facile – Bon marché

Pour 4 personnes
Préparation : 15 minutes
Cuisson : 1 heure

Ingrédients :
- 1 kg de pommes de terre
- 200 g de lardons fumés
- 200 g d'oignons
- 1 reblochon bien fait (lorsqu'on appuie sur le côté du fromage, le doigt s'enfonce un peu)
- 2 c. à soupe d'huile
- Ail, sel, poivre

Préparation :
1. Épluchez les pommes de terre, coupez-les en rondelles, lavez-les et essuyez-les dans un torchon propre.
2. Faites chauffer l'huile dans une poêle, mettez les oignons et faites-les fondre. Ajoutez ensuite les pommes de terre. Faites dorer les deux côtés des rondelles de pommes de terre, ajoutez les lardons et finissez de cuire.
3. Grattez la croûte du reblochon et coupez-le en deux. Préparez un plat à gratin en frottant le fond et les bords avec de l'ail. Chauffez le four à 200°C (thermostat 6-7). Dans le plat à gratin, mettez une couche de pommes de terre aux lardons, étalez dessus la moitié du reblochon, puis encore des pommes de terre. Terminez avec le reste du reblochon, et mettez au four pendant environ 20 min.

1. C'est une recette pour combien de personnes ?
→ ....
2. Il faut combien de temps pour préparer et cuire ce plat ?
→ ....
3. Qu'est-ce qu'il faut comme ingrédients ?
→ ....
4. Le fromage doit être comment ?
→ ....
5. On utilise l'ail pour faire quoi ?
→ ....
6. Mettez dans l'ordre :

a. Couper et gratter le fromage. ....
b. Couper les pommes de terre. ...1
c. Mettre au four. ....
d. Mettre les pommes de terre et le fromage dans un plat. ....
e. Dorer les pommes de terre et les lardons à la poêle. ....

ÉCRITURE

5 Écoutez et écrivez.

....

....

....

....

....

....

....

6 Sur le modèle de l'exercice 4, écrivez une recette.

....

....

....

....

....

Ingrédients :
- ....
- ....
- ....
- ....
- ....
- ....

Préparation :

1. ....
....
....
2. ....
....
....
3. ....
....
....

DISCUSSION

7 Écoutez et cochez ce que vous entendez.

	Singulier	Pluriel
1.	☑ le fromage, coupez-le	❒ les fromages coupez-les
2.	❒ le morceau de beurre, écrasez-le	❒ les morceaux de beurre, écrasez-les
3.	❒ l'œuf, utilisez-le	❒ les œufs, utilisez-les
4.	❒ l'oignon, ajoutez-le	❒ les oignons, ajoutez-les
5.	❒ l'épice, mélangez-la	❒ les épices, mélangez-les
6.	❒ le plat, mettez-le au four	❒ les plats, mettez-les au four

8 Écoutez et complétez la recette.

QUICHE LORRAINE	*Plat principal – Très facile – Bon marché* **Temps de cuisson :** ...... minutes

Ingrédients (pour ...... personnes) :
- *200 g de pâte brisée*
- ....
- ....
- ....
- ....
- ....
- ....
- ....

Préparation :

– *Mettre la pâte brisée dans un plat à tarte et la piquer avec une fourchette.*

– ....
....
– ....
....
– ....
....
– ....
....
– ....
....
– ....
....

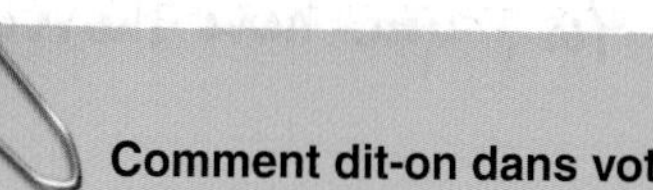

Comment dit-on dans votre langue ?

« Bonjour à toutes et à tous ! » : ....

« Mais non, voyons ! » : ....

ÉCHAUFFEMENT

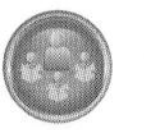

1 Écoutez et répétez.

Ça vous dérange…

ÉCHANGES

2 Écoutez et imitez.

Excusez-moi, ça vous dérange si je téléphone avec mon portable deux secondes ? Je dois absolument appeler quelqu'un.
Je suis désolée, monsieur, mais ici, on n'a pas le droit de téléphoner.
Ah bon ? C'est interdit ?
Oui, nous sommes dans un hôpital. Pourquoi vous ne sortez pas pour appeler ?

3 Interrogez-vous en utilisant le vocabulaire que vous connaissez et le vocabulaire ci-dessous.

Variez votre interrogation avec : ouvrir la fenêtre – fumer une cigarette – manger un sandwich

▶ Pour demander une autorisation : OK ?
- Ça vous dérange si j'appelle quelqu'un ?
- C'est possible de téléphoner ?
- On a le droit de fumer ?

▶ Pour autoriser : OK
- Oui, c'est possible !
- Je vous en prie, allez-y ! You're welcome
- Oui, on a le droit ! Yes, you have The right

▶ Pour interdire ⚠
- Il est interdit de fumer !
- Non, c'est interdit !
- Non, on n'a pas le droit !
- Non, ce n'est pas possible.

rules

▶ Le respect des consignes

Rendez-vous à 12 h
être à l'heure

Rendez-vous à 12 h
en retard

Rendez-vous à 12 h
en avance

ouvrir (≠ fermer) la fenêtre

mettre (≠ enlever son chapeau)

Et aussi :
- *Il est obligatoire de venir. = Il faut venir.*
- c'est poli : *Dire « merci », c'est poli.* ≠ c'est impoli : *C'est impoli d'arriver très en retard.*
- un lieu public (la poste, un hôpital, un parc)
- allumer (*ON*) ≠ éteindre (*OFF*) un portable, une cigarette

4 Interrogez-vous à partir des images.

Exemple :
A : – Est-ce qu'il a le droit de fumer ici ?
B : – Non, c'est interdit. Il est dans un hôpital. S'il veut fumer, il doit sortir.

À VOUS DE JOUER

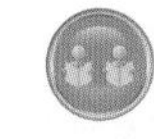

5 Imaginez un dialogue et jouez-le.

ÉCHAUFFEMENT

6 (1) Écoutez l'enregistrement et indiquez l'intonation comme dans l'exemple. (2) Vérifiez avec votre voisin. (3) Lisez les phrases à voix haute.

L' intonation

Exemple : C'est obligatoire ↗ de faire / ses devoirs ? ↗
sɛtɔbligatwaʀ dəfɛʀ sedəvwaʀ

1. C'est interdit de fumer ici ?
   sɛtɛ̃tɛʀdi dəfyme isi
2. On a le droit de téléphoner dans le train ?
   ɔ̃nalədʀwa dətelefɔne dɑ̃ltʀɛ̃
3. C'est possible de faire de la moto sans casque ?
   sɛpɔsibl dəfɛʀdəlamɔto sɑ̃kask
4. C'est impossible de boire et de manger dans la bibliothèque ?
   sɛtɛ̃pɔsibl dəbwaʀedəmɑ̃ʒe dɑ̃labiblijɔtɛk
5. Il est obligatoire d'offrir des chocolats quand on est invité ?
   ilɛtɔbligatwaʀ dɔfʀiʀdeʃɔkɔla kɑ̃tɔ̃nɛtɛ̃vite

LECTURE

7 Observez, puis lisez à voix haute.

LE SAVOIR-VIVRE EN FRANCE — **Les dossiers du Français à travers le Monde n° 399**

es règles de politesse ne sont pas partout les mêmes. Savez-vous ce qu'on oit faire et ce qu'on ne doit pas faire en général pour les Français ?

estez vos connaissances avec notre quizz !

		Vrai	Faux
1.	C'est interdit de s'embrasser dans la rue.	❒	❒
2.	Il n'est pas interdit de traverser la rue quand le feu est rouge pour les piétons.	❒	❒
3.	On n'a pas le droit de manger dans les transports en commun.	❒	❒
4.	Il est obligatoire de tenir la porte pour la personne derrière quand on entre ou quand on sort d'un endroit.	❒	❒
5.	Ce n'est pas possible de fumer dans la rue.	❒	❒
6.	C'est possible d'être en retard d'un quart d'heure.	❒	❒
7.	C'est obligatoire d'enlever ses chaussures pour entrer dans un appartement.	❒	❒
8.	Il est obligatoire d'offrir un bouquet de fleurs quand on est invité.	❒	❒
9.	Il est interdit de manger avec ses doigts.	❒	❒
10	C'est obligatoire de mettre la main devant sa bouche pour tousser.	❒	❒
11.	À table, à la maison ou au restaurant, on ne parle pas la bouche pleine.	❒	❒
12.	Quand on discute, on a le droit de ne pas être d'accord avec les autres.	❒	❒

Réponses : 1. Faux. Les petits bisous ne choquent pas. – **2. Faux.** Si, c'est inte mais beaucoup de Français traversent au feu rouge. – **3. Faux.** Dans le bus et le mé c'est très impoli, mais dans le train, c'est possible. – **4. Faux.** C'est gentil, mais ce n pas obligatoire. – **5. Faux.** Mais cela peut gêner vos voisins. – **6. Vrai et faux.** Pour Français, quelques minutes de retard, ce n'est pas grave entre amis, mais au trava faut être à l'heure. – **7. Faux.** Mais, c'est selon les gens. – **8. Faux.** Ce n'est pas obli mais c'est toujours très apprécié. – **9. Faux.** À table, c'est impoli mais c'est normal po manger un sandwich. – **10. Vrai.** C'est une règle pour la santé de tous. – **11. Vrai.** C une règle de politesse, mais tous les Français ne le font pas. – **12. Vrai.** Et c'est vraim très important pour les Français.

8 Lisez le document de l'activité 7 et testez vos connaissances comme dans l'exemple.

Exemple :
A : – À ton avis, la 1re proposition, c'est vrai ?
B : – Non, je pense que c'est faux.
A : – Oui, c'est ça ! Les petits bisous ne choquent pas les Français. C'est romantique !

9 Lisez le document de l'activité 7, puis interrogez-vous à tour de rôle.

Exemple :
A : – Qu'est-ce qu'on n'a pas le droit de faire en France ?
B : – Eh bien, normalement, on n'a pas le droit de traverser la rue quand le feu est rouge pour les piétons.

1. Qu'est-ce qui n'est pas obligatoire, mais qui fait toujours plaisir ?
2. Qu'est-ce qui est impoli en France au restaurant et à la maison ?
3. Qu'est-ce qu'on n'a pas le droit de faire mais que les Français font souvent ?
4. Qu'est-ce qu'il est possible de faire quand on a rendez-vous ?
5. Qu'est-ce qui n'est pas impoli quand on discute ?

PRATIQUE DE LA LANGUE

10 Interrogez-vous à tour de rôle comme dans l'exemple.

Exemple :
A : – Et toi, dans ton pays, c'est possible de fumer dans les restaurants ?
B : – Non, dans les restaurants c'est interdit, par contre, il est possible de fumer dans la rue.

arriver en retard
entrer avec ses chaussures
manger dans les transports
fumer
appeler un taxi dans la rue
s'embrasser dans la rue

ÉCHAUFFEMENT

11 Lisez le texte avec vos voisins, recopiez puis comparez.

Vous êtes Européen ? Alors vous avez le droit de voyager en France et dans toute l'Europe sans passeport, mais prenez votre carte d'identité, c'est mieux ! Vous n'êtes pas Européen ? Dans ce cas, il est obligatoire d'avoir votre passeport.

GRAMMAIRE

12 Interrogez-vous et utilisez « obligatoire », « possible », « impossible » et « interdit » comme dans l'exemple. Écrivez vos échanges.

Exemple : A : – Est-ce qu'il est obligatoire de porter un casque ?
B : – Oui, c'est obligatoire.

LA TRAVERSÉE
PASSAGE

RÈGLE 29

Le pronom « ce » (« c' ») pour remplacer une phrase

- Pour informer sur l'obligation, la possibilité ou l'interdiction, on utilise les expressions suivantes :
  - ***Il est obligatoire d'****avoir une réservation.*
  - ***Il est impossible de*** *dormir calmement.*
  - ***Il est interdit de*** *téléphoner et de conduire en même temps.* AT THE SAME TIME
- Pour répondre à une demande, on utilise « c'est… » ou « ce n'est pas ».
  → « Ce » ou « c' » remplace le verbe ou la phrase :
  - *Il est possible de* ***téléphoner*** *? → Non,* ***c'****est impossible. (= Non,* ***téléphoner*** *est impossible.)*
  - *Il est interdit de* ***fumer ici*** *? → Oui,* ***c'****est interdit. (= Oui,* ***fumer ici*** *est interdit.)*

⚠ À l'oral, pour faire une demande, on peut utiliser « ce » ou « c' » à la place des expressions données :
- *C'est possible de vous parler ?*

13 Interrogez-vous comme dans l'exemple, puis écrivez vos réponses.

Exemple :
A : – Est-ce que les gens peuvent faire du skate-board ici ?
B : – Non, cette fille continue à faire du skate-board, mais elle n'a pas le droit !

RÈGLE 30

L'infinitif après les prépositions

- Après une préposition (« à », « de », « pour », …), le verbe est à l'**infinitif**.
  - *On a le droit* ***de*** *télépho****ner*** *ici ?*
  - *Il continue* ***à*** *fum****er****.*
  - *Pourquoi vous ne sortez pas* ***pour*** *appel****er*** *?*

IL CONTINUE À LE FAIRE !

DICTÉE

14 Écoutez et écrivez, puis comparez avec vos voisins.

ÉCRITURE

15 (1) Listez les obligations et les interdictions de la classe. (2) Rassemblez les réponses. (3) Rédigez votre règlement de la classe.

Obligations	Interdictions
Il est obligatoire de…	On ne doit pas…
On doit…	Il n'est pas possible de…
Il faut…	Il est interdit de…

ÉCHAUFFEMENT

16 Écoutez et répétez en imitant l'intonation.

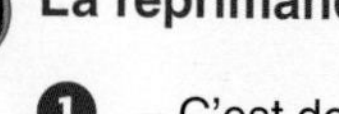

La réprimande

1. – C'est de ta faute ! À cause de toi, notre client est parti !
2. – Mais ??? Ça va pas ? Qu'est-ce que tu fais, là ?
3. – Marc ? Marc !? Tu peux arrêter ça, s'il te plaît ?
4. – Tu es incroyable. Et la pollution sonore, tu ne connais pas, je suppose ?

COMPRÉHENSION

17 Regardez la vidéo et répondez.

5

Chez le concessionnaire Partie 2 – Ça te dérange ?

1. Complétez le document, puis interrogez votre voisin pour vérifier vos réponses.

Sujet de discussion	Expression de l'interdiction	Raison donnée
Les voitures qui polluent	*Non à la pollution par les voitures !*	*Il y a vraiment trop de voitures qui ne respectent pas la nature.*
Fumer au bureau	....	....
Écouter de la musique au bureau	....	....
Prendre un café	....	....

Exemple :
A : – Stéphanie n'aime pas les voitures qui polluent ; elle dit : « Non à la pollution par les voitures ! »
B : – Oui, c'est parce qu'il y a vraiment trop de voitures qui ne respectent pas la nature.

2. Répondez et justifiez.

1. Pourquoi est-ce que Marc est en colère au début ?
2. Pourquoi est-ce que Marc pense qu'il peut fumer ?
3. Pourquoi est-ce que Stéphanie ne peut pas travailler tranquillement ?
4. Pour Stéphanie, qu'est-ce qui n'est pas normal ?

18 Regardez. Qu'est-ce qu'ils disent ?

5

Exemple : Stéphanie accepte ce que dit Marc, mais le regrette.
→ Elle dit : « Oui, je sais, je sais… Hélas... »

1. Stéphanie trouve que ce que fait Marc est très bizarre.
2. Marc trouve que ce n'est pas grave et dit à Stéphanie de se calmer.
3. Marc demande à Stéphanie pourquoi ça la gêne qu'il chante.
4. Stéphanie trouve que la question de Marc est bizarre.

À VOUS DE JOUER

19 Imitez, puis utilisez entre vous.

5a-b

Exprimer l'obligation, l'interdit

1. A : – Mais ??? Ça va pas ? Qu'est-ce que tu fais, là ?
B : – Oh, écoute ! Ça ne sent rien ! C'est une cigarette électronique !
A : – Et alors ? On n'a pas le droit de fumer au bureau, tu sais bien. En plus, on ne sait pas, ton truc, là, c'est peut-être très mauvais pour la santé.

2. A : – C'est interdit de chanter ?
B : – Ben, au bureau, je crois que oui, c'est interdit, Marc.
A : – Ah oui ? On n'a pas le droit ? Pourquoi ?
B : – Comment ça pourquoi ? Tu trouves ça normal de chanter au travail, à côté de ses collègues ?

20 En situation.

Vous échangez votre appartement avec une autre personne pour les vacances. Vous discutez des obligations et des interdictions dans votre logement, dans votre quartier et dans votre ville.

Utilisez : ***sortir les poubelles – faire du bruit – faire un barbecue – mettre du linge à la fenêtre – laisser le vélo devant la porte – avoir un animal domestique – arroser les plantes – fermer les fenêtres quand il pleut – enlever ses chaussures.***

ÉCHANGES

Aidez-vous des pages annexes : conjugaison et lexique.

1 Utilisez les expressions ci-dessous et écrivez un commentaire, comme dans l'exemple.

« On n'a pas le droit de… », « Il est impossible de… », « Il est obligatoire de… », « Il est impoli de… », « Il est interdit de... ».

Exemple :  → Il est interdit de téléphoner.

1. → ……………………………………………………………

2. 

→ ……………………………………………………………

3. 

→ ……………………………………………

4.  → ……………………………………………………………

5.  → ……………………………………………………

2 Faites comme dans l'exemple.

Exemple : Je dois absolument appeler quelqu'un.
→ Ça vous dérange si je téléphone ?

1. J'ai trop chaud… La fenêtre est fermée…
→ ……………………………………………………………………

2. J'ai faim… Heureusement, j'ai pris un sandwich dans mon sac…
→ ……………………………………………………………………

3. J'ai trop froid… Et le chauffage est éteint…
→ ……………………………………………………………………

4. J'ai soif… Heureusement, j'ai pris un jus d'orange dans mon sac…
→ ……………………………………………………………………

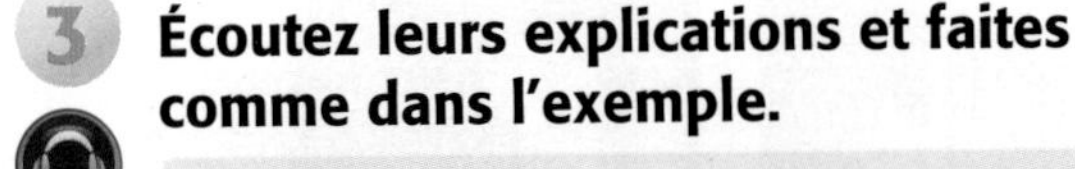

3 Écoutez leurs explications et faites comme dans l'exemple.

Exemple : On n'a pas le droit de venir en classe avec son chien.

1. → ……………………………………………………………
2. → ……………………………………………………………
3. → ……………………………………………………………
4. → ……………………………………………………………

LECTURE

4 Lisez ce document et répondez aux questions.

CONSIGNES DE SÉCURITÉ

Pendant le décollage et l'atterrissage
- Les appareils électroniques doivent être éteints.
- Il faut redresser le dossier de son siège.
- Les volets des fenêtres doivent être relevés mais peuvent être baissés ensuite.
- Les tablettes doivent être rangées.
- Attachez votre ceinture de sécurité.
- Rangez vos sacs dans les coffres ou bien sous le siège devant vous.

Pendant tout le vol
- Les téléphones portables peuvent être allumés mais doivent être en mode « Avion » ou « Hors ligne ».
- Vous pouvez utiliser votre ordinateur ou autres appareils électroniques.
- Il est interdit de fumer, y compris dans les toilettes.
- Il est conseillé de garder sa ceinture attachée.

En cas d'évacuation
- Allez vers l'issue de secours la plus proche.
- N'emportez pas d'affaires personnelles avec vous.
- Enlevez vos chaussures à talons (pour les femmes).
- Défaites votre nœud de cravate (pour les hommes).

1. Pendant le vol, est-ce qu'on peut baisser le volet ?
→ ……………………………………………………………………

2. Est-ce qu'il faut garder sa ceinture attachée tout le temps ?
→ ……………………………………………………………………

3. Est-ce qu'on peut allumer son téléphone portable ?
→ ……………………………………………………………………

4. Où est-ce qu'on peut fumer dans un avion ?
→ ……………………………………………………………………

5. S'il y a une évacuation, on doit retirer quel(s) vêtement(s) ?
→ ……………………………………………………………………

6. Où faut-il ranger les sacs pendant l'atterrissage ?
→ ……………………………………………………………………

ÉCRITURE

5 Écoutez et écrivez.

……………………………………………………………………………

……………………………………………………………………………

……………………………………………………………………………

……………………………………………………………………………

……………………………………………………………………………

……………………………………………………………………………

……………………………………………………………………………

6 Sur le modèle de l'exercice 4, rédigez les consignes pour un lieu que vous connaissez (transport, lieu public…).

………………………………………………

⚠ ……………………………………………………
- ……………………………………………………
- ……………………………………………………
- ……………………………………………………
- ……………………………………………………
- ……………………………………………………
- ……………………………………………………

⚠ ……………………………………………………
- ……………………………………………………
- ……………………………………………………
- ……………………………………………………
- ……………………………………………………
- ……………………………………………………
- ……………………………………………………

⚠ ……………………………………………………
- ……………………………………………………
- ……………………………………………………
- ……………………………………………………
- ……………………………………………………
- ……………………………………………………

DISCUSSION

7 Écoutez et cochez ce que vous entendez.

1.	❒ si je m'assois	☑ si j' m'assois
2.	❒ si je téléphone	❒ si j' téléphone
3.	❒ vous venez	❒ vous v'nez
4.	❒ dans le couloir	❒ dans l' couloir
5.	❒ on n'a pas le droit	❒ on n'a pas l' droit
6.	❒ vous savez que nous sommes	❒ vous savez qu' nous sommes

8 Écoutez et répondez aux questions.

1. Complétez le tableau.

Demande ou attitude du garçon	Réaction, réponse de la fille
Il demande pour s'asseoir à côté de la fille.	………………………………………
Il demande si elle vient souvent à la bibliothèque.	Elle répond : ………………………
Il lui demande comment elle s'appelle.	Elle lui explique qu'………………………
Il demande si c'est vraiment interdit.	Elle lui rappelle que……………………… ………………………………………
Il parle avec sa mère au téléphone.	Elle lui demande d'……………………… Elle lui rappelle qu'……………………… ……………………………………… Elle lui dit qu'……………………… ……………………………………… Elle ajoute qu'……………………… ………………………………………
Il lui demande s'il peut manger un sandwich.	Elle lui dit que ……………………… Elle lui demande ……………………… ………………………………………

2. Que dit la médiathécaire ?

→ ……………………………………………………

→ ……………………………………………………

→ ……………………………………………………

3. Pourquoi est-ce que la fille dit que ce n'est pas juste ?

→ ……………………………………………………

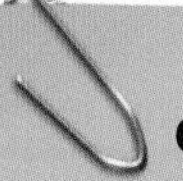

Comment dit-on dans votre langue ?

« Mais c'est in-croy-able ! » :

……………………………………………………

« Rrrr, c'est vraiment pas juste ! » :

……………………………………………………

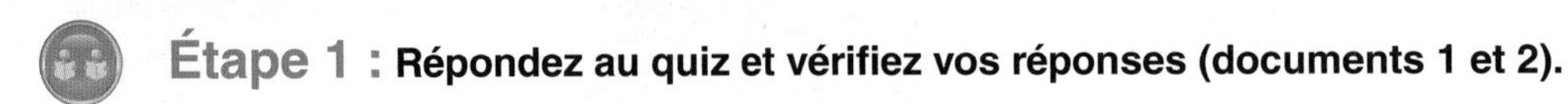

Réalisons le « quiz du citoyen du monde »

Étape 1 : Répondez au quiz et vérifiez vos réponses (documents 1 et 2).

Étape 2 : Préparez votre quiz sur les bonnes manières et les interdits (dans votre pays ou dans d'autres pays) à l'aide du document 3.

Étape 3 : Proposez vos quiz à la classe.

Étape 4 : Rassemblez vos quiz.

Document 1

Le blog de France Normandie

>> Travaux de classe > Quiz

Quiz sur les interdits et les bonnes manières

Êtes-vous un citoyen du monde ?

1. Dans quel pays d'Europe est-ce qu'il est interdit de laver sa voiture le dimanche ?
a. ❒ En Italie.
b. ❒ En Suède.
c. ❒ En Suisse.

2. En Russie, quand un couple marche dans la rue, qui doit porter le parapluie ?
a. ❒ La femme.
b. ❒ L'homme.
c. ❒ L'homme et la femme en même temps.

3. Qu'est-ce qu'on ne peut pas faire dans le centre-ville de Rome ?
a. ❒ Il est interdit de manger des sandwichs.
b. ❒ Il est interdit de se prendre en photos devant les monuments.
c. ❒ Il est interdit de s'embrasser.

4. Comment doit-on manger les soupes de nouilles au Japon et en Chine ?
a. ❒ Avec une cuillère et une fourchette, comme des spaghettis.
b. ❒ Avec des baguettes et une cuillère et on doit faire du bruit en mangeant.
c. ❒ Avec des baguettes et sans faire de bruit.

5. Aux États-Unis, qu'est-ce qu'on fait à table quand on ne mange pas ?
a. ❒ On met les mains sur les genoux.
b. ❒ On met les coudes sur la table.
c. ❒ On met les mains sur la table.

Document 2

Réponses du quiz sur les interdits et les bonnes manières
1. c. En Suisse. **2. b.** L'homme. **3. a.** Il est interdit de manger des sandwichs.
4. b. Avec des baguettes et une cuillère et on doit faire du bruit en mangeant.
5. a. On met les mains sur les genoux.

Document 3

Quiz sur ....
Équipe : ....

1. .... ?
a. ❒ ....
b. ❒ ....
c. ❒ ....

2. .... ?
a. ❒ ....
b. ❒ ....
c. ❒ ....

3. .... ?
a. ❒ ....
b. ❒ ....
c. ❒ ....

4. .... ?
a. ❒ ....
b. ❒ ....
c. ❒ ....

5. .... ?
a. ❒ ....
b. ❒ ....
c. ❒ ....

Unité 6
RÉCITS
LEÇON 16 – SOUVENIRS
LEÇON 17 – BIOGRAPHIE
LEÇON 18 – FAITS DIVERS
PROJET – DE GRANDS FRANCOPHONES

ÉCHAUFFEMENT

1 Écoutez et répétez.

Quand j'étais jeune…

ÉCHANGES

2 Écoutez et imitez.

Est-ce que tu étais sportif quand tu étais plus jeune ?
Oui, au lycée, j'étais dans une équipe de football. On jouait deux fois par semaine et quelquefois, il y avait des matchs.
Et maintenant, tu fais encore du football ?
Non, j'ai arrêté. Je n'ai plus le temps à cause de mon travail.

3 Interrogez-vous en utilisant le vocabulaire que vous connaissez et le vocabulaire ci-dessous.

Variez votre interrogation avec : étudier sérieusement – faire partie d'un club – sortir en boîte de nuit

▶ Les activités étudiantes
- faire partie d'un club = être dans un club
- être sportif : *je suis sportif = je fais du sport*
- une équipe (de football, de rugby…)
- un match (de football, de tennis…)
- étudier sérieusement = bien étudier
- une matière scolaire (l'histoire, les mathématiques)

4 Interrogez-vous à partir des images.

Exemple :
A : – Quand il était au lycée, il faisait partie d'un club de football.
B : – Oui, mais maintenant, il n'a plus le temps de faire du football à cause de son travail / parce qu'il a trop de travail.

À VOUS DE JOUER

5 Imaginez un dialogue et jouez-le.

ÉCHAUFFEMENT

6 (1) Comme dans la première phrase, notez les syllabes accentuées, les liaisons et barrez les finales muettes. (2) Écoutez l'enregistrement et vérifiez avec votre voisin. (3) Lisez le texte à voix haute.

Lecture de texte

Quand j'étais étudiant, // j'étais / très sportif. // Je jouais au foot / dans un club / et on avait souvent / des matchs / le dimanche. J'avais beaucoup d'amis, // on allait dans les cafés, on jouait aux cartes, aux échecs. Ah ! C'était le bon temps...

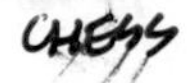

LECTURE

7 Observez, puis lisez à voix haute.

NOTRE RETRAITE, LA REVUE DES SENIORS

DOSSIER : Est-ce qu'il fait bon vivre au XXIe siècle ?

On entend souvent la phrase « c'était mieux avant... ». Mais était-ce vraiment mieux ? Les avis sont très partagés. Nos journalistes ont enquêté.

Pierre Gaillard (ancien architecte)

Quand j'étais jeune, les personnes âgées étaient toujours malades, fatiguées... alors que maintenant, avec la médecine moderne, on est en forme beaucoup plus longtemps ! Moi, par exemple, j'ai 72 ans et je fais partie d'un club de rugby. Et depuis qu'on m'a opéré des yeux, je ne porte plus de lunettes... Non, vraiment, notre époque est formidable !

Adeline Giraud (ancienne fleuriste)

J'ai toujours voulu étudier sérieusement l'histoire de l'art, mais j'ai commencé à travailler très jeune, à 18 ans, et après j'ai eu trois enfants. Quand ils étaient à la maison, ce n'était pas possible de reprendre des études. Mais maintenant, avec les nouvelles technologies, on peut étudier toutes les matières à distance, quand on veut, selon son emploi du temps. Oui, je pense que c'est mieux aujourd'hui pour les jeunes.

Jean-Jacques Deschamps (ancien pharmacien)

Aujourd'hui ? Avec le réchauffement climatique, il n'y a plus de saisons ! À cause du téléphone portable, les gens ne se voient plus. À cause des jeux vidéo, les adolescents ne lisent plus... Et tout est devenu trop cher pour les gens : les restaurants, les cafés, etc. Pour moi, c'est sûr : on faisait plus de choses, il y avait plus de liberté et la vie était plus agréable quand j'étais jeune.

8 Lisez le document de l'activité 7, puis interrogez-vous à tour de rôle.

Exemple :
A : – C'est un article de quelle revue ?
B : – C'est un article de la revue *Notre Retraite*.

1. C'est une revue pour qui ?
2. Quel est le titre du dossier ?
3. Qu'est-ce que les journalistes ont posé comme question aux trois personnes ? Qu'est-ce qu'ils veulent comparer ?
4. Qui sont les personnes qui ont répondu aux journalistes ? Qu'est-ce qu'elles faisaient dans la vie ?
5. À votre avis, les trois personnes ont-elles le même avis ?

9 Lisez le document de l'activité 7, puis interrogez-vous à tour de rôle.

Exemple :
A : – Quand Pierre était jeune, qu'est-ce que les personnes âgées ne faisaient pas et qu'elles font maintenant ? Pourquoi ?
B : – Quand il était jeune, elles ne faisaient pas de sport, mais maintenant c'est possible, parce qu'on est en forme beaucoup plus longtemps.

1. Qu'est-ce qu'Adeline voulait faire quand elle était jeune ? Pourquoi elle ne pouvait pas ?
2. Selon elle, qu'est-ce qui a changé avec Internet ?
3. Pourquoi, selon Jean-Jacques, rien ne va plus aujourd'hui ?
4. Pour lui, c'était comment quand il était jeune ?
5. Pour Pierre et Adeline, comment est l'époque actuelle ? Pourquoi ?

PRATIQUE DE LA LANGUE

10 Interrogez-vous comme dans l'exemple, puis écrivez vos réponses.

Exemple :
A : – Qu'est-ce que vos grands-parents faisaient quand ils étaient jeunes ?
B : – Mon grand-père a commencé à travailler très jeune, et pour ma grand-mère, je ne sais pas.

vos grands-parents | votre grand-père | votre grand-mère | votre père | votre mère

ÉCHAUFFEMENT

11 Lisez le texte avec vos voisins, recopiez puis comparez.

Quand j'étais jeune, avoir un baccalauréat, c'était formidable. Jusque dans les années 1960, beaucoup de garçons arrêtaient l'école à 14 ans et ils commençaient à travailler. Les femmes, en général, n'allaient pas à la fac et elles se mariaient plus tôt. Aujourd'hui, c'est plus facile pour tout le monde de faire des études et de choisir son métier.

GRAMMAIRE

12 Interrogez-vous comme dans l'exemple, puis écrivez vos échanges.

Exemple : (vous / je) faire quoi comme sport / être au lycée ?
A : – Vous faisiez quoi comme sport, quand vous étiez au lycée ?
B : – Je faisais du handball et de la course.

1. (tu) vouloir faire quoi plus tard / être petit(e) ?
2. (vous / je) jouer à quoi / être enfant ?
3. (tu) prendre le bus ou le train / aller au collège ?
4. (vous / je) sortir souvent le soir / avoir 18 ans ?
5. (tu) préférer lire des BD ou des romans / être adolescent ?

RÈGLE 31
Exprimer l'habitude passée avec l'imparfait

- **Formation :** il faut prendre le radical du verbe conjugué avec « nous ».
  - nous **parl**ons → parl~, nous **finiss**ons → finiss~, nous **pren**ons → pren~
- **Terminaisons : ~ais, ~ais, ~ait, ~ions, ~iez, ~aient.**
- **Conjugaisons :**
  - **Parler** : je parl**ais**, tu parl**ais**, il / elle / on parl**ait**, nous parl**ions**, vous parl**iez**, ils / elles parl**aient**
  - **Prendre** : je pren**ais**, tu pren**ais**, il / elle / on pren**ait**, nous pren**ions**, vous pren**iez**, ils / elles pren**aient**
- **Emploi :** on utilise l'imparfait pour exprimer une habitude passée.

PASSÉ [habitude passée] PRÉSENT FUTUR

  - *Je **faisais** du football deux fois par semaine.*
  - *Quand j'étais au lycée, j'**allais** à la bibliothèque tous les jours.*

13 Interrogez-vous comme dans l'exemple, puis écrivez vos échanges.

Exemple : (il) faire encore du sport ? → ne pas avoir le temps
A : – Il fait encore du sport ?
B : – Non, il ne fait plus de sport. Il n'a plus le temps.

1. (vous / je) faire encore la cuisine tous les soirs ? → rentrer trop tard
2. (ils) sortir toujours le samedi soir ? → avoir des enfants
3. (vous / nous) habiter toujours à Colmar ? → déménager à Paris
4. (elle) faire encore de la moto ? → avoir accident
5. (Patrick et Julie) se voir toujours ? → se disputer

RÈGLE 32

« Encore » / « toujours » ≠ « ne… plus… »

- Pour demander si on n'a pas arrêté une action, on utilise « encore » (ou « toujours ») :
  - *Tu fais **encore** du football ? (ou Tu fais **toujours** du football ?)*
- Si on a arrêté, si une action est finie, on utilise la négation « ne… plus… » :
  - *Non, je **ne** fais **plus** de football. J'ai arrêté.*
- On peut utiliser « ne… plus… » pour montrer un changement d'habitude :
  - *Avant, je faisais du jogging et du tennis. Maintenant je **ne** fais **plus** de sport.*

DICTÉE

14 Écoutez et écrivez, puis comparez avec vos voisins.

Qu'est-ce qui a changé dans votre vie ?

....
....
....
....

ÉCRITURE

15 (1) Interrogez vos voisins sur ce qui était mieux avant et ce qui est mieux maintenant. (2) Remplissez le tableau. (3) Écrivez un texte qui présente vos opinions.

Pour qui ?	Ce qui était mieux avant (raison si possible)	Ce qui est mieux maintenant (raison si possible)
Pour Océane	Les maisons dans le sud de la France coûtaient moins cher. Aujourd'hui c'est plus cher parce qu'il y a trop de touristes.	Les voitures sont plus rapides qu'avant. On est meilleurs en technologie.
....	....	....

ÉCHAUFFEMENT

16 Écoutez et répétez en imitant l'intonation.

La surprise

1. – Da-vid ? Je suis surpris ! Je ne savais pas que tu étais sportif !
2. – J'ai fini deu-xième de la région.
   – Pas mal !
3. – Ah oui ? Toi aussi, tu as fait du sport quand tu étais au lycée ?
4. – Tiens ? C'est amusant !

HEY ? That's funny!

COMPRÉHENSION

17 Regardez la vidéo et répondez.

6

Déjeuner de famille
Partie 1 – Tu avais quel âge sur la photo ?

1. Complétez le document, puis interrogez votre voisin pour vérifier vos réponses.

	Sur la 1re photo	Sur la 2e photo
Âge	....	....
Établissement d'études	....	....
Sport pratiqué	....	....
Raisons de l'arrêt du sport	....	....

Exemple :
A : – David avait quel âge sur la première photo ?
B : – Il...

2. Répondez et justifiez.
1. Qui sont David, Delphine et Mickaël ?
2. Est-ce que David aime le sport ?
3. Qu'est-ce que Delphine dit pour plaisanter ?
4. Qui est en réalité Mickaël, le copain de Delphine ?

18 Regardez. Qu'est-ce qu'ils disent ?

6

Exemple : Delphine présente David à Mickaël.
→ Elle dit : « Mickaël, tu connais maintenant David, mon frère. »

1. Mickaël est surpris parce que David a fait beaucoup de sport.
2. David demande à Delphine de ne pas se moquer de lui.
3. Mickaël félicite David pour ses succès en natation.
4. David est surpris de voir que Mickaël a fait du judo.

À VOUS DE JOUER

19 Imitez, puis utilisez entre vous.

6a-b

Expliquer la cause et exprimer sa sympathie

1. A : – Le problème, c'est qu'à cause du rugby, je n'avais plus le temps d'étudier. Imagine : on jouait deux fois par semaine, même quand il pleuvait !
   B : – Oui, c'est vrai, ce n'est pas facile.
2. A : – Et tu pratiques encore la natation ?
   B : – Non, j'ai arrêté à cause de mon coach. Il n'était pas très drôle. On n'avait jamais le droit de s'amuser. Tu sais, quand on est un champion, on ne sort pas en boîte le samedi soir, surtout si on a une compétition le dimanche matin.
   A : – Ça, c'est vrai. Je te comprends...

20 En situation.

(1) Un(e) ami(e) regarde vos photos et vous pose des questions (quand, où, votre âge...). Expliquez ce que vous faisiez comme activités. Dites si vous avez arrêté cette activité ou si vous la faites encore. Si vous avez arrêté, expliquez pourquoi.
(2) Complétez le tableau à propos de votre ami(e).

Avant	Aujourd'hui
....	....
....	....
....	....

ÉCHANGES

Aidez-vous des pages annexes : conjugaison et lexique.

1 Faites comme dans l'exemple.

Exemple : Je ne fais plus de football. Je n'ai pas le temps.
→ Quand j'avais le temps, je faisais du football.

1. Je ne fais plus de tennis. Je n'aime plus faire du sport.
→ ....
2. Je ne fais plus partie d'une équipe de rugby. Je ne suis plus rapide.
→ ....
3. Je ne vais plus au cinéma. J'ai une télévision 3D.
→ ....
4. Je ne sors plus en boîte le samedi soir. Je vais à la piscine le dimanche matin.
→ ....

Faites comme dans l'exemple.

Exemple : Aller à la mer (l'année passée, ne… pas) / (avant, souvent)
→ L'année passée, je ne suis pas allé(e) à la mer.
Avant, j'allais souvent à la mer.

1. Aller au cinéma (samedi passé) / (avant, ne… jamais)
→ ....
2. Faire du jogging (dimanche matin) / (avant, faire de la natation)
→ ....
3. Voir des amis (samedi soir) / (avant, rester à la maison)
→ ....
4. Faire partie d'un club de tennis (aujourd'hui) / (avant, ne pas être sportif / sportive)
→ ....

3 Écoutez leurs explications et faites comme dans l'exemple.

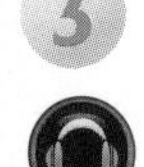

Exemple : Elle faisait de la gymnastique.

1. → ....
2. → ....
3. → ....
4. → ....

LECTURE

Lisez et complétez le tableau.

DÉBAT
Pour ou contre les nouvelles technologies ?

Adeline, 45 ans
« Avant, quand on n'avait pas de téléphone mobile, quand on partait de la maison, on ne pouvait plus nous téléphoner. On était plus tranquille ! C'est pareil pour le courrier. Maintenant, avec les e-mails, le patron nous attrape dans le métro ou à la maison. Et dans la boîte aux lettres, il y a surtout des publicités ou des factures. Moi, j'aimais bien recevoir des cartes postales de mes amis en vacances. C'était plus sympa que Facebook. »

José, 52 ans
« Je me souviens, quand j'étais jeune, parfois, on ratait un rendez-vous parce qu'on se trompait de quelques mètres, ou parce qu'on était un peu en retard à cause du métro ! Aujourd'hui, avec les téléphones portables, on peut s'appeler ou s'envoyer un petit SMS et on ne rate plus de rendez-vous important ! En plus, sur mon smartphone, j'ai un GPS, alors je ne me perds plus ! C'est pratique, parce que moi, je ne sais jamais où est ma gauche et ma droite. »

	Avantages	Inconvénients
Avant	• *On était plus tranquille.* • PLUS SYMPA QUE FACE-BOOK	• LE PATRON NOUS ATTRAP[E] DANS LE METRO/MAIS[O]N ....
Maintenant	• GPS SUR SMARTPHONE ON PEUT APPELER • OU ENVOYER UN SMS	• NE PAS RECEVOIR DES CARTES POSTALES • DES AMIS EN VACANCES ....

ÉCRITURE

5 **Écoutez et écrivez.**

....

....

....

....

....

....

....

6 **Sur le modèle de l'exercice 4, écrivez les avantages et les inconvénients des nouvelles technologies.**

Avantages

....

....

....

....

Inconvénients

....

....

....

....

DISCUSSION

7 **Écoutez et cochez ce que vous entendez.**

1.	☑ j'sais bien	☐ je sais bien
2.	☐ j'suis pas sûr	☐ je ne suis pas sûr
3.	☐ j'crois	☐ je crois
4.	☐ j'marchais	☐ je marchais
5.	☐ j'ne savais pas	☐ je ne savais pas
6.	☐ je n' me souviens plus	☐ je ne me souviens plus

8 **Écoutez et répondez aux questions (attention, il faut parfois adapter les réponses).**

1. Où sont Thomas et son grand-père ?

→ ....

2. Pourquoi est-ce que le grand-père refuse de prendre un taxi ?

→ ....

3. Où est-ce qu'il habitait quand il était petit ?

→ ....

4. Comment est-ce qu'il faisait pour aller à l'école ?

→ ....

5. Pourquoi est-ce qu'il n'avait pas de vélo ?

→ ....

....

6. Pourquoi est-ce qu'il a arrêté de courir le marathon ?

→ ....

....

7. Qu'est-ce qui s'est passé à la même époque ?

→ ....

....

8. Pourquoi est-ce que le grand-père apprécie le téléphone intelligent ?

→ ....

....

Comment dit-on dans votre langue ?

« Non. Pas besoin. » :

....

« À cause de Mamie ? » :

....

ÉCHAUFFEMENT

1 Écoutez et répétez.

J'ai habité en Bretagne…

ÉCHANGES

2 Écoutez et imitez.

Je ne t'ai jamais vue. Tu es dans la région depuis longtemps ?
Non, pas vraiment. J'ai d'abord habité en Bretagne pendant 10 ans puis j'ai déménagé à Dijon pour le travail en novembre dernier. Et toi ?
Moi, j'habite ici depuis toujours. Mais j'ai étudié 4 ans à Bruxelles !

3 Interrogez-vous en utilisant le vocabulaire que vous connaissez et le vocabulaire ci-dessous.

COURSE

▶ **Le parcours de vie**

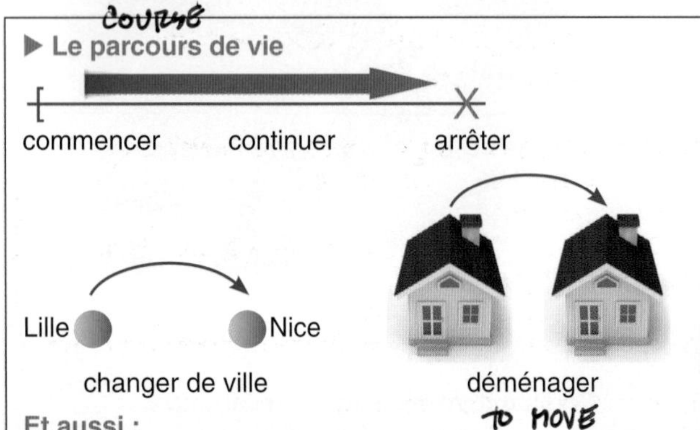

TO MOVE

Et aussi :
- quitter une région = partir de la région
- en province ≠ dans la capitale (ex : à Paris)
- se marier ≠ divorcer, se séparer
- le chômage UNEMPLOYMENT
- être au chômage ≠ avoir du travail
- être chômeur = ne pas avoir de travail

▶ **Expliquer pourquoi, donner la raison**

pour le climat

à cause du climat

à cause de l'humidité
parce qu'il faisait gris
(= le temps était gris)

à cause du brouillard FOG

Et aussi :
- **à cause de** la crise = parce qu'il y avait la crise
- **pour** chercher un emploi
- **parce que** j'étais mal payé (je ne gagnais pas beaucoup d'argent)

4 Interrogez-vous à partir des images.

Exemple :
A : – Il a habité en Bretagne pendant 10 ans.
B : – Oui, et puis, en novembre, il a déménagé à Dijon pour le travail.

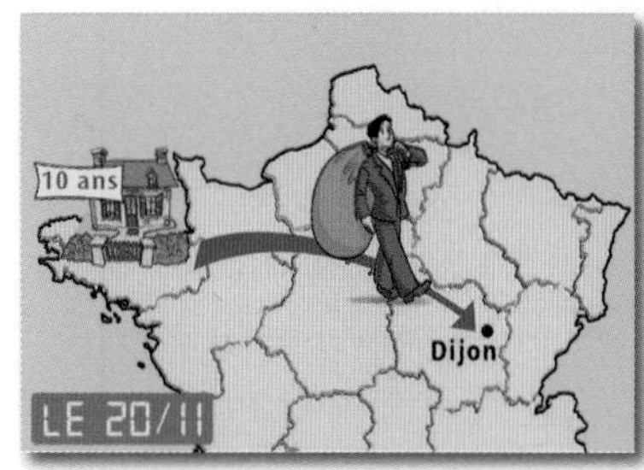

À VOUS DE JOUER

5 Imaginez un dialogue et jouez-le.

ÉCHAUFFEMENT

6 (1) Faites le découpage, notez les liaisons et les enchaînements. (2) Écoutez l'enregistrement et vérifiez avec votre voisin. (3) Lisez les phrases rapidement.

Le rythme des phrases longues

Exemple : Je me suis installée / dans un petit village.

1. Je me suis installée dans un petit village à cause de la santé de mon fils.
2. Je me suis installée dans un petit village à cause de la santé de mon fils il y a deux ans.
3. J'ai commencé à travailler après mes études.
4. J'ai commencé à travailler après mes études dans une grande entreprise.
5. J'ai commencé à travailler après mes études dans une grande entreprise il y a quinze ans.

LECTURE

7 Observez, puis lisez à voix haute.

Des Français qui bougent
On dit que les Français ont peur des changements ?
Voici deux témoignages qui montrent le contraire.

Pierre-Henri Cassagne :
« J'ai grandi dans les Landes, à Dax. Enfant, je rêvais déjà d'espace. Après mes études d'ingénieur à Centrale Paris, j'ai commencé à travailler chez Michelin, à Clermont-Ferrand. J'ai pu ensuite trouver un poste chez Airbus, à Toulouse. Mais, avec mon rêve d'enfant, j'étais toujours à la recherche d'un travail dans l'aérospatiale. J'ai donc quitté cette ville après trois ans et, depuis cinq ans, je suis à Kourou, en Guyane, où je travaille sur le projet Ariane Espace ! Et puis l'année dernière, je me suis marié avec une brésilienne... »

Élise Chevalier :
« Je suis une vraie Parisienne. Je suis née à Paris en 1979 et j'ai fait toutes mes études là-bas, d'abord de la philosophie puis, ensuite, de la psychologie. J'aimais ma vie dans la capitale. Mais, à cause de la mauvaise santé de mon fils, nous n'avons pas pu continuer à vivre à Paris et nous avons dû déménager en 2008. Nous nous sommes installés dans un petit village près de Brive il y a 6 ans. Mon mari est informaticien et travaille à domicile. Et moi, j'ai commencé à faire de l'agriculture biologique : c'est passionnant ! La vie à Paris ne nous manque pas : nous sommes bien mieux à la campagne. »

8 Lisez le document de l'activité 7 et répondez à tour de rôle.

Exemple :
A : – Cet article parle de quoi ? MOVE
B : – Il parle des Français qui déménagent.

1. Qu'est-ce qu'on pense souvent des Français ?
2. Est-ce que cette affirmation est vraie ?
3. Quel est le profil familial des personnes interviewées ?
4. Ils habitent où ? Depuis combien de temps ?
5. Et est-ce qu'ils sont heureux de leur vie actuelle ?

9 Lisez le document de l'activité 7, puis interrogez-vous à tour de rôle.

Exemple :
A : – Pierre-Henri a grandi où ?
B : – Il a grandi à Dax, dans les Landes.

1. Qu'est-ce qu'il a fait comme études ? Où ?
2. Il est resté à Toulouse pendant combien de temps ? Pourquoi il a quitté cette ville ?
3. Élise a étudié où et quoi ?
4. Elle a vécu à Paris pendant combien de temps ? Pourquoi elle a quitté la capitale ?
5. Quelles sont aujourd'hui les passions d'Élise et de Pierre-Henri ?

PRATIQUE DE LA LANGUE

10 Interrogez-vous à tour de rôle comme dans l'exemple.

Exemple : (elle) se marier ? → Salon-de-Provence / dans le sud de la France
A : – Elle s'est mariée où ?
B : – Elle s'est mariée à Salon-de-Provence, dans le sud de la France. Et vous ?
A : – Moi, je ne suis pas marié(e).

1. (il) naître ? → Nice / en Provence
2. (elle) grandir ? → Colmar / en Alsace
3. (ils) travailler ? → Sénégal / en Afrique
4. (elles) étudier ? → l'université Pierre et Marie Curie / à Paris
5. (ils) se marier ? → l'église / dans le village

ÉCHAUFFEMENT

11 Lisez le texte avec vos voisins, recopiez puis comparez.

Aujourd'hui, avec le TGV, il est possible de vivre en province et d'aller dans la capitale en quelques heures. Selon une enquête, 54 % des habitants d'Île-de-France voudraient déménager à cause du climat, du bruit ou de la pollution et aussi parce que les loyers sont chers.

GRAMMAIRE

12 Interrogez-vous comme dans l'exemple, puis écrivez vos échanges.

Exemple : (tu / je) rugby ? → 4 ans / foot (2 ans)
A : – Est-ce que tu continues à faire du rugby ?
B : – Non, j'ai arrêté il y a quatre ans et j'ai commencé à faire du foot il y a deux ans.

1. (il) natation ? → 2 ans / bateau (1 an)
2. (vous / nous) basket ? → 5 ans / tennis (depuis) ← SINCE THEN
3. (elle) danse ? → 12 ans / théâtre (8 ans)
4. (tu / je) reportages photos ? → 6 ans / émissions de radio (5 ans)
5. (ils) camping ? → 20 ans / aller à l'hôtel (depuis)

! RÈGLE 33

« Commencer à… », « continuer à… », « arrêter de… »

- Pour annoncer le début d'une action, on utilise « **commencer à** » + **infinitif** :
  - *J'ai **commencé à** étudier le français il y a 4 ans.*
- Pour annoncer la fin d'une action, on utilise « **arrêter de** » + **infinitif** :
  - *J'ai **arrêté de** travailler l'année passée.*
- Pour dire qu'on n'a pas arrêté, on utilise « **continuer à** » + **infinitif** :
  - *Encore aujourd'hui, je **continue à** chercher du travail.*

13 Interrogez-vous comme dans l'exemple, puis écrivez vos réponses.

Exemple : (tu) région ? → avec le climat / ville
A : – Pourquoi tu as quitté ta région ?
B : – Avec le climat qu'il y avait dans ma ville, j'ai changé de région.

1. (tu / je) club de sport ? → avec les tarifs / piscine
2. (il) région ? → pour éviter la pollution / village
3. (vous / nous) pays ? → avec le chômage / région
4. (ils) logement ? → à cause de l'humidité / maison
5. (elles) entreprise ? → pour changer l'ambiance / travail

! RÈGLE 34

Exprimer le but ou la cause

- Pour expliquer **la raison d'une action**, on peut utiliser le but ou la cause.
  - Le but : on utilise « **pour** » + **un nom ou un verbe** à l'**infinitif**. (The goal)
    - *J'ai déménagé à Dijon **pour** le travail.*
    - *Je me suis installé à Paris **pour** chercher du travail.*
  - La cause : on utilise **« à cause de » + un nom**, « **parce que** » + **une phrase** ou « **avec** » + **un nom**.
    - *J'ai arrêté le sport **à cause de** mon travail.*
    - *J'ai quitté mon travail **parce que** j'étais mal payé.*
    - ***Avec** mon travail, il était impossible de partir en vacances.*

DICTÉE

14 Écoutez et écrivez, puis comparez avec vos voisins.

Déménager à Paris ?

....

....

ÉCRITURE

15 (1) Interrogez vos voisins sur leurs changements (déménagements, travail, etc.). (2) Remplissez le tableau. (3) Rédigez un texte décrivant le parcours d'un de vos voisins.

Qui ?	Avant	Événement	Maintenant
Thao	*Il habitait à Nancy.*	*Il a déménagé il y a 4 ans parce que sa femme a eu un nouveau travail intéressant à Angers.*	*Il a eu un enfant et il se plaît à Angers.*
....	....	....	....

ÉCHAUFFEMENT

16 Écoutez et répétez en imitant l'intonation.

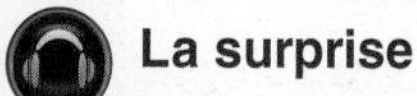

La surprise

1. – Ça alors, c'est vraiment incroyable !
2. – Non, c'est pas vrai !
3. – Attends… Tu plaisantes ?
4. – Ça alors ? C'est pas croyable !

COMPRÉHENSION

17 Écoutez et répondez.

Déjeuner de famille
Partie 2 – Ça alors ? On a fait les mêmes études !

1. Complétez le document, puis interrogez votre voisin pour vérifier vos réponses. Précisez le nom du lycée, de l'université, du concours préparé.

Mickaël Rouillet
5, rue de l'Odéon
75006 Paris
Tél : 06 78 32 67 43
m_rouillet@orange.fr

FORMATION

De .... à ....
De .... à ....
De .... à ....
De .... à ....

EXPÉRIENCE PROFESSIONNELLE

Depuis ....

Exemple :
A : – Dans quel lycée est-ce qu'il est allé ?
B : – Il…
A : – C'était de quand à quand ?

2. Répondez et justifiez.

1. Dans combien de temps est-ce que Laëtitia va rentrer ?
2. Quelles sont les dernières nouvelles de Jean-François ?
3. Pourquoi est-ce que sa femme et lui ont décidé de s'installer en Suisse ?
4. Pourquoi est-ce que David s'est installé à Paris ?
5. Pourquoi est-ce qu'il a quitté l'école d'avocats ?
6. Quelles sont les ressemblances et les différences entre David et Mickaël ?

18 Écoutez. Qu'est-ce qu'ils disent ?

Exemple : David dit à Laëtitia qu'ils vont se voir très vite.
→ Il dit : « À tout à l'heure ! »

1. Mickaël reprend la conversation.
2. Mickaël trouve que l'histoire de David est difficile à croire.
3. Mickaël dit que les gens se croisent souvent dans la vie.
4. David dit qu'il n'a pas aimé l'école d'avocats.

À VOUS DE JOUER

19 Imitez, puis utilisez entre vous.

Exprimer sa surprise

a-c

1. A : – Ça alors, c'est vraiment incroyable !
   B : – Quoi ?
   A : – Ben, si je comprends bien, nous sommes tous de Bordeaux mais nous avons tous quitté la région pour nous installer dans la capitale.
2. A : – Dans quel lycée tu es allé, David ?
   B : – Je suis allé au lycée Carnot, tu connais ?
   A : – Non, c'est pas vrai !
   B : – Quoi ?
   A : – Ben, moi aussi !
3. A : – Ça alors ? On a fait les mêmes études ! C'est pas croyable ! Ben je comprends maintenant pourquoi tu venais souvent passer le week-end à Paris. C'était pour voir Mickaël, hein !
   B : – Bravo, Sherlock Holmes, tu as tout compris !

20 En situation.

Interrogez votre voisin et complétez son profil Facebook.

f ▶ Journal - À propos - Photos 50 - Amis 210 - Plus

À propos de ....

Informations générales	**Lieu(x) de résidence**
Date de naissance : le . . / . . / . . . . À .... Langues parlées :	*période* *ville, pays* - de .... à .... - de .... à ....
Études *période* *formation, lieu* - de .... à .... - de .... à	**Emplois** *période* *emploi, lieu* - de .... à .... - de .... à ....
Relation amoureuse ❏ célibataire ❏ marié(e) ❏ en couple ❏ confidentiel	**Voyage(s)** *mois, année* *lieu* - .... - ....

ÉCHANGES

Aidez-vous des pages annexes : conjugaison et lexique.

1 Utilisez « pour », « parce que » et « à cause de » comme dans l'exemple.

Exemple : Pourquoi est-ce que tu as quitté ton travail ?
→ J'ai quitté mon travail parce que j'étais mal payé.

1. Pourquoi est-ce qu'elle a quitté le Groenland ?
→ ....
2. Pourquoi est-ce qu'ils se sont installés à Nice ?
→ ....
3. Pourquoi est-ce que vous vous êtes installés à Paris ?
→ ....
4. Pourquoi est-ce que tu es partie travailler à l'étranger ?
→ ....
5. Pourquoi est-ce qu'il a quitté la région ?
→ ....

2 Choisissez Alban ou Mégane et écrivez leur histoire au passé, avec les éléments ci-dessous.

en (+ *année*) – après ses études – et – là-bas – puis – un jour – et ils
finir ses études de droit – décider de déménager – s'installer à Paris – être au chômage pendant 3 mois – trouver un travail dans un cabinet d'avocats – rencontrer un garçon / une fille sympa – s'aimer – se marier après 2 ans

→ Alban / Mégane ....
....
....
....
....
....
....
....
....
....
....

3 Écoutez leurs explications et faites comme dans l'exemple.

Exemple : Elle s'est installée dans la région pour le climat, parce qu'il fait plus chaud.

1. → ....
2. → ....
3. → ....
4. → ....

LECTURE

4 Lisez et complétez le tableau.

Vincent Travers

« J'ai travaillé dans une entreprise de communication pendant 7 ans. J'étais marié et tout allait bien dans ma vie. Avec la crise, j'ai perdu mon travail et je suis resté au chômage pendant 1 an et demi. J'ai aussi divorcé… J'ai retrouvé un job mais j'étais mal payé, et je n'étais pas très heureux. Alors, après trois années comme ça, j'ai quitté Paris pour retourner en Bretagne, près de mes parents et de mes amis d'enfance. Finalement, après quelques mois, j'ai créé mon entreprise et depuis ça marche plutôt bien. J'ai aussi retrouvé une petite amie... »

Quand ?	Pendant 7 ans	....	....	....	Aujourd'hui
Travail	....	....	....	....	....
Informations personnelles	....	....	....	....	....

ÉCRITURE

5 Écoutez et écrivez.

....

....

....

....

....

....

....

6 Sur le modèle de l'exercice 4, écrivez le parcours d'une célébrité que vous appréciez.

....

« ....

....

....

....

....

....

.... »

DISCUSSION

7 Écoutez et cochez ce que vous entendez.

1. ❒ Il habite ☑ Il habitait
2. ❒ Tu travailles ❒ Tu travaillais
3. ❒ Nous vivons ❒ Nous vivions
4. ❒ J'étudie ❒ J'étudiais
5. ❒ Ils quittent ❒ Ils quittaient
6. ❒ Vous préparez ❒ Vous prépariez

8 Écoutez et répondez aux questions.

1. De quoi parle l'émission ?

→ ....

2. Complétez le tableau.

	Laurent	Sophie	Jeanne
Âge au moment du départ de Paris	....	....	....
Situation au moment du départ / Raisons du départ	*Il ne voulait pas faire comme ses parents et habiter dans un petit appartement. Il voulait avoir une grande maison avec un chien. Il voulait quitter le bruit et la pollution.*	....	....
Région ou ville choisie	....	....	....
Pourquoi ils sont heureux aujourd'hui	*La vie est plus calme et il habite à côté des montagnes. Après 3 ans, il a rencontré Odile et il s'est marié. Il est directeur commercial dans une petite entreprise.*	....	....

Comment dit-on dans votre langue ?

« Nous sommes contents pour vous. » :

....

« Je vous propose d'écouter un peu de publicité. » :

....

ÉCHAUFFEMENT

1 Écoutez et répétez.

J'ai oublié mon sac…

ÉCHANGES

2 Écoutez et imitez.

Alors, ce voyage ? Ça s'est bien passé ?
Ben tu ne sais pas ? Alors, voilà : j'ai oublié mon sac dans le TGV Paris-Marseille. J'étais assise et mon sac était rangé au-dessus du siège. Dedans, il y avait mon portefeuille et mes papiers.
C'est pas vrai ? Tu as demandé à la gare ?
Oui, mais ils n'ont rien retrouvé.

3 Interrogez-vous en utilisant le vocabulaire que vous connaissez et le vocabulaire ci-dessous.

Variez votre interrogation avec : ton / votre week-end – ces vacances à la montagne – ce stage d'équitation

▶ **L'oubli et le vol**

le bureau des objets trouvés

perdre

oublier / laisser quelque chose

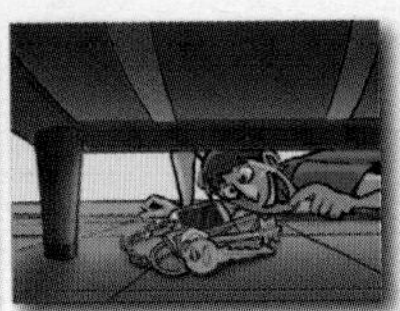

trouver, retrouver

voler quelque chose : *on / quelqu'un a volé...*

▶ **Avoir un accident**

tomber de vélo

se casser (la jambe, le bras …)

se brûler (la main…)

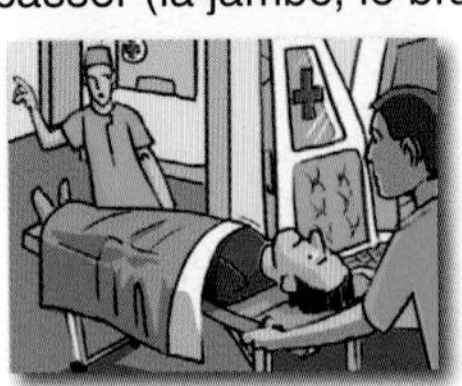

aller à l'hôpital

▶ **Les difficultés et les soins**

avoir l'air triste

avoir l'air inquiet

soigner : *on m'a soigné*

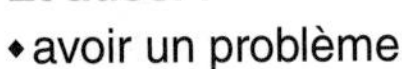

Et aussi :
- avoir un problème
- être grave
- aller mieux
- guérir

4 Interrogez-vous à partir des images.

Exemple :
A : – Tu ne sais pas ? Elle a oublié son sac dans le train. Elle était assise et son sac était rangé au-dessus du siège.
B : – Est-ce que c'est grave ?
A : – Oui, dedans, il y avait son portefeuille et ses papiers.

À VOUS DE JOUER

5 Imaginez un dialogue et jouez-le.

ÉCHAUFFEMENT

6 (1) Faites le découpage et notez les syllabes accentuées comme dans l'exemple. (2) Écoutez l'enregistrement et vérifiez avec votre voisin. (3) Lisez à voix haute.

Le présent et le passé

Exemple : Hier, // les voleurs / étaient / dans l'appartement, // les propriétaires / n'ont rien entendu.

1. – Maintenant, il regarde la télé dans le salon.
   – Hier soir, il regardait la télé dans le salon quand sa fille est tombée.
2. – Maintenant, les parents dorment tranquillement.
   – Hier soir, les parents dormaient quand leur fils est sorti.
3. – Maintenant, deux hommes portent une table dans la rue.
   – Hier après-midi, deux hommes portaient une table quand une voisine les a vus.

LECTURE

7 Observez, puis lisez à voix haute.

France Sud-Ouest
Faits divers
Agen : elle est tombée par la fenêtre du 2e étage et s'est cassé un pied.
On a trouvé la petite fille de 4 ans dimanche à 22 h 30 au bas de son immeuble. Sa mère était chez une voisine et son père regardait la télévision. Il n'a rien vu, rien entendu.

Paris Libre
Faits divers
Banlieue chic : Étranges vols de chiens à Neuilly.
On a volé quatre chihuahuas dans la nuit de samedi à dimanche dans deux appartements différents. Les propriétaires dormaient et n'ont rien entendu.

La Voix d'Alsace
Faits divers
17 ans : il a volé la voiture de son père à cause de sa petite amie.
Il était minuit. Le jeune Fabrice est sorti de chez lui et n'a rencontré personne. Ses parents dormaient et ils n'ont pas entendu la voiture quand il est parti chez sa petite amie pour lui souhaiter un bon anniversaire.

NICE MATIN
Faits divers
Départ en vacances : ils ont oublié leur mamie sur l'autoroute.
La famille J. s'est arrêtée pour déjeuner après 4 heures de route. Quand la grand-mère est revenue des toilettes, il n'y avait plus personne à la table de la cafétéria et la voiture n'était plus sur le parking.

8 Lisez le document de l'activité 7, puis répondez à tour de rôle.

Exemple :
A : – De quoi est-ce que ces petits articles parlent ?
B : – Ils parlent de faits divers.

1. Dans quels journaux on les trouve ?
2. Ce sont des journaux de quelles régions ?
3. Que s'est-il passé dans chaque endroit ?
4. À chaque fois, qu'est-ce qui est extraordinaire ?

9 Lisez le document de l'activité 7, puis interrogez-vous à tour de rôle.

Exemple :
A : – Que faisaient la mère et le père de la petite fille quand elle est tombée ?
B : – Quand elle est tombée, sa mère était chez une voisine et son père regardait la télévision.

1. Que faisaient les propriétaires des chihuahuas quand on les a volés ?
2. Quand Fabrice est sorti de chez lui, il a rencontré qui ?
3. Que faisaient ses parents à ce moment-là ?
4. Où était la famille J. quand la grand-mère est revenue des toilettes ?
5. Qui était à la table de la cafétéria à ce moment-là ?

PRATIQUE DE LA LANGUE

10 Interrogez-vous à tour de rôle comme dans l'exemple.

Exemple :
A : – Vous étiez où, hier soir, à 22 h 00 ?
B : – Hier soir à 22 h 00, j'étais chez moi et je regardais un film à la télé.

	lundi	mardi	mercredi	jeudi	vendredi	samedi	dimanche
08 h 00				08 h 30			
10 h 00							
12 h 00							
14 h 00							
16 h 00							
18 h 00							
20 h 00							
22 h 00							

ÉCHAUFFEMENT

11 Lisez le texte avec vos voisins, recopiez puis comparez.

Hier, je prenais un crème à la terrasse d'un café et je regardais mes messages sur mon nouveau portable. Mes amis sont arrivés, nous sommes partis rapidement parce que nous étions en retard, et j'ai laissé mon téléphone sur la table. Quand je suis retourné au café, 5 minutes plus tard, mon téléphone n'était plus là.

GRAMMAIRE

12 Interrogez-vous comme dans l'exemple, puis écrivez vos échanges.

Exemple : (il) se casser la jambe → (il) faire du vélo / (il) tomber à cause de la pluie
A : – Comment est-ce qu'il s'est cassé la jambe ?
B : – Il faisait du vélo. Il est tombé à cause de la pluie.

1. (elle) perdre sa carte bancaire → (elle) faire les magasins / (sa carte) tomber peut-être de son sac
2. (vous) retrouver votre portefeuille → (je) retourner au café / (mon portefeuille) être sous la table
3. (tu) te brûler la main → (je) faire un barbecue / (je) prendre la fourchette / (la fourchette) être dans le feu
4. (on) vous voler votre voiture → (nous) être à la maison et regarder la télé / (la voiture) ne pas être fermée

! RÈGLE 35

Décrire des circonstances passées avec l'imparfait

- Pour décrire les **circonstances** d'une action passée (pour répondre à « quoi ? », « où ? », « quand ? », « qui ? », « comment ? » ou « pourquoi ? »), on utilise l'**imparfait** :

– **action principale** → passé composé
– **circonstances** (actions secondaires) → imparfait
  - *J'**étais** dans la rue* (où ?), *il **était** 22 h* (quand ?), *j'**étais** seule* (avec qui ?), *je **marchais** lentement* (comment ?) *parce que j'**étais** fatiguée* (pourquoi ?). *Soudain, une personne **est arrivée** à moto et **m'a volé mon sac*** (action principale). *J'ai eu de la chance, il n'y **avait** rien d'important dedans* (quoi ?).

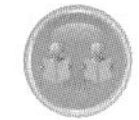

13 Interrogez-vous comme dans l'exemple, puis écrivez vos réponses. Utilisez « rien » ou « personne ».

Exemple :
A : – Tu as entendu quelque chose hier soir ?
B : – Non, je n'ai rien entendu.

1. Vous avez perdu quelque chose ? → (je)
2. Elles ont demandé leur chemin à quelqu'un ?
3. Vous attendez quelqu'un ? → (nous)
4. Il prend quoi le matin au petit déjeuner ?
5. Vous faites quelque chose ce soir ? → (nous)

! RÈGLE 36

« Ne… rien… » et « ne… personne… »

- La négation « ne… rien… » est le contraire de « quelque chose » ou « tout ».
  - *Tu bois **quelque chose** ? → Non merci, je **ne** bois **rien**.*
  - *Pourquoi tu **ne** manges **rien** ? → Tu dois **tout** manger, mon petit.*
- La négation « ne… personne… » est le contraire de « quelqu'un ».
  - *Tu vois **quelqu'un** ? → Non, je **ne** vois **personne**.*

 Au passé composé, ou avec deux verbes, « personne » se place après le deuxième verbe.
  - *Je n'ai **rien** vu, je n'ai vu **personne**.*
  - *Je ne peux **rien** voir, je ne peux voir **personne**.*

DICTÉE

14 Écoutez et écrivez, puis comparez avec vos voisins.

ÉCRITURE

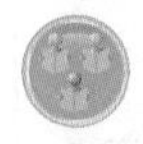

15 (1) Racontez un événement réel ou imaginaire. (2) Remplissez la fiche. (3) Rédigez un récit.

Étudiant	*Radhjiv*
Quoi ?	*Il a perdu son portefeuille.*
Où ?	*Il marchait boulevard Saint-Germain.*
Quand ?	*C'était samedi soir, il était 19 h 30.*
Comment ?	*Son portefeuille est tombé de son pantalon.*
Autre(s) information(s)	*Il est allé à la police mais il ne l'a pas retrouvé.*

ÉCHAUFFEMENT

16 Écoutez et répétez en imitant l'intonation.

L'interrogation

1. – Je vous appelle pour déclarer un vol.
   – Un vol ? Qu'est-ce qu'on vous a volé, madame ?
2. – Vos voisins ne peuvent pas nous appeler ?
3. – Excusez-moi, madame, mais il était quelle heure ?
4. – Vous ne me croyez pas, jeune homme ?

COMPRÉHENSION

17 Écoutez et répondez.

Qu'est-ce qu'on vous a volé, madame ?

1. Complétez le document, puis interrogez votre voisin pour vérifier vos réponses.

POLICE

Déclaration en ligne
MINISTÈRE DE L'INTÉRIEUR

le 20 août à 10 h 37

Déclaration de ❐ perte ❐ vol

Lieu de l'infraction (indiquez l'adresse) : ....

Précisez à quel endroit l'infraction s'est passée : ....

La date et l'heure de l'infraction : ....

Description de l'infraction (décrivez les faits) : ....

Description des malfaiteurs (décrivez les personnes) : ....

› Validez

Exemple :
A : – Qu'est-ce que la dame veut déclarer ?
B : – Elle...

2. Répondez et justifiez.

1. Pourquoi est-ce que ce ne sont pas les voisins qui appellent la police ?
2. Où était la dame hier après-midi ? Qu'est-ce qu'elle faisait ?
3. Pourquoi est-ce qu'elle est allée voir à la fenêtre ?
4. Pourquoi est-ce que la dame pense que les hommes avaient une clé ? Comment est-ce qu'elle le sait ?
5. Est-ce qu'il reste quelque chose dans la maison ? Qu'est-ce qu'il y avait ?
6. Finalement, qu'est-ce qui s'est vraiment passé ?

18 Écoutez. Qu'est-ce qu'ils disent ?

Exemple : Le policier dit à la dame qu'elle a raison d'appeler.
→ Il dit : « Vous avez bien fait. »

1. Le policier demande s'il a bien compris : la dame dit que oui.
2. Le policier demande si c'était bien pendant la journée.
3. La dame n'est pas contente : elle demande au policier s'il ne la croit pas.
4. Le policier a encore une question à poser.

À VOUS DE JOUER

19 Imitez, puis utilisez entre vous.

Vérifier qu'on a bien compris

a-b

1. A : – Alors, voilà : hier après-midi, j'étais chez moi, je regardais la télé quand j'ai entendu des bruits chez les voisins... Et après, j'ai entendu des voix devant leur maison. Alors, je suis allée voir à la fenêtre et là, j'ai vu deux hommes. Ils portaient une table... J'ai eu très peur.
   B : – Si j'ai bien compris, vous avez vu deux hommes avec une table devant la maison de vos voisins. C'est bien ça ?
   A : – Oui, c'est tout à fait ça.
2. A : – Excusez-moi, madame, mais il était quelle heure ?
   B : – Oh, je pense qu'il était deux heures de l'après-midi.
   A : – Si je comprends bien, c'était pendant la journée ? Normalement, les voleurs viennent plutôt la nuit...
   B : – Vous ne me croyez pas, jeune homme ?
   A : – Si, si, madame, bien sûr.

20 En situation.

Vous allez à la police pour expliquer un problème. Le policier vérifie les informations et remplit votre déclaration.

MINISTÈRE DE L'INTÉRIEUR

DÉCLARATION
de ❐ perte ❐ vol

Identité du déclarant ❐ M. ❐ Mme ____________________
Né(e) le __ __ / __ __ / __ __ __ __ à ____________________
Adresse : ____________________ Code postal : __________
Ville : ____________________

Éléments sur la perte ou le vol
Date : le __ __ / __ __ / __ __ __ __ Lieu : ____________________
Description de l'objet perdu ou volé : ____________________
Circonstances : ____________________

Fait à __________, le __________
Signature :

ÉCHANGES

Aidez-vous des pages annexes : conjugaison et lexique.

1 Répondez en utilisant « ne… rien » ou « ne… personne ».

Exemple : Il y a quelqu'un ?
→ Non, il n'y a personne.

1. Vous avez perdu quelque chose ? (je)
→ Non, ……………………………………………………………
2. Elle a entendu quelqu'un dans la maison du voisin ?
→ Non, ……………………………………………………………
3. Est-ce que les policiers ont trouvé quelque chose dans le jardin ?
→ Non, ……………………………………………………………
4. Il y avait quelqu'un dans la banque ?
→ Non, ……………………………………………………………
5. Est-ce que le suspect veut parler à quelqu'un ?
→ Non, ……………………………………………………………

2 Racontez l'histoire ci-dessous au passé.

Hier après-midi, je bois un chocolat chaud à la terrasse d'un café. Pas loin de moi, une dame commence à traverser la route. Elle a peut-être 50 ans et elle a un joli sac. Elle est au milieu de la route quand soudain, une moto arrive avec deux personnes. La moto passe à côté de la dame et la personne de derrière lui prend son sac. La dame est choquée… Heureusement, il n'y a rien d'important dans son sac.

→ ……………………………………………………………
……………………………………………………………
……………………………………………………………
……………………………………………………………
……………………………………………………………
……………………………………………………………
……………………………………………………………
……………………………………………………………

3 Écoutez leurs explications et faites comme dans l'exemple.

Exemple : Elle a perdu son téléphone portable à la plage.

1. → ……………………………………………………………
2. → ……………………………………………………………
3. → ……………………………………………………………
4. → ……………………………………………………………

LECTURE

4 Lisez ce document et répondez aux questions.

FAIT DIVERS :
une fillette sauvée par des pompiers… en vacances

Ça s'est passé jeudi vers 19 h à l'étang de Verneuil-sur-Seine, dans les Yvelines. La baignade était interdite le soir.

Vers 20 heures, une fillette, âgée de 2 ans, est entrée dans l'étang et a commencé à se noyer. Sa mère n'avait rien vu. Heureusement, elle l'a entendue crier et a sorti sa fille de l'eau.

Deux pompiers ont couru très vite vers l'enfant pour l'aider à respirer. Ils ne travaillaient pas mais ils étaient en vacances dans la région. On a emmené la petite fille à l'hôpital de Poissy.

Ce vendredi matin, elle allait mieux.

1. Cochez la bonne case.

	Vrai	Faux
La baignade était interdite le soir.	X	
La petite fille a 2 ans.	X	
La maman n'a rien entendu.		X
On a appelé les pompiers.		X
La petite fille est à l'hôpital.	X	
La petite fille est morte.		X

2. Mettez dans l'ordre. ……
a. La fillette va mieux. …7…
b. La maman a entendu sa fille crier. …2…
c. La fillette est entrée dans l'étang. …1…
d. Les pompiers l'ont aidée à respirer. …5…
e. La maman a sorti sa fille de l'eau. …3…
f. On a emmené la fillette à l'hôpital de Poissy. …6…
g. Les pompiers ont couru vers la fillette. …4…

ÉCRITURE

Écoutez et écrivez.

....

....

....

....

....

....

....

Sur le modèle de l'exercice 4, écrivez un fait divers.

FAIT DIVERS: ....

....

....

....

....

....

....

....

....

....

....

DISCUSSION

Écoutez et cochez le verbe entendu.

1. ❒ prendre ☑ reprendre
2. ❒ avoir ❒ ravoir
3. ❒ trouver ❒ retrouver
4. ❒ chercher ❒ rechercher
5. ❒ demander ❒ redemander
6. ❒ venir ❒ revenir

8 Écoutez et répondez aux questions.

1. Complétez le document.

OBJETS TROUVÉS *SNCF*

Déclaration de perte

Nom : Guivarch **Prénom :** Perrine

Bureau des objets trouvés de la gare ....

Objet perdu : ....

Description de l'objet : ....

Train : ....

Voiture : ....

Descente du train à la gare de : ....

Objet oublié à (endroit) : ....

2. Expliquez pourquoi la dame a oublié cet objet dans le train.
→ ....

3. Qu'est-ce qu'il y avait dans l'objet que la dame a perdu ?
→ ....

4. Est-ce que les employés de la gare ont retrouvé cet objet ?
→ ....

5. Qu'est-ce qu'il n'y a plus dedans ?
→ ....

6. Qu'est-ce que la dame doit faire pour retrouver ce qu'elle a perdu ?
→ ....

Comment dit-on dans votre langue ?

« En fait » : ....

« Bon… tant pis… » : ....

Présentons des grands francophones

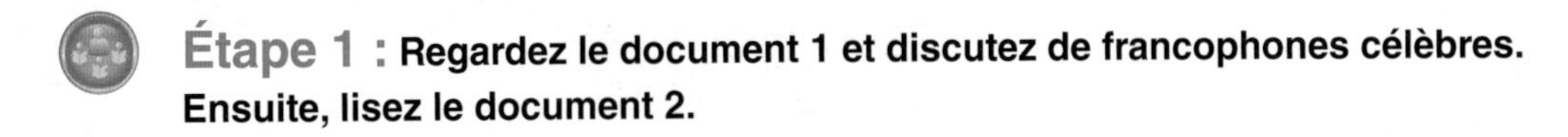

Étape 1 : Regardez le document 1 et discutez de francophones célèbres. Ensuite, lisez le document 2.

Étape 2 : Faites des recherches et choisissez un francophone pour le présenter à la classe.

Étape 3 : Rédigez la présentation de votre « grand francophone » (document 3).

Étape 4 : Lisez vos textes à la classe.

Document 1

Auguste et Louis Lumière
Inventeurs, cinéastes
Origine : France

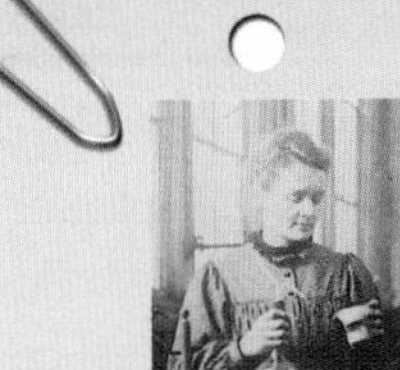

Marie Curie
Physicienne (prix Nobel)
Origine : Pologne

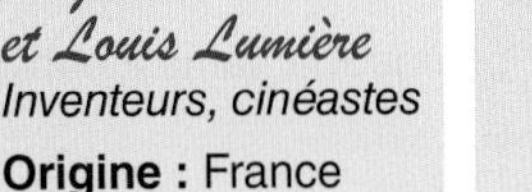

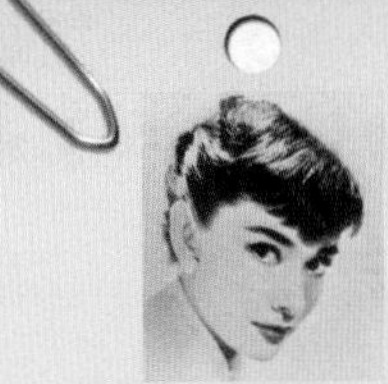

Audrey Hepburn
Actrice, mannequin
Origine : Belgique

Karl Lagerfeld
Couturier, styliste, éditeur
Origine : Allemagne

Jean-Claude Van Damme
Champion d'arts martiaux, acteur, réalisateur
Origine : Belgique

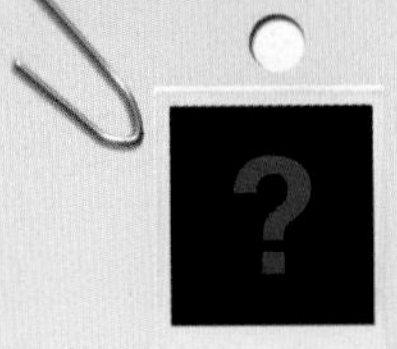

....
Profession :
....
Origine :
....

Document 2

Vous connaissez *Tintin* ? Les amateurs de bande dessinée connaissent certainement ce héros de la BD traduite dans plus de 45 langues. Aujourd'hui, nous voudrions vous présenter son auteur.

◆ **Origine et enfance :**
Il est né en Belgique en 1903. À l'école, il était déjà très bon en dessin et il adorait dessiner sa classe et ses professeurs !
Adolescent, il a commencé à publier des histoires à partir de 1924. Il a imaginé son nom d'auteur avec les initiales de son prénom et de son nom, « R » et « G », et il a fait « Hergé ».

◆ **Âge adulte :**
Il a commencé à travailler dans un journal de Bruxelles, mais ça ne lui plaisait pas beaucoup. Alors il a repris les dessins de son premier personnage et il l'a appelé « Tintin ». C'était le 10 janvier 1929.

◆ **Célébrité :**
Aujourd'hui, tout le monde connaît *Les Aventures de Tintin et Milou*, adaptées en dessin animé et au cinéma, mais tout le monde ne sait pas qu'Hergé était aussi un grand amateur d'art et qu'il était également peintre « abstrait ».

Georges Prosper Rémi, dit « Hergé »
Dessinateur, scénariste et peintre abstrait
Origine :
Belgique

Document 3

....
....

◆ ....
....
....

◆ ....
....
....

◆ ....
....
....

....
....
Origine :
....

Unité 7
EXPLICATIONS
LEÇON 19 – DÉFINITIONS
LEÇON 20 – RÉCLAMATIONS
LEÇON 21 – AVANTAGES
PROJET – « JEU DE L'OIE » DE LA CLASSE

ÉCHAUFFEMENT

1 Écoutez et répétez.

Un bonnet, c'est…

ÉCHANGES

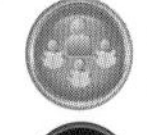

2 Écoutez et imitez.

Excusez-moi, je cherche un vêtement qu'on met sur la tête. C'est une sorte de chapeau. Je ne sais plus comment ça s'appelle…

Une « casquette » ?

Non, non, c'est quelque chose qu'on met en hiver et qui sert à avoir chaud. C'est en laine.

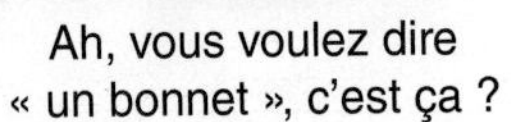

Ah, vous voulez dire « un bonnet », c'est ça ?

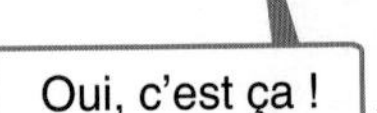

Oui, c'est ça !

3 Interrogez-vous en utilisant le vocabulaire que vous connaissez et le vocabulaire ci-dessous.

Variez votre interrogation avec : un endroit où on vend… – un endroit où on peut… – un truc qui sert à… – quelque chose qu'on… – quelqu'un qui…

▶ **Définir pour…**

la matière : un pull en laine, une table en bois, une ceinture en cuir, une bouteille en plastique

la forme : *c'est carré* ■, *c'est rond* ●

la taille : *c'est lourd* (100 kg) ≠ *c'est léger* (100 g)

l'utilité : *ça sert à avoir chaud, c'est nécessaire pour nager*

la consistance : *c'est dur* (comme du métal) ≠ *c'est mou* (comme un camembert), *c'est liquide* (comme de l'eau) ≠ *c'est solide*

▶ **Les végétaux**

un sapin

une rose

une tulipe

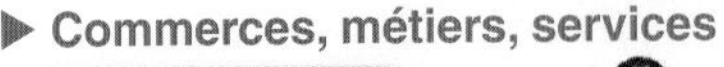

un(e) pharmacien(ne)

un cardiologue

un(e) commerçant(e)

un(e) libraire
une librairie

une préfecture

une cafétéria

un bar

un guichet

demander des renseignements

?

▶ **Un objet, une chose**

quelque chose, un truc

une éponge

une serviette

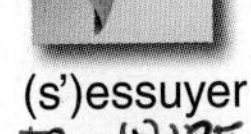
(s')essuyer

une casquette

un bonnet

un ballon

une balle

4 Interrogez-vous à partir des images.

Exemple :
A : – Qu'est-ce que c'est, « un bonnet » ? Tu peux m'expliquer ?
B : – Oui, c'est quelque chose qu'on met sur la tête. C'est une sorte de chapeau qui sert à avoir chaud. C'est en laine.

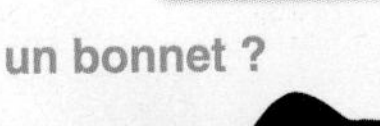
un bonnet ?

un sapin ?

À VOUS DE JOUER

5 Imaginez un dialogue et jouez-le.

ÉCHAUFFEMENT

6 (1) Écoutez l'enregistrement. (2) Faites le découpage et notez les intonations comme dans l'exemple, puis, vérifiez avec votre voisin. (3) Lisez à voix haute.

Le rythme et l'intonation

> **Exemple :**
> Vous cherchez / un magasin // où on vend / des chaussettes ?

1. Les fleurs que les femmes adorent, ce sont les roses ?
2. L'endroit où on achète du poisson, ça s'appelle une poissonnerie ?
3. Comment s'appelle le vêtement qu'on met en hiver pour avoir chaud ?
4. Comment s'appelle une femme qui vend des médicaments ?
5. Comment s'appelle un homme qui fait du cinéma ?

LECTURE

7 Observez, puis lisez à voix haute.

***** Jeux pour Tous *****

PAGES JEUNES – *Mots croisés*

Toutes les semaines, notre grille de *mots croisés* pour apprendre aux plus jeunes le plaisir de jouer avec les mots.
Gagnez un abonnement d'un an à *Jeux pour Tous !*
Pour jouer à notre grand concours de l'été, achetez le numéro spécial vacances de juillet et envoyez vos réponses avant le 30 juillet.

Grille 259

Définitions

Verticalement :
1. C'est un lieu où on va pour manger ou pour boire un café. C'est moins cher qu'un restaurant.
2. C'est quelqu'un qui porte des vêtements blancs et qui vend des médicaments.
3. C'est un vêtement qu'on porte en hiver pour avoir chaud. C'est souvent en laine.
4. C'est un magasin où on achète des livres, des dictionnaires.
5. C'est une fleur qui est chère et que les femmes adorent surtout quand elles sont rouges.
7. C'est un arbre qui est toujours vert et qu'on trouve dans les maisons à Noël.

Horizontalement :
6. C'est une chose qui est ronde et qu'on utilise quand on fait du football. C'est en cuir ou en plastique.
8. C'est quelqu'un qui travaille dans un restaurant et qui fait la cuisine.

Réponses :
Verticalement : 1. (une) cafétéria – 2. (un) pharmacien – 3. (un) pull – 4. (une) librairie – 5. (une) rose – 7. (un) sapin
Horizontalement : 6. (un) ballon – 8. (un) cuisinier

8 Lisez le document de l'activité 7 et répondez à deux.

> **Exemple :**
> A : – Où se trouve cette grille de mots croisés ?
> B : – Elle se trouve dans les pages jeunes du magazine *Jeux pour Tous.*

1. À quoi servent ces mots croisés ?
2. Qu'est-ce qu'on peut gagner ?
3. Qu'est-ce qu'on doit faire si on veut jouer au grand concours de l'été ?
4. En (1), on doit trouver le nom d'un lieu. Et, qu'est-ce qu'on doit trouver en (3), (5) et (6) ?
5. À votre avis, le « plaisir de jouer avec les mots », c'est seulement pour les jeunes ?

9 Lisez les définitions de l'activité 7, puis remplissez la grille de mots croisés.

Grille 259

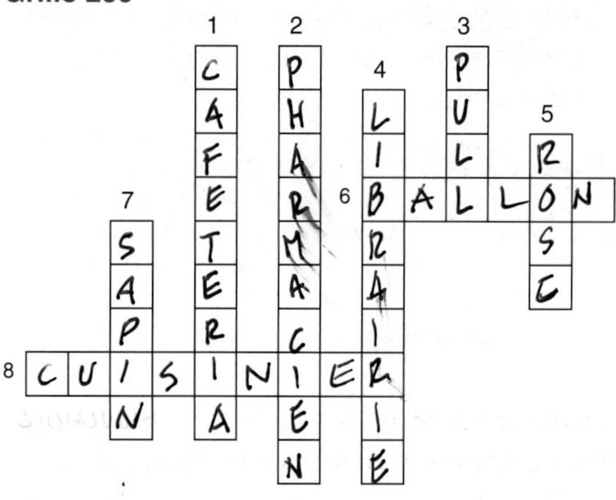

PRATIQUE DE LA LANGUE

10 Interrogez-vous à tour de rôle comme dans l'exemple.

> **Exemple :** (elle) ses goûts ? → aimer
> A : – Dites, est-ce que vous vous souvenez de ses goûts ?
> B : – Hum... Non, désolé, je ne sais plus ce qu'elle aime.

1. (il) son nom ? → s'appeler
2. (elle) sa nationalité ? → venir
3. (ils) leur adresse ? → habiter
4. (elle) sa profession ? → faire dans la vie
5. (il) ses loisirs ? → aimer faire

ÉCHAUFFEMENT

11 Lisez le texte avec vos voisins, recopiez puis comparez.

Les « devinettes », vous savez ce que c'est ?
C'est une sorte de jeu : une personne pose des questions et les autres essayent de répondre.
Par exemple : vous savez comment s'appelle la fleur qu'on offre par deux pour dire « pardon » et qui signifie « je t'aime » quand le bouquet est rouge ?

GRAMMAIRE

12 Interrogez-vous comme dans l'exemple puis écrivez la définition de la chose recherchée.

Exemple : Transporter des boissons / verre
A : – Alors, c'est une chose qu'on utilise pour transporter des boissons et qui est en verre ou en plastique.
B : – Heu... c'est une bouteille, c'est ça ?
A : – Oui c'est ça !

1. Tenir son pantalon / cuir
2. S'essuyer le nez / tissu, petit et carré MOUCHOIR
3. Conduire sa voiture / ronde, métal ou plastique.
4. Se protéger la tête du soleil quand on fait du sport / tissu
5. Pour voyager à l'étranger / petite, papier et carton (ou plastique) + 1 photo

RÈGLE 37
Les pronoms relatifs « qui » et « que »

- « **Qui** » remplace le nom (ou le pronom) sujet. Il remplace une chose ou une personne.
  - *Je cherche un vêtement. Ce vêtement* (sujet) *sert à avoir chaud.*
    →*Je cherche un vêtement **qui** sert à avoir chaud.*
- « **Que** » (« **Qu'** ») remplace le complément d'objet direct. Il remplace une chose ou une personne.
  - *Je cherche un vêtement. On met ce vêtement* (objet) *en hiver.*
    →*Je cherche un vêtement **qu'**on met surtout en hiver.*
- Pour donner deux informations, on utilise « **et qui** » ou « **et que** » (« **et qu'** »).
  - *Je cherche un vêtement **qui** sert à avoir chaud **et qu'**on met surtout en hiver.*

13 Interrogez-vous comme dans l'exemple, puis écrivez vos réponses. Utilisez « comment est-ce qu'on appelle », « où est-ce que c'est situé » ou « qu'est-ce que c'est ».

Exemple : … l'endroit où on doit montrer son passeport à l'aéroport ?
A : – Comment est-ce qu'on appelle l'endroit où on doit montrer son passeport à l'aéroport ? Je ne sais plus comment ça s'appelle...
B : – C'est la douane !

1. … l'endroit où on achète des médicaments ?
2. … le féminin de « pharmacien » ?
3. ... Lille ?
4. … l'endroit où on achète des livres ?
5. ... un habitant de Paris ?

RÈGLE 38
Les pronoms interrogatifs au style indirect (1)

- Pour rapporter une interrogation dans une phrase, on peut utiliser « savoir ». Il n'y a pas « est-ce que » ni point d'interrogation (« ? »).
  - ***Comment est-ce que** ça s'appelle ? Je ne sais plus…*
    → *Je ne sais plus **comment** ça s'appelle.*
  - ***Où est-ce que** c'est situé ? Je ne sais plus…*
    → *Je ne sais plus **où** c'est situé.*

« Qu'est-ce que » devient « ce que ».

- ***Qu'est-ce que** c'est ? Je ne sais plus…*
  → *Je ne sais plus **ce que** c'est.*

DICTÉE

14 Écoutez et écrivez, puis comparez avec vos voisins.

ÉCRITURE

15 (1) Imaginez des devinettes. (2) Écrivez 4 devinettes et corrigez ensemble. (3) Lisez-les et faites deviner la classe.

Notre première devinette :
Qu'est-ce qui... ?

ÉCHAUFFEMENT

16 Écoutez et répétez en imitant l'intonation.

La protestation

1. – Mais enfin, Michèle, une pièce de deux euros, ce n'est pas mou à l'intérieur !
2. – C'est bizarre. Je suis sûre que c'est une pièce de deux euros.
3. – Kevin, s'il vous plaît !
4. – Ben quoi, c'est pas un escargot ?

COMPRÉHENSION

17 Écoutez et répondez.

Alors, quelle est votre question ?

1. Complétez le document, puis interrogez votre voisin pour vérifier vos réponses.

	Candidate 1	Candidat 2	Candidat 3
Question posée	....	....	....
Hypothèse / Réponse	....	....	....
Réponse du présentateur	....	....	....

Description complète du schmilblic	....

Exemple :
A : – Quelle question pose la première candidate ?
B : – Elle demande : « ... ? »
A : – À quoi est-ce qu'elle pense ?
B : – Elle pense à...

2. Répondez et justifiez.

1. Combien d'argent est-ce qu'on peut gagner si on trouve la réponse ?
2. Qu'est-ce qui est important pour la première candidate ? Pourquoi ce n'est pas très important ?
3. Qu'est-ce que le deuxième candidat veut d'abord faire avant de poser sa question ?
4. Quelle est l'attitude de Kevin ?
5. À votre avis, qu'est-ce qu'est le « schmilblic » ? Pourquoi ? Justifiez votre réponse.

18 Écoutez. Qu'est-ce qu'ils disent ?

Exemple : Michèle dit à Marc que oui, son prénom est Michèle.
→ Elle dit : « C'est bien Michèle. »

1. Marc dit à Michèle qu'elle s'est trompée.
2. Michèle ne croit pas Marc.
3. Kevin salue ses amis.
4. Kevin salue sa petite amie.

À VOUS DE JOUER

19 Imitez, puis utilisez entre vous.

Rapporter des propos

a-b

1. A : – Ah, c'est une pièce de deux euros !
B : – Une pièce de deux euros ? Mais enfin, Michèle, une pièce de deux euros, ce n'est pas mou à l'intérieur !
A : – Oui, mais vous avez dit que c'était plutôt rond, blanc et jaune, et que c'était quelque chose qui tient dans la main, alors...
B : – Peut-être, Michèle, mais ce n'est pas une pièce.

2. A : – C'est un escargot ! Vous avez dit : c'est plutôt rond, ça tient dans la main, c'est dur à l'extérieur et mou à l'intérieur, et ça se mange. C'est un escargot ! J'ai gagné les 5 300 € !
B : – Euh... non... Désolé Kevin, ce n'est pas un escargot.

20 En situation.

Une personne choisit un objet, les autres posent des questions pour trouver ce que c'est. Posez des questions sur l'utilité (*quelque chose qui sert à..., quelque chose qu'on utilise pour...*), sur la matière, la taille, le poids, la forme, l'odeur...

du parfum	un jeu de cartes	un maillot de bain	une roue	une crevette
une brosse à dents	un aspirateur	une ambulance	un dossier	une écharpe

ÉCHANGES

Aidez-vous des pages annexes : conjugaison et lexique.

1 Utilisez « qui », « que » et « où » pour écrire des définitions, comme dans l'exemple.

Exemple : Un manteau, c'est un vêtement. On porte ce vêtement quand il fait froid.
→ Un manteau, c'est un vêtement qu'on porte quand il fait froid.

1. Un libraire, c'est une personne. Cette personne vend des livres.
→ ....
2. Une pharmacie, c'est un endroit. On peut acheter des médicaments dans cet endroit.
→ ....
3. Un ballon, c'est une chose. On utilise cette chose pour jouer au football.
→ ....
4. Un cardiologue, c'est un médecin. Ce médecin soigne les problèmes de cœur.
→ ....
5. Une éponge, c'est quelque chose. On utilise ça pour essuyer la table.
→ ....

2 Écrivez des définitions, comme dans l'exemple.

Exemple : Un manteau
→ Un manteau, c'est un vêtement qu'on porte quand il fait froid.

1. Une librairie
→ ....
2. Un pharmacien
→ ....
3. Une casquette
→ ....
4. Une préfecture
→ ....
5. Une serviette
→ ....

3 Écoutez leurs explications et faites comme dans l'exemple.

Exemple : Elle cherche un bonnet.

1. → ....
2. → ....
3. → ....
4. → ....

LECTURE

4 Remplissez la grille.

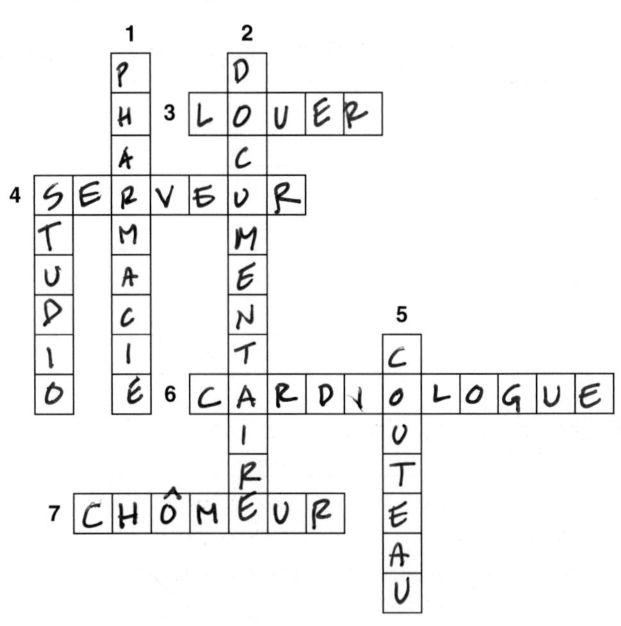

VERTICAL
1. C'est un magasin où on peut acheter des médicaments.
2. C'est un film qui explique quelque chose.
4. C'est un petit appartement qui fait une seule pièce.
5. Ça sert à couper la viande ou le pain.

HORIZONTAL
3. C'est l'argent qu'on donne tous les mois pour habiter dans un appartement.
4. C'est la personne qui apporte les plats dans un restaurant.
6. C'est un médecin qui soigne le cœur.
7. C'est quelqu'un qui cherche du travail.

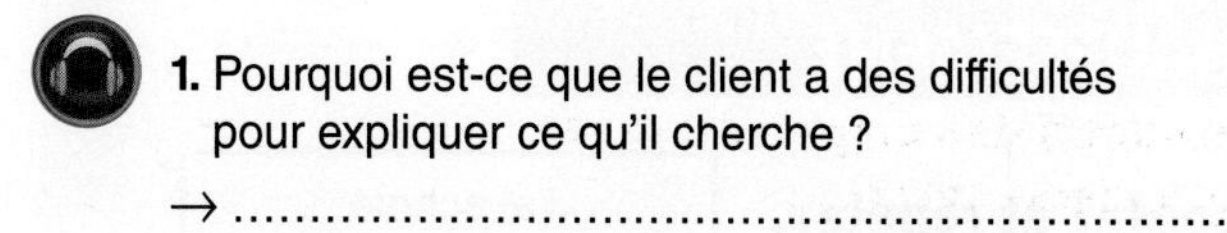

ÉCRITURE

5 **Écoutez et écrivez.**

....

....

....

....

....

....

....

6 **Sur le modèle de l'exercice 4, faites une grille de mots croisés.**

DISCUSSION

7 **Écoutez et cochez le verbe entendu.**

1.	❒ il connaît	☑ ils connaissent
2.	❒ il veut	❒ ils veulent
3.	❒ il peut	❒ ils peuvent
4.	❒ il doit	❒ ils doivent
5.	❒ il boit	❒ ils boivent
6.	❒ il vient	❒ ils viennent

8 **Écoutez et répondez aux questions.**

1. Pourquoi est-ce que le client a des difficultés pour expliquer ce qu'il cherche ?
→ ....

2. Complétez le tableau.

Description du produit	
Taille	....
Poids	....
Forme	....
Couleur	....
Matière	....
Consistance	....
Utilité	....
Nom du produit	....

3. À quoi sert un gant de toilette ?
→ ....

4. Finalement, qu'est-ce que le client décide de faire ?
→ ....

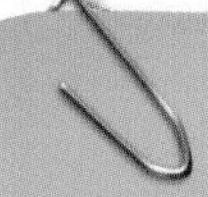

Comment dit-on dans votre langue ?

« Un truc. » : ....

« Ça ne m'aide pas beaucoup… » :
THAT DOES NOT HELP ME ANYMORE

ÉCHAUFFEMENT

1 Écoutez et répétez.

J'ai acheté…

ÉCHANGES

2 Écoutez et imitez.

Tu n'as pas l'air contente. Il y a quelque chose qui ne va pas ?

Ben oui, j'ai acheté un joli survêtement pour mon mari mais la taille est trop petite. Je me demande si je peux l'échanger.

Ne t'inquiète pas. Si tu as gardé le ticket de caisse, c'est possible.

Zut ! Je ne l'ai plus. Je crois que je l'ai jeté.

3 Interrogez-vous en utilisant le vocabulaire que vous connaissez et le vocabulaire ci-dessous.

Variez votre interrogation avec : acheter un pull – acheter des crevettes et des moules – acheter des pâtisseries – commander une soupe

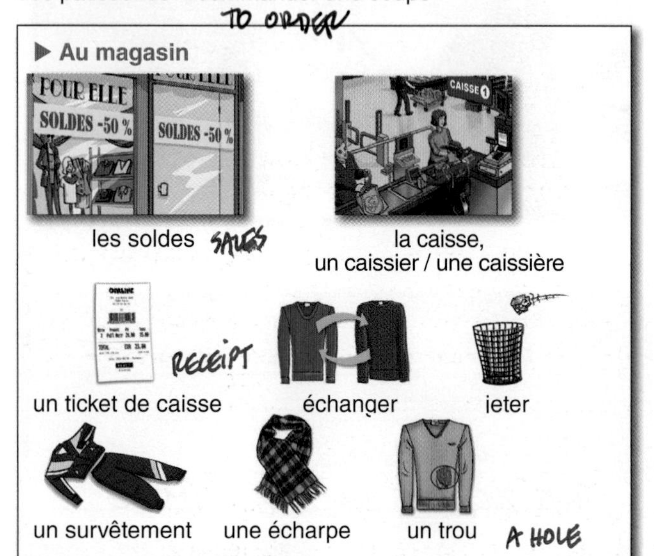

▶ Au restaurant

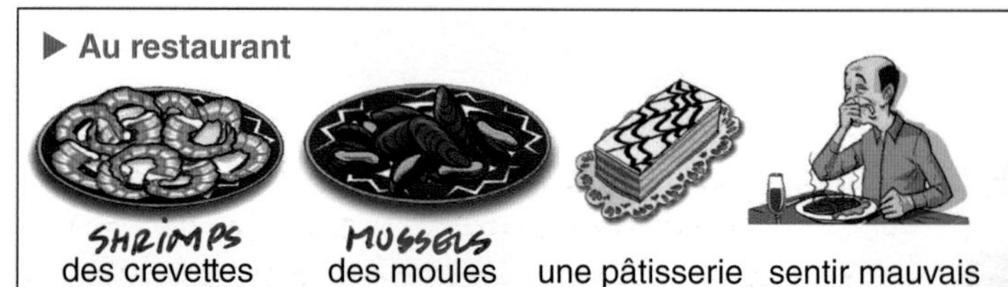

des crevettes — des moules — une pâtisserie — sentir mauvais

trop salé

commander

demander poliment

4 Interrogez-vous à partir des images.

Exemple :

A : – Elle n'a pas l'air contente. Il y a quelque chose qui ne va pas ?
B : – C'est normal : elle a acheté un survêtement pour son mari mais la taille est trop petite. Et donc, elle se demande si elle peut l'échanger.
A : – Oui, c'est possible si elle a gardé le ticket de caisse.

À VOUS DE JOUER

5 Imaginez un dialogue et jouez-le.

ÉCHAUFFEMENT

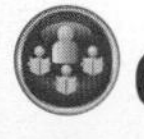

6 (1) Écoutez l'enregistrement et remplissez le tableau comme dans l'exemple. (2) Vérifiez avec votre voisin. (3) Lisez les phrases à voix haute.

Phonie-graphie du son [j]	Combien de [j] ?	Comment s'écrit le son [j] ?
Exemple : Vous voudriez échanger ce pantalon jaune ?	*1*	*~iez*
1. Vous pourriez me donner une taille plus grande ?	....	....
2. Est-ce que je peux essayer cette chemise rayée ?	....	....
3. J'ai acheté cette veste italienne pour ma fille mais elle n'est pas assez grande.	....	....
4. Ne vous inquiétez pas, vous pouvez l'échanger.	....	....
5. Je voudrais savoir si je peux payer par carte.	....	....

LECTURE

7 Observez, puis lisez à voix haute.

De : garciaminette@orange.fr
À : service-client@vente-en-ligne.fr
Objet : Demande d'échange et réclamation

Madame, Monsieur,

Le mois dernier, j'ai acheté sur votre site vente-en-ligne.fr une série de vêtements « bord de mer », en soldes. La référence de ma commande est : MER0203152014/PROMO

J'ai bien reçu mes articles, mais la veste de marin jaune a l'air trop petite. De plus, j'ai aussi un problème avec les bottes, elles sentent mauvais : elles ont une odeur de crevettes ! Ce sont des cadeaux de fête des pères pour mon mari, alors je ne suis pas très heureuse. Je voudrais savoir si c'est possible d'avoir une veste plus grande et une autre paire de bottes, sans l'odeur bizarre.

Je vous remercie par avance.
Meilleures salutations.
Claudine Garcia

De : service-client@vente-en-ligne.fr
À : garciaminette@orange.fr
Objet : RE : Demande d'échange et réclamation

Chère cliente,

Pour votre veste et vos bottes, nous sommes vraiment désolés, mais ce n'est pas possible de les échanger. Nos articles en promotion ne sont « ni repris, ni échangés », cela est bien écrit sur votre contrat. Pour votre problème d'odeur, nous vous recommandons l'article suivant :

Réf. MER 1968XT, Spray Désodorisant Chaussures 150 ml Sanicorps, prix : 5,54 €

Vente-en-ligne.fr et moi-même vous remercions pour vos achats.
Caroline

8 Lisez le document de l'activité 7, puis interrogez-vous à tour de rôle.

Exemple :
A : – Est-ce que Claudine a bien reçu tous les articles commandés ?
B : – Oui, elle les a bien reçus.

1. À qui est-ce que Claudine a écrit ? Pourquoi ?
2. Quel genre d'articles est-ce qu'elle a commandé ?
3. Quel est son numéro de commande ?
4. Pour qui est-ce qu'elle a fait ces achats ?
5. Est-ce que vous pensez qu'elle va être contente de la réponse du service client ? Pourquoi ?

9 Lisez le document de l'activité 7, puis interrogez-vous à tour de rôle pour remplir la fiche de réclamation.

Exemple :
A : – Qu'est-ce que Claudine Garcia a acheté sur le site vente-en-ligne.fr ?
B : – Elle a acheté des bottes et...

FICHE DE RÉCLAMATION

Articles commandés	Problème signalé	Demande du client	Réponse de Vente-en-ligne.fr
....	....	....	....
Des bottes	....	....	....

PRATIQUE DE LA LANGUE

10 Interrogez-vous à tour de rôle comme dans l'exemple.

Exemple : (ils) perdre son ticket de caisse → (ils) retrouver
A : – Ils ont perdu leur ticket de caisse !
B : – Ne vous inquiétez pas, ils vont le retrouver.

1. (il) perdre son portefeuille → (il) retrouver
2. (je) perdre son devoir → (vous) refaire
3. (je) oublier ses conjugaisons → (vous) réviser
4. (je) se disputer avec son petit ami → (tu) revoir
5. (je) rater son feuilleton à la télé → (ils) repasser

ÉCHAUFFEMENT

11 Lisez le texte avec vos voisins, recopiez puis comparez.

En France, il y a une grande période de promotions qui s'appelle « les soldes d'été » de la fin juin à la fin juillet. Tout coûte beaucoup moins cher ! Mais faites attention à choisir la bonne taille ou la bonne pointure, parce qu'il est impossible d'échanger les articles trop petits ou trop grands.

GRAMMAIRE

12 Interrogez-vous comme dans l'exemple, puis écrivez vos réponses.

Exemple :
A : – Tu n'as pas l'air en forme, ça va ? → dormir / pas assez
B : – Non, je n'ai pas assez dormi.

1. Tu veux encore un peu de pâtisseries ? → manger / assez
2. Alors, la jupe, elle est assez grande ? → petite / trop
3. Alors, cette soupe de moules, elle était bonne ? → salée / trop
4. Tu l'as acheté, ce nouveau survêtement ? → cher / trop
5. Bon, tu arrêtes ces exercices ? → travailler / pas assez

RÈGLE 39
« Assez », « pas assez », « trop »

- Les adverbes « assez » et « trop » donnent des informations sur la **quantité**. Ils s'utilisent avec un verbe, un adjectif ou un nom.

– Avec un verbe :
- *J'ai **trop** payé. / Vous **n'**avez **pas assez** payé. / Vous avez **assez** mangé ?*

– Avec un adjectif :
- *Le pull est **trop** petit. / Le pantalon **n'**est **pas assez** long. / C'est **assez** grand ?*

– Avec un nom :
- *Il y a **trop de** sel. / Il **n'**y a **pas assez de** sauce. / Vous avez **assez de** pain ?*

13 Interrogez-vous à tour de rôle comme dans l'exemple, puis écrivez vos échanges.

Exemple : Est-ce que je dois écrire les phrases dans le cahier ? → (il)
A : – Je voudrais savoir si je dois écrire les phrases dans le cahier.
B : – Il demande si c'est obligatoire d'écrire les phrases dans le cahier.

1. Est-ce que je dois garder la facture ? → (elle)
2. Est-ce que je peux jeter le ticket de caisse ? → (il)
3. Est-ce que nous pouvons dormir dans ce camping ? → (ils)
4. Est-ce que nous devons commander avant 20 heures ? → (elles)

RÈGLE 40
Les pronoms interrogatifs au style indirect (2)

- Pour rapporter une interrogation avec « Est-ce que… ? » dans une phrase, on utilise « **si** ».
  - ***Est-ce qu'****on peut échanger ce pull ?*
  →*Je me demande **si** on peut échanger ce pull.*
- On peut utiliser le style indirect pour faire une demande polie.
  - *C'est possible de prendre des photos de ce tableau ?*
  →*Je voudrais savoir **si** c'est (**s'**il est) possible de prendre des photos de ce tableau.*

DICTÉE

14 Écoutez et écrivez, puis comparez avec vos voisins.

De : service-client@vente-en-ligne.fr
À : faby.duplantier@orange.fr

Objet : Votre commande

ÉCRITURE

15 (1) Interrogez vos voisins sur des réclamations qu'ils ont faites. (2) Remplissez le tableau. (3) Rédigez une ligne pour décrire le problème

Qui ?	Articles commandés	Problème signalé	Réaction du client	Réponse du magasin
Martin	*Jeu vidéo*	*Quand il l'a reçu, le jeu était différent.*	*Il l'a retourné au magasin.*	*Ils lui ont envoyé un nouveau jeu.*

ÉCHAUFFEMENT

16 Écoutez et répétez en imitant l'intonation.

L'embarras

1. – Je suis désolé, madame, mais nous n'avons plus de pull bleu en taille S.
2. – Euh… non, non, c'est la bonne taille, mais mon fils n'aime pas la couleur…
3. – C'est ça le problème, je ne le retrouve pas...
4. – Ah… Si vous n'avez pas le ticket de caisse, je ne peux pas reprendre le pantalon, madame…

COMPRÉHENSION

17 Regardez la vidéo et répondez.

7

Au magasin Partie 1 – Ce n'est pas possible de l'échanger ?

1. Complétez le document, puis interrogez votre voisin pour vérifier vos réponses.

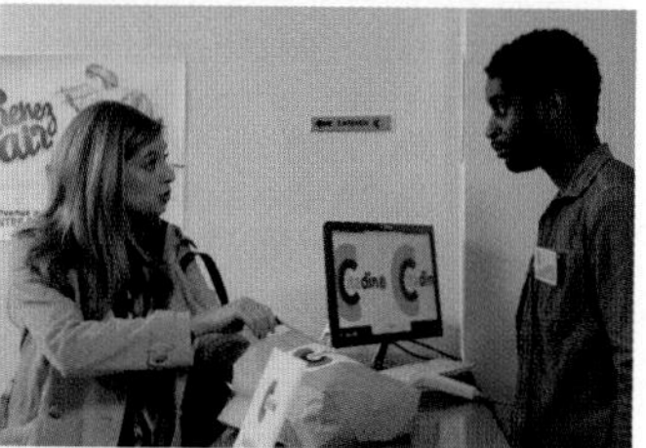

Achat d'articles – jeudi 2 février

Article / Descriptif	Couleur	Taille	Quantité	Prix unité	Total
Pantalon femme en coton Lacoste	rose	40	1	90 €	90 €
……………….	……..	…..	………..	………..	……..
				Total	…. €

☒ Annuler ☑ Valider

Exemple :
A : – Qu'est-ce qu'elle a acheté comme vêtement ?
B : – Elle...

2. Répondez et justifiez.

1. Pourquoi est-ce que la dame retourne dans le magasin ? Quel est le problème ?
2. Qu'est-ce qu'il faut montrer au vendeur pour cela ?
3. Qu'est-ce qu'elle prend à la place ? Pourquoi elle ne prend pas la même couleur ?
4. Pourquoi est-ce qu'elle revient une troisième fois ?
5. À la fin, pourquoi est-ce qu'elle est énervée ?

18 Regardez. Qu'est-ce qu'ils disent ?

7

Exemple : Le vendeur dit qu'il n'y a pas de problème si la dame a gardé le ticket de caisse.
→ Il dit : « Dans ce cas, c'est parfait. »

1. La dame lui demande s'il est sûr qu'il n'a pas de pull bleu en taille S.
2. La dame n'a pas le choix et décide de prendre un pull noir.
3. Le vendeur est surpris de revoir la dame.
4. La dame demande au vendeur de se souvenir d'elle.

À VOUS DE JOUER

19 Imitez, puis utilisez entre vous.

Exprimer son incrédulité et sa colère

7a-b

1. A : – Vous avez le ticket de caisse ?
   B : – C'est ça le problème, je ne le retrouve pas...
   A : – Ah… Si vous n'avez pas le ticket de caisse, je ne peux pas reprendre le pull, madame… C'est la politique de la maison.
   B : – Mais enfin monsieur, je suis venue tout à l'heure !

2. A : – Bon, appelez votre patron. Je ne suis pas contente du tout ! Je veux lui parler !
   B : – Il n'est pas là aujourd'hui, madame, mais demain, vous pourrez lui parler.
   A : – C'est pas croyable !

20 En situation.

Un client et un vendeur.
Vous avez acheté un pull en laine bleu pour l'anniversaire d'un ami, mais il est trop petit. Vous retournez au magasin pour l'échanger mais vous n'avez plus le ticket de caisse. Discutez avec le vendeur.

ÉCHANGES

Aidez-vous des pages annexes : conjugaison et lexique.

1 Utilisez « assez », « pas assez » et « trop » comme dans l'exemple.

Exemple : Ce pantalon coûte 50 euros, mais j'ai seulement 45 euros sur moi...
→ Je n'ai pas assez d'argent pour acheter ce pantalon.

1. L'examen finit dans 10 minutes, mais j'ai besoin de 30 minutes de plus pour finir.
→ ....
2. Je n'aime pas aller dans ce restaurant le samedi soir. On doit attendre longtemps pour avoir une table.
→ ....
3. Il faut être âgé de 18 ans pour entrer dans une discothèque en France. Cette jeune fille a 18 ans.
→ ....
4. Cet employé sort toujours tôt du bureau et il n'a jamais fini son travail.
→ ....
5. Nous ne pouvons pas courir plus vite que ce sportif.
→ ....

2 Regardez les illustrations et écrivez ce qui se passe.

Exemple :  → Elle n'est pas contente parce qu'elle a acheté un pull mais la taille est trop petite.

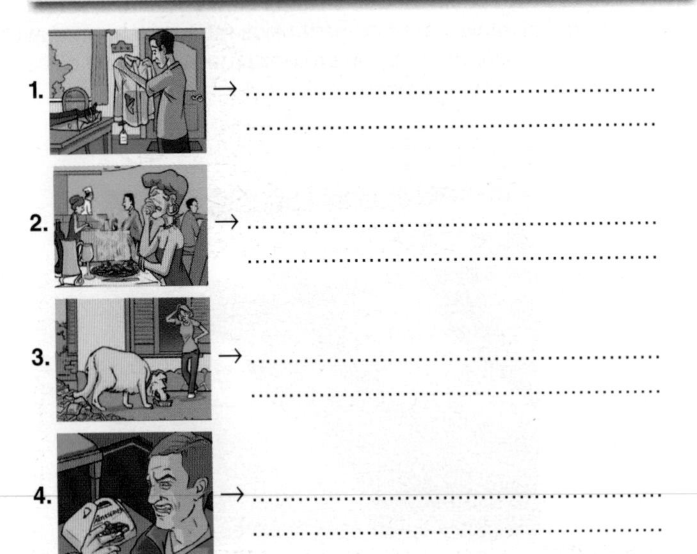

1. → ....
....
2. → ....
....
3. → ....
....
4. → ....
....

3 Écoutez leurs explications et faites comme dans l'exemple.

Exemple : Elle a acheté un joli survêtement pour son mari mais la taille est trop petite.

1. → ....
2. → ....
3. → ....
4. → ....

LECTURE

4 Lisez et répondez.

De : yannick04@gmail.com
À : service-client@imelon.com
Objet : Demande de remboursement

Bonjour,
Depuis que j'ai ouvert mon compte Imelon, j'ai rencontré plusieurs problèmes.
Je suis abonné Imelon depuis le mois de décembre dernier et j'ai téléchargé plusieurs albums de musique sur ma tablette.
Le 10 juin dernier, j'ai téléchargé un film sur ma tablette à partir de votre site internet. Comme le film était long, un message m'a indiqué qu'il n'y avait pas assez d'espace dans ma tablette et que je devais « libérer de la mémoire ». J'ai effacé la musique et j'ai téléchargé le film. Mais il y a eu un problème et le film était coupé à la fin. J'ai essayé de retélécharger le film mais je n'ai pas pu.
J'ai alors essayé d'effacer le film et de remettre ma musique, mais on m'a demandé les numéros de téléchargement reçus par e-mail pour tous les albums que j'avais téléchargés et bien sûr je ne les avais plus ! Je trouve que c'est un peu trop compliqué.
Maintenant je n'ai ni musique ni film sur ma tablette. J'aimerais arrêter mon abonnement et avoir un remboursement. Je crois que je vais retourner au cinéma et à des concerts.
Cordialement,
Yannick Gibaud

De : service-client@imelon.com
À : yannick04@gmail.com
Objet : RE : Demande de remboursement

Cher client,
Comme il est décrit dans nos *Conditions générales de vente*, on ne peut télécharger les films ou les musiques qu'une seule fois. Pour télécharger à nouveau quelque chose, vous devez indiquer les numéros de téléchargements communiqués par e-mail.
Pour arrêter votre abonnement à Imelon : envoyez une lettre recommandée, par la Poste, 3 mois avant la date anniversaire de votre abonnement. Pensez à indiquer votre numéro de client (numéro à 20 chiffres qui vous a été communiqué par e-mail)
Vous pourriez aussi changer de tablette : Imelon.com propose des tablettes nouvelle génération en promotion jusqu'à la fin du mois.
Imelon vous remercie pour votre fidélité.

1. Qu'est-ce que Imelon.com ?
→ ....
2. Qu'est-ce que Yannick a téléchargé ?
→ ....
3. Quels problèmes il a rencontré ?
→ ....
4. Qu'est-ce qu'il demande au service client d'Imelon.com ?
→ ....

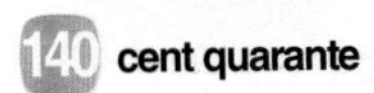

5. Quelles solutions propose le service client ? (2 solutions)
→ ....
→ ....
6. Quels sont les projets de Yannick ?
→ ....

ÉCRITURE

5 Écoutez et écrivez.

....
....
....
....
....
....
....

6 Sur le modèle de l'exercice 4, écrivez un e-mail de réclamation pour un problème que vous avez rencontré.

De : ....
À : ....
Objet : ....

....
....
....
....
....
....
....

DISCUSSION

7 Écoutez et cochez ce que vous entendez.

	[ʃ]	[ʒ]	[s]	[z]
1.	☑	❒	☑	❒
2.	❒	❒	❒	❒
3.	❒	❒	❒	❒
4.	❒	❒	❒	❒
5.	❒	❒	❒	❒
6.	❒	❒	❒	❒

8 Écoutez et répondez aux questions.

1. Remplissez le tableau.

Poissonnerie Le Grand Large	**Date :** le vendredi 22 mai **Nom du vendeur :** Éric
Produit acheté	....
Jour de l'achat	....
Problème	....
Produit échangé ?	❒ oui ❒ non

2. À cause de ce problème, qu'est-ce que la dame a dû manger ?
→ ....
3. Quelle est la politique de la maison ?
→ ....
4. Où est le ticket de caisse de la dame ?
→ ....
5. Pourquoi est-ce que le vendeur ne sait pas comment s'occuper de ce problème ? (2 raisons)
→ ....
→ ....
6. Finalement, pourquoi est-ce que la dame dit que c'est un excellent vendeur ?
→ ....

Comment dit-on dans votre langue ?

« Elles sont im-man-gea-bles ! » :
....
« Tenez, sentez ! » : ....

ÉCHAUFFEMENT

1 Écoutez et répétez.

L'hôtel était extra…

ÉCHANGES

2 Écoutez et imitez.

Bon, c'était comment tes vacances en Nouvelle-Calédonie ?

Eh bien, l'hôtel était extra, parce qu'il y avait un terrain de tennis et qu'on pouvait aller à la plage à pied.

Ah, pas mal ! Vous avez passé vos journées à la mer alors ?

Oui, mais le problème c'était les requins. Il fallait faire attention. Et avec le soleil, on devait rester sous le parasol tout le temps.

3 Interrogez-vous en utilisant le vocabulaire que vous connaissez et le vocabulaire ci-dessous.

Variez votre interrogation avec : en Afrique du Sud – en Océanie – à la montagne – en Amérique du Sud

▶ **Les vacances**

faire un pique-nique

un parasol

une salle de gym

Et aussi :

- être extra = être super
- loger dans un hôtel ☆ une étoile
- un terrain de tennis = un endroit où on joue au tennis
- un terrain de golf = un endroit où on joue au golf

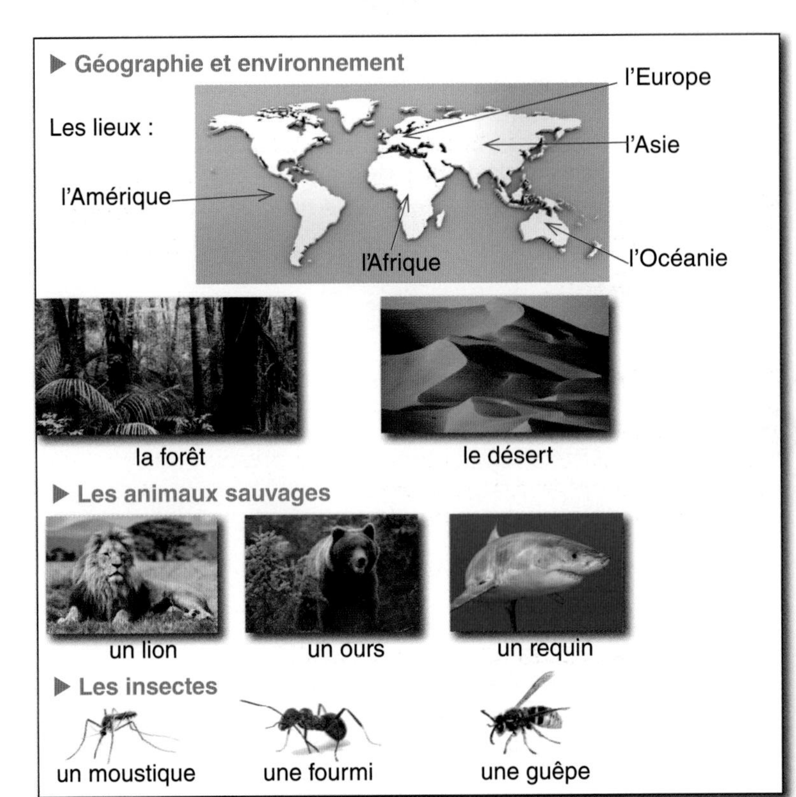

4 Interrogez-vous à partir des images.

Exemple : A : – Comment se sont passées leurs vacances en Nouvelle-Calédonie ?
B : – Ils ont beaucoup aimé parce que leur hôtel était situé à côté de la mer et qu'il y avait un terrain de tennis. Mais il fallait faire attention parce qu'il faisait très chaud.

À VOUS DE JOUER

5 Imaginez un dialogue et jouez-le.

ÉCHAUFFEMENT

6 (1) Comme dans la première phrase, notez les syllabes accentuées, les liaisons et barrez les finales muettes. (2) Écoutez l'enregistrement et vérifiez avec votre voisin. (3) Lisez le texte à voix haute.

Lecture de texte

Pendant mes vacances, // nous sommes allés / en Nouvelle-Calédonie / dans un camping / trois étoiles. Je pensais passer de super vacances avec du soleil, des bains de mer et de belles promenades. Mais, il a plu tous les jours, et c'était impossible de se baigner et de faire des barbecues sur la plage. Alors, je ne vous conseille pas de partir en janvier ! Je suis vraiment très déçue...

LECTURE

7 Observez, puis lisez à voix haute.

Touristes-Dialogues.be

Hôtels	Vols	Locations	Restaurants	Vos amis	Écrire un avis
Europe	Asie	Afrique	Amérique	Océanie	Recherche

> Pacifique sud > France > Nouvelle-Calédonie > Grande Terre > Thio

Camping **

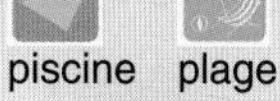

piscine plage

parking

Discussion : Camping d'Ouroué

Avec mon copain, on pense aller au terrain de camping d'Ouroué, en Nouvelle-Calédonie. Quelqu'un le connaît ?

Avec ma cousine, on est allées 15 jours dans ce camping : c'était des vacances formidables, à seulement 5 min d'une plage avec des arbres pour parasols. Il fallait 1/4 d'heure pour aller jusqu'à une piscine naturelle d'eau de rivière (on ne pouvait pas se baigner, l'eau était trop froide, mais nous avons fait un super pique-nique). Les animateurs aussi étaient très sympas : ils ont fait des barbecues, avec des spécialités de fruits de mer variées tous les jours. Par contre, le soir, on devait rentrer dans les bungalows avant 23 h 00, on devait aussi faire attention aux grosses guêpes près des douches et... au soleil magnifique ! Alors, crème solaire obligatoire

Qualité / Prix + + + + - Situation + + + + +
Propreté + + + + -

> Europe > Royaume-Uni > Îles anglo-normandes > Jersey > Saint-Hélier

Hôtel ****

centre d'affaires Wifi haut débit

bar / lounge salle de gym

Discussion : Hôtel *Pomme d'Argent*

Mon oncle et ma tante ont décidé de partir faire du golf à Jersey. On pense loger au 4 étoiles *Pomme d'Argent*. Vous savez comment c'est ?

Oui, nous sommes allés là-bas avec ma femme et je ne vous conseille pas cet endroit. Le golf était très loin, il fallait absolument une voiture pour porter les sacs, mais on n'avait pas le droit de se garer devant l'hôtel... incroyable ! Les terrains de tennis étaient bien, mais nous devions obligatoirement les réserver un jour avant...
Sinon, les chambres étaient propres, mais nous avons trouvé un insecte dans la salle de bain. En plus, il fallait attendre presque une heure pour avoir son petit déjeuner dans la chambre. Non, vraiment, cet endroit était nul.

Literie + + - - - Chambres + + + - -
Service + - - - -

8 Lisez le document de l'activité 7, puis interrogez-vous à tour de rôle.

Exemple :
A : – Qu'est-ce que c'est Touristes-Dialogues.be ?
B : – C'est un forum Internet belge.

1. À quoi ça sert ?
2. Sur ce forum, les gens discutent surtout de quoi ?
3. Où sont situés le Camping d'Ouroué et l'hôtel *Pomme d'Argent* ?
4. Est-ce que vous êtes déjà allé(e) dans ces régions du monde ?
5. Et est-ce que vous allez sur des sites comme Touristes-Dialogues.be ? Pourquoi ?

9 Lisez le document de l'activité 7, puis interrogez-vous à tour de rôle.

Exemple :
A : – Comment étaient les vacances au Camping d'Ouroué ?
B : – Elles étaient formidables.

1. Qu'est-ce que la touriste a aimé en Nouvelle-Calédonie ?
2. Il fallait faire attention à quoi sur cette île ?
3. Les touristes qui choisissent l'hôtel de Jersey veulent faire quoi ?
4. Quels problèmes ont eu le touriste et sa femme qui sont allés dans cet hôtel ?
5. Et vous, vous aimeriez aller où en vacances ?

PRATIQUE DE LA LANGUE

10 Interrogez-vous à tour de rôle comme dans l'exemple.

Exemple : → La Côte d'Ivoire ?
A : – À votre avis, qu'est-ce qu'on peut faire en Côte d'Ivoire ?
B : – Je pense qu'on peut aller au marché traditionnel d'Abidjan et visiter la grande basilique de Yamoussoukro.

La Suisse
La Belgique
Le Québec
Le Maroc
Le Vietnam

ÉCHAUFFEMENT

11 Lisez le texte avec vos voisins, recopiez puis comparez.

Comme 66 % des Français, la famille Hulot part en vacances tous les étés. Jusqu'à maintenant, ils allaient tous les ans au même endroit, en Bretagne. Mais l'année dernière, il pleuvait un jour sur deux. Alors, cette année, ils ont choisi de séjourner dans un club de vacances, au soleil.

GRAMMAIRE

12 Interrogez-vous comme dans l'exemple, puis écrivez vos réponses.

Exemple : (tu) Mexique ?
A : – Le Mexique, tu connais ?
B : – Non, je ne suis jamais allé(e) au Mexique.
ou B : – Oui, je suis déjà allé(e) au Mexique, c'était formidable.

1. (tu) Russie ?
2. (vous) Pays-Bas ?
3. (tu) Afrique du Sud ?
4. (vous) Saint-Martin ?
5. (tu) Hong Kong ?

RÈGLE 41
Les prépositions de lieu devant les noms géographiques

- **Les villes** : « **à** »
  - *Je voudrais aller* ***à*** *Paris.*

On va ***au*** *Mans* (Le Mans) *pour voir la course de voitures ?* (à + ~~le~~ = au)

- **Les pays** : masculin → « **au** » ; féminin → « **en** » ; pluriel → « **aux** »
  - *Audrey est allée* ***au*** *Japon,* ***en*** *Chine et* ***aux*** *États-Unis.*

Mots qui commencent par « A », « E », « I », « O » ou « U » → « **en** »
  - *Elle est aussi allée* ***en*** *Iran.*

- **Les continents** : toujours féminin → toujours « **en** »
  - *Laurent habite* ***en*** *Europe. Il a voyagé* ***en*** *Asie…*
- **Les îles** : 3 possibilités → **« en », « à » ou « à » + article**
  - *Tu préfères aller* ***en*** *Corse,* ***à la*** *Martinique ou* ***à*** *Tahiti ?*

13 Interrogez-vous à tour de rôle comme dans l'exemple, puis écrivez vos réponses.

Exemple :
A : – Qu'est-ce qu'il fallait faire à l'hôtel *Pomme d'Argent* pour jouer du tennis ?
B : – Il fallait réserver un jour avant.

1. Comment est-ce qu'on faisait pour écouter de la musique en 1800 ?
2. Comment est-ce qu'on voyageait quand il n'y avait pas de train ?
3. Quand vous étiez au lycée, qu'est-ce que vous deviez faire après l'école ?
4. Qu'est-ce que tu ne pouvais pas faire tout seul quand tu étais petit ? Pourquoi ?

RÈGLE 42
Autres emplois de l'imparfait

- On utilise l'imparfait pour :
  - insister sur la **répétition d'une action passée** ;
    - ***On devait*** *rentrer avant minuit (tous les jours).*
  - présenter une **vérité au passé** ;
    - ***Il fallait*** *prendre le bus.*
  - donner des **justifications** ou des explications sur des **circonstances passées**.
    - ***Il fallait*** *faire attention à cause des requins.*
    - *On devait rester sous le parasol parce qu'****il faisait*** *trop chaud.*

DICTÉE

14 Écoutez et écrivez, puis comparez avec vos voisins.

Objet : RE : Alors, tes vacances ?

ÉCRITURE

15 (1) Interrogez vos voisins sur leurs vacances. (2) Utilisez la fiche. (3) Rédigez ensemble des recommandations ou des critiques de lieux de vacances.

Étudiant	*Delphine*
Où ?	*Elle est allée à Madagascar.*
Avec qui ?	*Elle était avec son mari et leurs enfants.*
Quand ?	*Il y a deux ans, en avril.*
Quoi ?	*Ils ont fait une randonnée dans le parc d'Isalo.*
Comment ?	*Il fallait faire attention aux insectes, surtout aux moustiques.*
BILAN	*Elle a aimé son voyage, mais il faisait chaud et c'était un peu dangereux.*

ÉCHAUFFEMENT

16 Écoutez et répétez en imitant l'intonation.

L'incrédulité

1. – Ah bon ? Pourquoi ? Il y a quelque chose qui ne va pas ?
2. – Nooon ! Olivier ? Je ne peux pas le croire… Comment ça ?
3. – Aïe aïe aïe… Ne me dis pas que…
4. – Hein ? Comment ça ?

COMPRÉHENSION

17 Écoutez et répondez.

Qu'est-ce qui s'est passé ?

1. Complétez le document, puis interrogez votre voisin pour vérifier vos réponses.

	Anaïs	Mathilde
Lieu de vacances	....	....
Avec qui	....	....
Logement	....	....
Activités	....	....
Problèmes	....	....

Exemple :
A : – Où Anaïs a-t-elle passé ses vacances ?
B : – À ...

2. Répondez et justifiez.

1. Pourquoi Anaïs dit-elle que ses vacances sont compliquées à expliquer ?
2. Comment est Olivier en vacances ?
3. Est-ce qu'Anaïs et Olivier se voient toujours ?
4. Est-ce que Mathilde a passé de bonnes vacances ?
5. Comment Mathilde a rencontré Denis ?

18 Écoutez. Qu'est-ce qu'ils disent ?

Exemple : Mathilde trouve que c'est une bonne idée d'aller au pays basque.
→ Elle dit : « Oh, génial ! »

1. Mathilde trouve que le camping de Biarritz a l'air très bien.
2. Mathilde est surprise quand Anaïs dit qu'Olivier était un problème.
3. Mathilde est inquiète pour le couple d'Anaïs.
4. Mathilde répond à Anaïs que l'eau est trop froide pour se baigner.

À VOUS DE JOUER

19 Imitez, puis utilisez entre vous.

Demander de raconter

a-c

1. A : – Bon Anaïs, et tes premières vacances avec ton chéri ? Tu ne m'as rien dit. C'était bien ?
B : – Ben, c'est un peu compliqué à expliquer…
A : – Ah bon ? Pourquoi ? Il y a quelque chose qui ne va pas ?

2. A : – Mais c'est le paradis, ton camping ! C'était quoi le problème, alors ?
B : – Le problème, c'était Olivier.
A : – Nooon ! Olivier ? Je ne peux pas le croire… Comment ça ?
B : – Eh bien, on ne pouvait rien faire.

3. A : – Drôles de vacances… Bon et toi ? Tu es partie avec qui déjà ?
B : – Avec ma grand-mère…
A : – Ha ha ha ! Avec ta grand-mère ? Vous étiez où ?
B : – On est allées en Normandie, à Cabourg, au bord de la mer.

20 En situation.

À deux, interrogez-vous et dites si vous voudriez passer des vacances comme Anaïs ou comme Mathilde.

ÉCHANGES

Aidez-vous des pages annexes : conjugaison et lexique.

1 Complétez les phrases avec « à », « au », « aux », « en » ou « dans ».

1. Cet été, nous sommes allés .... Casablanca, ... Maroc. On a fait une promenade .... le désert. C'était bien.
2. Avec des amis, on est allés .... Corse, ... sud-est de la France. C'était génial, mais on s'est perdus .... la forêt.
3. Mes parents voudraient aller .... Océanie, mais .... un endroit où on parle français. Ils vont aller .... Nouvelle-Calédonie, je crois.
4. Nous avons logé .... un hôtel près de la mer, ... Nice. On pouvait aller .... la plage tous les jours.
5. J'aimerais aller .... Amérique du Sud, surtout .... Brésil et .... Argentine.

2 Faites des phrases avec les éléments ci-dessous, comme dans l'exemple.

~~les ours~~ – les requins – le soleil – les moustiques – les animaux sauvages

Exemple : Faire un pique-nique
→ On ne pouvait pas faire de pique-nique. On devait faire attention aux ours.

1. Ouvrir la fenêtre la nuit → ....
2. Se baigner dans la mer → ....
3. Se balader dans la forêt → ....
4. Marcher longtemps dans le désert → ....

3 Écoutez leurs explications et faites comme dans l'exemple.

Exemple : Elle a adoré parce qu'il y avait un terrain de tennis à côté de l'hôtel.

1. → ....
2. → ....
3. → ....
4. → ....

LECTURE

4 Lisez et complétez.

Avisvoyages.ch

Hôtels | Vols | Locations | Restaurants | Vos amis | Écrire un avis
Europe | Asie | Afrique | Amérique | Océanie | Recherche

> Europe > France > Aveyron > Millau > Village Club > Les Gorges du Tarn

Discussion : Village Club *Les Gorges du Tarn*

Un paradis pour les enfants !
Sandra (Lausanne)

Nous avons choisi ce Village Club parce qu'il proposait des animations tous les jours pour les enfants. Eh bien, pas de mauvaise surprise : c'est un endroit formidable pour les enfants. Avec une grande piscine juste à côté des logements, des animateurs très sympas, des jeux et activités différents chaque jour, Roméo et Ulysse étaient heu-reux ! Et mon mari et moi aussi, parce qu'on pouvait faire de grandes balades dans la montagne autour du Village Club pendant qu'ils étaient aux animations. Et le soir, impossible de s'ennuyer ! Les animateurs organisaient des fêtes, on pouvait danser et chanter jusqu'à minuit autour de la piscine !

Qualité / Prix ++++-
Situation ++++-
Propreté ++++-
Animation +++++

Attention : bruyant !
Serge (Genève)

Ma femme et moi voulions visiter les gorges du Tarn, mais il n'y avait plus de place dans les hôtels… sauf dans ce Village Club. Pas trop cher, mais pas bien du tout ! Des enfants qui courent partout et crient tout le temps. Pour lire tranquillement, on devait aller au café dans la ville voisine. La nuit, les animateurs faisaient chanter et danser tout le monde. On devait fermer la fenêtre et se boucher les oreilles. Et en plus, c'était à une heure de route des gorges du Tarn. On voulait faire de la marche, mais on a surtout fait de la voiture !

Qualité / Prix ++---
Situation -----
Propreté ++++-
Animation -----

	Avec qui sont-ils allés au Village Club ?	Pourquoi ils ont choisi le Village Club ?	Qu'est-ce qu'ils ont pensé de la situation ?	Qu'est-ce qu'ils ont pensé de l'animation ?
Sandra	....	....	....	....
Serge	....	....	....	....

ÉCRITURE

5 Écoutez et écrivez.

....

....

....

....

....

....

....

6 Sur le modèle de l'exercice 4, écrivez un avis sur vos dernières vacances.

Hôtels	Vols	Locations	Restaurants	Vos amis	Écrire un avis
Europe	Asie	Afrique	Amérique	Océanie	Recherche

.... > .... > .... > ....

Discussion : ....

Nom et ville : ....

Titre : ....

....
....
....
....
....
....
....

DISCUSSION

7 Écoutez et notez combien de fois vous entendez les sons.

	[ɑ̃]	[ɛ̃]	[ɔ̃]
1.	1	2	1
2.	…	…	…
3.	…	…	…
4.	…	…	…
5.	…	…	…
6.	…	…	…

8 Écoutez et répondez aux questions.

1. Ça se passe quand ?
→ ....

2. Où se passe la discussion ?
→ ....

3. Remplissez le tableau.

Lieu de vacances	....
Type de logement	....
Raison du choix	....
Personnes avec Aurélien	....
Activités de la journée	....
Activités du soir	....
Problèmes	....

4. Qu'est-ce qu'Aurélien veut faire l'année prochaine ?
→ ....

Comment dit-on dans votre langue ?

« Ah ouais, je vois… » :
....

« Bonjour l'ambiance ! » :
....

Construisons le « jeu de l'oie » de la classe

Étape 1 : Lisez les règles du jeu (document 1).

Étape 2 : Lisez les cartes questions du document 2 et répondez aux questions.

Étape 3 : Sur le modèle des cartes du document 2, utilisez votre manuel pour créer vos cartes.

Étape 4 : Rassemblez vos fiches, mettez des numéros, reproduisez le plateau de jeu (document 3) et jouez !

Document 1

Règles du jeu de l'oie

Le jeu de l'oie est un « jeu de plateau » traditionnel que les Français adorent. On joue avec un **plateau de 63 cases, 2 dès et 1 pion pour chaque joueur**. On peut jouer en individuel ou en équipe.

Comment jouer ?

Le premier joueur lance les dés. Si les dès montrent ⚂ ⚃, il faut avancer de 7 cases, prendre une *carte question* et répondre. Si la réponse est bonne, on peut rejouer. Quand on ne peut pas répondre, un autre joueur lance les dès et joue à son tour. Pour gagner, il faut arriver le premier sur la case *Arrivée*. Mais attention : il faut tomber juste sur cette case. Si vous faites « 8 » et que vous êtes à la case 60, vous devez avancer de 3 cases puis reculer de 5… et attendre votre tour encore une fois.

Les cases spéciales :

- **Case oie :** si un joueur tombe sur cette case, il peut rejouer une deuxième fois.
- **Case hôtel :** si un joueur tombe sur cette case, il doit passer son tour.
- **Case labyrinthe :** si un joueur tombe sur cette case, il doit reculer de 10 cases.

Bonne chance et amusez-vous bien !

Document 2

Qu'est-ce que tu es capable de faire en sport ?	Qu'est-ce qui est plus écologique, la voiture ou le train ?	Est-ce que tu peux utiliser dans une phrase le verbe « commencer » au passé composé ?
Qu'est-ce qu'il faut pour faire un hachis parmentier ?	Dans quelle ville est-ce qu'on peut visiter le château des ducs de Bretagne ?	Qu'est-ce que tu faisais hier à 20 heures ?

Document 3

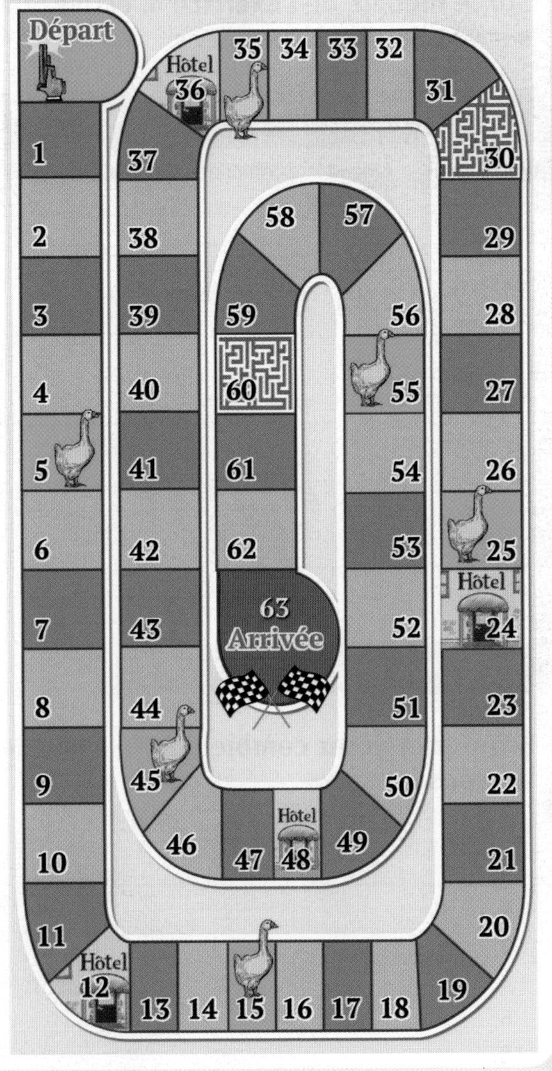

Unité 8
AVENIR
LEÇON 22 – TRAVAIL
LEÇON 23 – PRÉVISIONS
LEÇON 24 – INTENTIONS
PROJET – DES OBJETS UTILES

ÉCHAUFFEMENT

1 Écoutez et répétez.

Ce n'est pas mal payé…

ÉCHANGES

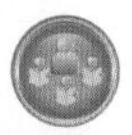

2 Écoutez et imitez.

Tu es content de ton travail ?

Oui, ça va. Ce n'est pas mal payé et mon chef est sympa. J'aimerais juste avoir plus de vacances.

Ah oui ? Moi, je prends mes 7 semaines de vacances, c'est suffisant. Par contre, mon travail est fatigant et je ne gagne pas assez.

Pourquoi tu ne cherches pas un autre travail ? Regarde dans les annonces.

3 Interrogez-vous en utilisant le vocabulaire que vous connaissez et le vocabulaire ci-dessous.

▶ **L'entreprise et le travail**

signer un contrat

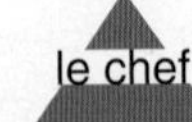

le directeur (la directrice)
le chef
les employés et les collègues

Et aussi :

- une annonce
- le salaire = la paie
- un travail bien payé = avoir un bon salaire
≠ être mal payé = avoir un petit salaire
- gagner (de l'argent, un salaire)
- les horaires (de 9 h à 18 h)
- dur = fatigant
- prendre sa retraite = arrêter de travailler
- être à la retraite = ne plus travailler après 67 ans

4 Interrogez-vous à partir des images.

Exemple :
A : – Il est content de son travail ?
B : – Oui, ça va. Il n'est pas mal payé et son chef est sympa. Par contre, il aimerait avoir plus de vacances.

À VOUS DE JOUER

5 Imaginez un dialogue et jouez-le.

ÉCHAUFFEMENT

6 (1) Écoutez l'enregistrement et remplissez le tableau comme dans l'exemple. (2) Vérifiez avec votre voisin. (3) Lisez les phrases à voix haute.

Phonie-graphie du son [ã]	Combien de [ã] ?	Comment s'écrit le son [ã] ?
Exemple : *Je voudrais changer de travail et apprendre un nouveau métier.*	*2*	*an / en*
1. Je n'étais pas contente de mon travail, il n'était pas très intéressant.	....	....
2. J'avais des horaires très fatigants et je n'arrivais pas à prendre des vacances.	....	....
3. J'étais angoissée et je ne pensais pas trouver un emploi.	....	....
4. Je suis employée dans une banque et j'aime m'occuper des clients.	....	....
5. C'est important de travailler dans un environnement agréable.	....	....

LECTURE

7 Observez, puis lisez à voix haute.

COMPÉTENCES-FORMATION.FR

Travailler moins pour gagner plus ? Ce n'est plus impossible.
Travaillez mieux pour travailler moins, c'est possible !

Votre métier est mal payé… Vous aimeriez gagner plus ?

Vous voudriez préparer un diplôme… Mais vous n'avez pas le temps ?

Vous travaillez trop ! Comment arriver en forme à la retraite ?

La réponses à toutes vos questions : COMPÉTENCES-FORMATIONS !

Avec nos formules en ligne, nous vous proposons un rythme d'apprentissage adapté à votre temps libre :
- ✔ Recherche d'emploi ou de stage
- ✔ Relations avec les collègues et les chefs
- ✔ Maîtrise des logiciels professionnels

Témoignages :

• « Je n'arrivais pas à organiser mon temps entre vie de famille et bureau. J'étais vraiment fatigué de mon travail. Grâce au coaching de projets, j'ai réussi à prendre plus de vacances, et c'est beaucoup moins stressant. » *Jean-Charles, chef d'entreprise*

• « Je suis mécanicien, mais je trouvais seulement des petits jobs alors je n'étais pas content de la paie. Grâce à ma préparation à la recherche d'emploi, j'ai maintenant signé un vrai contrat, et j'ai aussi des horaires moins fatigants. » *Paul, garagiste*

• « J'étais angoissée, je dormais mal et je ne pensais pas pouvoir sortir du chômage. J'ai suivi la formation en informatique, c'était très intéressant et, aujourd'hui, je suis employée dans une banque. Je suis très contente de m'occuper des comptes des clients. » *Natacha, responsable clientèle*

8 Lisez le document de l'activité 7 et répondez à tour de rôle.

Exemple :
A : – Qu'est-ce que cette publicité propose ?
B : – Elle propose des formations.

1. Comment s'appelle la société qui propose ces formations ?
2. Qu'est-ce qu'il est possible d'apprendre avec cette société ?
3. Pourquoi est-ce qu'on peut vouloir suivre une formation ?
4. Elle propose des formules sur quoi ?
5. Elle propose de se former comment ?

9 Lisez le document de l'activité 7, puis interrogez-vous à tour de rôle.

Exemple :
A : – Les formations proposées sont adaptées à quels types de professions ?
B : – Elles sont adaptées à toutes les professions.

1. Quelles sont les professions des gens qui témoignent ?
2. Quelles étaient leurs difficultés avant la formation ?
3. Comment est leur vie professionnelle depuis la formation ?
4. Est-ce que vous pensez que c'est utile de suivre des formations professionnelles ? Pour quoi faire ?
5. Quel métier vous aimeriez faire ? Pourquoi ?

PRATIQUE DE LA LANGUE

10 Interrogez-vous à tour de rôle comme dans l'exemple.

Exemple : Avoir un autre ordinateur
A : – Tu n'aimerais pas avoir un autre ordinateur ?
B : – Si, j'aimerais bien. Mon ordinateur est lent. / Non, ça va, mon ordinateur marche très bien.

1. Chercher un autre travail
2. Avoir un meilleur salaire
3. Avoir d'autres horaires de travail
4. Travailler avec d'autres collègues
5. Avoir un chef plus sympa

ÉCHAUFFEMENT

11 Lisez le texte avec vos voisins, recopiez puis comparez.

En général, les Français sont satisfaits de l'ambiance à leur travail. La pause café est un moment d'échanges important, entre collègues, dans les entreprises. Mais, nombreux sont les employés qui pensent qu'il y a trop de réunions et 63 % ne sont pas contents de leur salaire.

GRAMMAIRE

12 Interrogez-vous comme dans l'exemple, puis écrivez vos réponses.

Exemple : (vous) étudier le français ? → (nous) heureux
A : – Vous êtes contents d'étudier le français ?
B : – Oui, nous sommes heureux d'étudier le français.

1. (elle) se marier ? → (elle) vraiment heureuse
2. (ils) leur travail ? → (ils) vraiment contents
3. (tu) passer cet examen ? → (je) malheureux
4. (vous) cette bonne nouvelle ? → (nous) très heureux
5. (elles) travailler tard le soir ? → (elles) super fatiguées

RÈGLE 43

« Être » + adjectif + « de... »

- Avec « être », les adjectifs donnent une information sur le sujet ; ils peuvent être suivis de « de » + un nom ou un pronom.
  - *Je suis content **de** mon travail.*
  - *Ma chef est contente **de** moi.*
- Les adjectifs peuvent aussi être suivis d'un verbe infinitif ou d'une phrase :
  - *Je suis fatiguée **de** travailler dans cette entreprise.*
  - *Je suis désolé **d'arriver** en retard, mais il y avait un accident.*

13 Interrogez-vous comme dans l'exemple, puis écrivez vos réponses. Utilisez : « fatigant », « intéressant », « reposant », « stressant », « souriant », « suffisant ».

Exemple : (vous) étudiante ? → (nous)
A : – Comment vous la trouvez, cette étudiante ?
B : – Cette étudiante, nous la trouvons souriante.

1. (tu) soirée ? → (je)
2. (tu) exposition ? → (je)
3. (vous) hôtel ? → (nous)
4. (vous) moyen de transport ? → (nous)
5. (vous) salaire ? → (je)

RÈGLE 44

Les adjectifs verbaux

- C'est un adjectif qui vient d'un verbe. Il s'accorde avec le nom qu'il complète.
- Formation : il faut prendre le radical du verbe à l'infinitif et ajouter « ~ant ». Il y a parfois quelques modifications : Amus**er** → amus**ant** ; fatig**u**er → fatig**ant** ; intéress**er** → intéress**ant** ; repos**er** → repos**ant** ; souri**re** → souri**ant** ; stress**er** → stress**ant** ; suffi**re** → suffi**s**ant
  - *Ce travail me fatigue. → Ce travail est **fatigant**.*
  - *Cette histoire m'intéresse. → Je trouve cette histoire **intéressante**.*

DICTÉE

14 Écoutez et écrivez, puis comparez avec vos voisins.

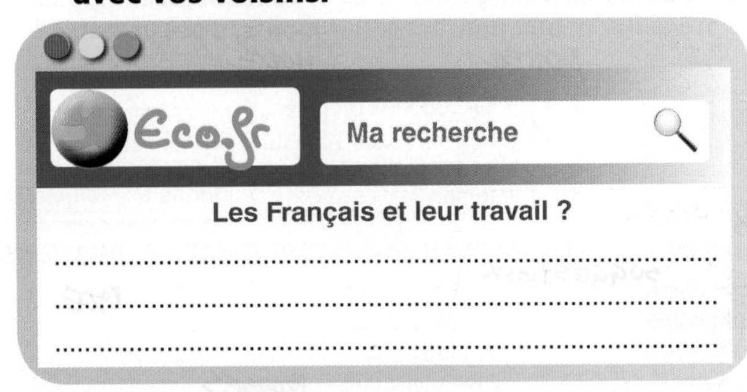

ÉCRITURE

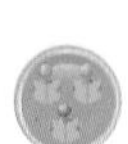

15 (1) Interrogez vos voisins sur leurs conditions de travail. (2) Remplissez le tableau. (3) Écrivez un texte pour décrire les conditions de travail de votre équipe.

Qui ?	Ce qui est positif	Ce qui est négatif
Pauline	*Elle est contente de son travail, elle trouve qu'il est intéressant.*	*Elle a 3 semaines de vacances, mais pour elle, ce n'est pas suffisant.*
....	....	....

ÉCHAUFFEMENT

16 Écoutez et répétez en imitant l'intonation.

Le conseil

IT'S GOING TO BE OK

1. – Ah, c'est pas grave. Ça va aller !
2. – Allez, quoi, tu es trop sérieux !
3. – Tu sais, c'est important de travailler dans un environnement agréable : il y a moins de stress.
4. – Tu vois : parfois, il faut un peu l'oublier, le règlement.

COMPRÉHENSION

17 Regardez la vidéo et répondez.

8

Au magasin Partie 2 – Tu n'es pas content de ton travail ?

1. Complétez le document, puis interrogez votre voisin pour vérifier vos réponses.

	Avantages de la profession	Inconvénients de la profession
Pour la collègue	....	....
Pour Antoine	....	....

> **Exemple :**
> A : – Pour le collègue d'Antoine, quels sont les avantages de leur profession ?
> B : – D'abord, ...

2. Répondez et justifiez.
1. Pourquoi est-ce qu'Antoine est inquiet ?
2. Pourquoi est-ce qu'Antoine aimerait gagner plus ?
3. Que veut la dame ? WHAT DOES THE WOMAN WANT ?
4. Pourquoi est-ce que la dame n'a pas de chance ?

WHY is she out of luck ?

18 Regardez. Qu'est-ce qu'ils disent ?

8

> **Exemple :** La collègue demande à Antoine si tout va bien.
> → Elle dit : « Ça va ? Tout se passe bien, Antoine ? »

1. La collègue dit à Antoine de ne pas s'inquiéter.
2. La collègue dit à Antoine de se détendre.
3. La cliente n'a pas d'avis sur les vacances.
4. Le vendeur dit à la cliente qu'elle n'a pas de chance : elle est surprise.

À VOUS DE JOUER

19 Imitez, puis utilisez entre vous.

Exprimer son accord avec des réserves

8a-b

1. A : – Tu n'es pas content de ton travail ? Le chef et les collègues sont sympas, non ?
   B : – Peut-être, mais les clients ne sont pas toujours faciles...
2. A : – Et en plus, ici, il y a les vacances ! Vous connaissez beaucoup de pays où on a autant de jours de vacances, vous, madame ?
   B : – Oh, moi, vous savez…
   C : – Peut-être mais moi, je n'ai pas besoin d'autant de vacances. Par contre, j'aimerais gagner plus. Le travail n'est pas assez bien payé.

20 En situation.

Votre voisin(e) a décidé de prendre des congés pour aller travailler en France quelques mois. Selon son profil, aidez-le / la à choisir un emploi parmi ces trois offres. Votre voisin(e) dit s'il (ou si elle) est d'accord.

pôle emploi

Offres d'emplois saisonniers
Vous êtes à la recherche d'un job saisonnier ? Consultez les offres d'emploi.

Vous êtes dans la rubrique : Accueil Pôle emploi > Actualités > À l'affiche > Emplois saisonniers

- **Serveur / Serveuse de restaurant**
  Contrat de mi-avril à fin septembre
  Lieu de travail : Ajaccio (Corse)
  Salaire : 1 630,00 € par mois
- **Ouvrier viticole / Ouvrière viticole (coupe du raisin)**
  Contrat travail saisonnier de 5 mois, 35 h/semaine
  Lieu de travail : Reims (Champagne)
  Salaire : 10,35 €/heure
- **Réceptionniste de camping**
  Contrat du 12/04 au 31/08
  Langues : français, anglais et allemand
  Lieu de travail : Brest (Bretagne)
  Salaire : 9,53 €/heure

ÉCHANGES

Aidez-vous des pages annexes : conjugaison et lexique.

1 Écrivez le mot correspondant à la définition, comme dans l'exemple.

Exemple : C'est ce qu'on prend en été généralement ou quand on est fatigué.
→ Des congés

1. C'est ce qu'on reçoit à la fin d'un mois de travail :
→ ....
2. C'est ce qu'on lit dans le journal quand on cherche un emploi : → ....
3. C'est ce qu'on signe quand on commence à travailler dans une entreprise : → ....
4. C'est ce qu'on prend à la fin de sa vie professionnelle :
→ ....
5. C'est la personne qui est au-dessus du chef :
→ ....

2 Faites comme dans l'exemple.

Exemple : Cette personne sourit beaucoup. (Je...)
→ Je trouve cette personne très souriante.

1. Ce film m'amuse beaucoup. (Je...)
→ ....
2. Cette histoire nous intéresse beaucoup. (Nous...)
→ ....
3. Cette discussion le fatigue beaucoup. (Il...)
→ ....
4. Ce travail la stresse beaucoup. (Elle...)
→ ....
5. Ces vacances les reposent beaucoup. (Ils...)
→ ....

3 Écoutez leurs explications et faites comme dans l'exemple.

Exemple : Elle est contente de son travail parce que c'est assez bien payé.

1. → ....
2. → ....
3. → ....
4. → ....

LECTURE

4 Lisez et complétez.

Fatigué(e) de perdre votre temps dans le métro ? Ça vous stresse de chercher une place pour votre voiture ? Avez-vous pensé à **Autolib'** ?

Aujourd'hui, on a besoin d'aller plus vite et on n'a pas assez de temps : quand on va au travail, au supermarché, au cinéma, ou bien quand on rentre chez soi. Une voiture ? L'essence est chère, il faut un parking à la maison, et chercher tout le temps une place, c'est stressant. Le métro ? Ce n'est pas très pratique quand on a des enfants ou quand on est chargé de bagages. En plus, le matin et le soir, on est trop serré, et c'est fatigant. Changer de travail ? Déménager ? C'est compliqué.

Avec Autolib', vous vous abonnez, et vous pouvez prendre une voiture électrique à une borne et la rendre à une autre borne. C'est une vraie voiture 4 places avec un coffre. Autolib', comme « auto » et comme « liberté » !

	Problèmes	Solution d'Autolib'
Métro	• .... • .... •	• .... • ....
Voiture personnelle	• .... • .... •	• .... • ....

ÉCRITURE

5 Écoutez et écrivez.

....

....

....

....

....

....

....

6 Sur le modèle de l'exercice 4, choisissez un ou deux moyens de transport et écrivez ses avantages et ses inconvénients.

	Inconvénients	Avantages
....	• .... • .... •	• .... • .... • ....
....	• .... • .... •	• .... • .... • ....

DISCUSSION

7 Écoutez et cochez ce que vous entendez.

	[ks]	[gz]
1.	❒	☑
2.	❒	❒
3.	❒	❒
4.	❒	❒
5.	❒	❒
6.	❒	❒

8 Écoutez et répondez aux questions.

1. Quel est le thème de l'émission ?

→ ....

2. Complétez le tableau.

Durée légale du temps de travail	....
Durée réelle du temps de travail : • pour un employé • pour un directeur	....
Durée maximale : • du temps de travail quotidien[1] • du temps de travail hebdomadaire[2]	....
Particularité du dimanche	....
Nombre de jours de congés : • mensuels[3] • annuels[4]	....
• Âge de la retraite • Âge de la retraite possible	....
Salaire minimum brut	....

[1] par jour [2] par semaine [3] par mois [4] par an

3. Les Français sont-ils satisfaits de leurs conditions de travail ?

→ ....

4. Complétez.

Raisons de satisfaction	Raisons d'insatisfaction
....	....

Comment dit-on dans votre langue ?

« J'ai le plaisir d'accueillir. » :

....

« Parlons à présent du salaire. » :

....

ÉCHAUFFEMENT

1 Écoutez et répétez.

À votre avis, …

ÉCHANGES

2 Écoutez et imitez.

À votre avis, qui va gagner la Coupe du Monde de football ?
Pour moi, ce sera sans doute l'équipe de France. Ils ont de bons joueurs.
Vous croyez ? Moi, je suis sûre que ce sera le Brésil. Ils ne perdent presque jamais et ils ont déjà été champions plusieurs fois.
C'est possible… On verra...
Mais si, c'est évident !

3 Interrogez-vous en utilisant le vocabulaire que vous connaissez et le vocabulaire ci-dessous.

Variez votre interrogation avec : la Coupe du Monde de… – le tournoi de tennis de… – le Grand Prix de formule un de... – le match entre … et …

▶ La compétition

les Jeux olympiques — marquer un but — marquer un point

gagner ≠ perdre — c'est lui le plus rapide / c'est lui qui court le plus vite — le meilleur, le plus fort

Et aussi :
- un match (de foot, de tennis)
- un tournoi (Rolland Garros, Wimbledon)
- une course (le 100 mètres, le marathon, le 4 fois 100 mètres)

▶ Sportifs et sports

un champion

une équipe

courir : un coureur (une coureuse)

Et aussi :
- nager : un nageur (une nageuse)
- skier : un skieur (une skieuse)
- un joueur de tennis

4 Interrogez-vous à partir des images.

Exemple :
A : – À son avis, qui va gagner la Coupe du Monde de football ?
B : – Pour lui, ce sera sans doute l'équipe de France. Ils ont de bons joueurs.

À VOUS DE JOUER

5 Imaginez un dialogue et jouez-le.

ÉCHAUFFEMENT

6 (1) Faites le découpage et comptez les syllabes comme dans l'exemple. (2) Vérifiez avec l'enregistrement. (3) Lisez ces phrases à voix haute.

Le futur

Exemple : Reposez-vous / un peu, // vous réussirez / mieux.
→ 4 / 2 / 5 / 1

1. Faites du sport, vous serez plus en forme. → ....
2. Faites des efforts, vous serez le meilleur au travail. → ....
3. Sortez ce week-end, vous ferez peut-être une belle rencontre. → ....
4. Faites des économies, vous pourrez faire un beau voyage. → ....
5. Soyez positif, on vous proposera bientôt un nouveau travail. → ....

LECTURE

7 Observez, puis lisez à voix haute.

TéléZODIAQUE
dans vos supermarchés Prix Francs *Votre programme TV* **0,70 €**

Nos prévisions astrologiques de la semaine !

Le soleil est avec vous, vous serez en pleine forme cette semaine. Alors, faites du sport, vous manquez probablement d'exercice. Côté relations : en amour comme en amitié, la semaine sera pleine de rencontres…, vous serez les plus beaux alors il ne faut pas douter !

Vous serez un peu fatigué cette semaine, mais vous réussirez assez bien dans votre travail. Côté argent, vous aurez envie de tout acheter, alors ne cherchez pas les meilleures soldes ce week-end, faites plutôt des économies. Vous aurez des moments agréables avec votre famille et vos amis.

On vous proposera bientôt un nouveau travail, mais ne décidez rien cette semaine. Vous aurez besoin de repos, alors partez en week-end avec votre partenaire ou avec des amis. Les Gémeaux célibataires, eux, auront la possibilité de faire une très belle rencontre.

8 Lisez le document de l'activité 7, puis interrogez-vous à tour de rôle.

Exemple :
A : – Qu'est-ce que ces textes présentent ?
B : – Ils présentent des prévisions astrologiques.

1. Ils parlent de ce qui se passera quand ? Pour qui ?
2. Où est-ce qu'on trouve ce genre de texte en général ?
3. Il y a combien de signes du zodiaque ?
4. De quels sujets parlent ces prévisions astrologiques?
5. Et vous, quel est votre signe astrologique ? Croyez-vous à l'astrologie ?

9 Interrogez-vous mutuellement comme dans l'exemple pour compléter le tableau.

Exemple :
A : – Est-ce que les Lions seront en bonne santé cette semaine ?
B : – L'horoscope dit qu'ils seront en pleine forme.

Signes	Santé	Travail	Relations
Lions	....	....	....
Taureaux	....	....	....
Gémeaux	....	....	....

PRATIQUE DE LA LANGUE

10 Interrogez-vous à tour de rôle comme dans l'exemple.

Exemple : Championnat du monde de volley-ball féminin ?
→ Russie NEXT
A : – Quelles sont vos prévisions pour le prochain Championnat du monde de volley-ball féminin ?
B : – Je pense que ce sont les joueuses russes qui seront les championnes.

1. Championnat du monde de judo par équipe ? → Japon
2. Coupe du monde de rugby ? → Afrique du Sud
3. Championnat du monde de hockey sur glace ? → Canada
4. Coupe du monde de football ? → Pays-Bas
5. Championnat du monde de handball féminin ? → France

ÉCHAUFFEMENT

11 Lisez le texte avec vos voisins, recopiez puis comparez.

Qui va regarder quoi sur les chaînes de sports à la télé en France ? Cela dépendra des événements sportifs : 66 % des femmes regarderont le patinage artistique ou la gymnastique, contre seulement 33 % des hommes. Pour les matchs de football, ce sera le contraire, sauf pour la Coupe du monde, où ils seront à 50-50.

GRAMMAIRE

12 Interrogez-vous comme dans l'exemple, puis écrivez vos échanges.

Exemple : (ma famille et moi) visiter l'Afrique du Sud cet été / (on) voir quoi ?
A : – Ma famille et moi, nous allons visiter l'Afrique du Sud cet été. Qu'est-ce qu'on verra, à ton avis ?
B : – Je suis sûr(e) que vous verrez des lions.

1. (ma famille et moi) visiter Lille / (on) pouvoir manger quoi ?
2. (mes amis) aller dans les Alpes cet été / (ils) faire quoi ?
3. (je) louer une petite voiture pour 2 jours / (je) devoir payer combien ?
4. (nous) dîner chez des amis français pour Noël / (on) boire quoi ?
5. (sa femme et lui) aller dans un cocktail / (ils) porter quoi ?

RÈGLE 45

Le futur proche et le futur simple (1)

Le futur proche
- Il se forme avec « **aller** » **+ infinitif du verbe**.
- On l'utilise pour exprimer un événement proche.
  - *Qui **va** gagner la Coupe du Monde de football ?*

Le futur simple
- **Formation :** il faut prendre le **verbe à l'infinitif, sans le « ~e » final** (pour les verbes en « ~re »).
  parler → **parler**~, finir → **finir**~, prendre → **prendr**~
- **Terminaisons : ~ai, ~as, ~a, ~ons, ~ez, ~ont**
- **Conjugaison :** parler : je parlerai, tu parleras, il / elle / on parlera, nous parlerons, vous parlerez, ils / elles parleront

⚠ je serai (être), j'aurai (avoir), j'irai (aller), je devrai (devoir), je ferai (faire), je pourrai (pouvoir), je verrai (voir)

- **Emploi :** on utilise le futur simple pour exprimer une action future, une possibilité ou une certitude.
  - *La fête **se passera** dans le restaurant sur la place.* (action future)
  - *Je pense que l'équipe de France **gagnera** le match.* (possibilité)
  - *Moi, je suis sûr que ce **sera** la Belgique !* (certitude)

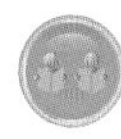

13 Interrogez-vous comme dans l'exemple, puis écrivez vos réponses.

Exemple :
A : – À votre avis, si ces sportifs doivent courir le 100 mètres, qui gagnera ?
B : – Je crois que ce sera Jordan. Il a l'air le plus rapide.

Jordan
grand et mince

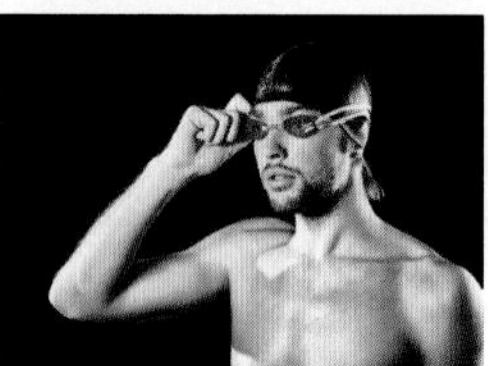

Quentin
rapide

Raphaël
léger

Mohamed
fort

1. Faire un tournoi de boxe ?
2. Nager le 50 mètres ?
3. Courir le marathon ?
4. Faire un match de volley (Quentin + Raphaël *Vs* Jordan + Mohamed) ?
5. Sauter en hauteur ?

DICTÉE

14 Écoutez et écrivez, puis comparez avec vos voisins.

ÉCRITURE

15 (1) Discutez de vos prévisions pour les prochains évènements sportifs. (2) Remplissez le tableau. (3) Rédigez ensemble un texte pour présenter vos pronostics sportifs.

Qui ?	Prévisions	Quand ?	Raisons
L'équipe du Canada	*gagnera l'épreuve de hockey sur glace aux JO*	*en mars 2018*	*parce que les Canadiens adorent ce sport et qu'ils sont les meilleurs sur la glace.*
....	....	....	....

ÉCHAUFFEMENT

16 Écoutez et répétez en imitant l'intonation.

L'affirmation

1. – Pour moi, c'est certain que la France gagnera des médailles.
2. – C'est difficile à dire, Jean-Michel.
3. – C'est certain, c'est toujours difficile de gagner contre le Brésil…
4. – Bon, très bien. C'est maintenant plus clair.

COMPRÉHENSION

17 Écoutez et répondez.

Allez, soyons positifs !

1. Complétez le document, puis interrogez votre voisin pour vérifier vos réponses.

	Journaliste	Sport	Discipline sportive / Nom du sportif	Prévision exprimée	Raison donnée
1	*Éric Laurent*	*?*	*On ne sait pas.*	*C'est certain que la France gagnera des médailles.*	*On ne sait pas.*
2	Valérie Duchêne				
3	Éric Laurent				
4	Valérie Duchêne				
5	Éric Laurent				
6	Valérie Duchêne				

Exemple :
A : – Au numéro un, de quel sport est-ce qu'Éric Laurent parle ?
B : – On ne sait pas. Quelles sont ses prévisions ?
A : – Il dit qu'il est certain que la France gagnera des médailles mais il ne donne pas de raison.

2. Répondez et justifiez.

1. Pourquoi est-ce qu'Éric Laurent et Valérie Duchêne sont les invités de l'émission de radio ?
2. Qu'est-ce qui s'est passé comme événement aujourd'hui ? Quand est-ce que les jeux commencent ?
3. Pourquoi est-ce que Jean-Michel demande à Éric d'être positif ?
4. Qu'est-ce qu'Éric ne sait pas à propos du spécialiste français du 400 mètres ?

18 Écoutez. Qu'est-ce qu'ils disent ?

Exemple : Jean-Michel demande à Valérie et Éric de tout expliquer aux auditeurs.
→ Il dit : « Dites-nous tout. »

1. Jean-Michel dit à Éric et Valérie de croire au succès.
2. Éric dit à Jean-Michel qu'il ne sait pas si la France va gagner une médaille au football.
3. Valérie dit à Éric qu'elle ne croit pas que Tanguy Gourvenec gagnera des médailles.
4. Éric n'est pas très sûr que la France aura plus de médailles en escrime et en cyclisme.

À VOUS DE JOUER

19 Imitez, puis utilisez entre vous.

Exprimer son point de vue, son accord et son désaccord

a-c

1. A : – À mon avis, la France gagnera une médaille d'or ou une médaille d'argent en natation avec Marie Dulac. C'est la championne de France et c'est la plus rapide en Europe. Elle a les qualités pour gagner le 100 mètres nage libre.
   B : – Oui, sans doute, si elle n'est pas malade, comme la dernière fois…
2. A : – Comment va l'équipe olympique de football, Éric ? Vous pensez que la France gagnera une médaille ?
   B : – C'est difficile à dire, Jean-Michel. La France n'a pas perdu beaucoup de matchs depuis un an, mais elle n'a pas souvent gagné non plus…
3. A : – Oh, je suis absolument certain que Tanguy Gourvenec, notre champion national, est le plus rapide et sera capable de finir premier au quatre cents mètres.
   B : – Vous croyez vraiment, Éric ? Vous ne savez pas qu'il s'est blessé et qu'il ne pourra pas courir pendant six mois ?

20 En situation.

Vous interrogez un(e) ami(e) sur des événements sportifs. (1) Demandez-lui son avis. (2) Dites si vous êtes d'accord ou pas.

La Ligue des Champions

Le tournoi de tennis de Rolland Garros

Le Tour de France

La Coupe du Monde de football

Le tournoi des Six Nations (rugby)

La National Basket-ball Association

ÉCHANGES

Aidez-vous des pages annexes : conjugaison et lexique.

1 Faites comme dans l'exemple. Attention à l'accord au féminin et au pluriel.

Exemple : Ce petit garçon adore le football.
→ Quand il sera grand, il sera joueur de football.

1. Cette petite fille adore la natation.
→ ....

2. Ces enfants adorent le ski.
→ ....

3. Nous adorons le tennis.
→ ....

4. Tu adores vraiment la course !
→ ....

5. Vous adorez vraiment le base-ball !
→ ....

2 Utilisez « le / la / les plus... », « le / la / les meilleur(e)(s) » ou « le mieux » comme dans l'exemple.

Exemple : Il gagnera le 100 mètres. (courir vite)
→ C'est lui qui court le plus vite.

1. Je gagnerai le match de ping-pong. (être fort)
→ ....

2. Elle gagnera le tournoi de Rolland Garros. (jouer bien)
→ ....

3. Il gagnera le tournoi de golf. (être précis)
→ ....

4. Ils gagneront la Coupe du Monde de football. (être fort)
→ ....

5. Nous gagnerons le match de beach-volley. (être bon)
→ ....

3 Écoutez leurs explications et faites comme dans l'exemple.

Exemple : Elle pense que ce sera la Chine parce qu'ils ont le plus de sportifs.

1. → ....
2. → ....
3. → ....
4. → ....

LECTURE

4 Lisez et complétez.

TéléZODIAQUE

Une petite forme en début de semaine. Restez à la maison, et reposez-vous. À partir de mercredi, vous sortirez, vous ferez la fête, et vous allez rencontrer quelqu'un. Attention : gardez un peu de force, il y aura du travail jusqu'à vendredi au bureau !

Vous voulez toujours les meilleures choses tout de suite, mais cette semaine il faudra de la patience ! N'allez pas trop vite au travail, écoutez votre patron. Vous serez récompensé. N'oubliez pas aussi votre famille. Elle aura besoin de vous. Attention au stress, c'est mauvais pour votre cœur.

Tout va bien… si vous gardez le sourire. Pas de problème du côté de la forme, mais faites attention au travail ! Vous aurez des difficultés avec vos collègues. Et en plus, à la maison, vous aurez la semaine la plus difficile de l'année !

Signes	Santé	Travail	Relations
Vierge	....	....	....
Bélier	....	....	....
Poissons	*Pas de problème du côté de la forme.*	....	....

LEÇON 23

ÉCRITURE

5 Écoutez et écrivez.

....

....

....

....

....

....

....

6 Sur le modèle de l'exercice 4, écrivez un horoscope pour votre signe.

....

....

Santé : ....

....

Travail : ....

....

Relations : ....

....

DISCUSSION

7 Écoutez et cochez ce que vous entendez.

1. ☑ doigt ❐ doit
2. ❐ ou ❐ où
3. ❐ moi ❐ mois
4. ❐ vingt ❐ vin
5. ❐ sûr ❐ sur
6. ❐ sans ❐ cent

8 Écoutez et répondez aux questions.

1. Remplissez la fiche.

Emploi de Laurent	....
Début de sa mission	....
Prochain événement sportif	....
Objectif de l'équipe de France	....
Date du début de l'entraînement	....
Lieu d'entraînement	....
Raison de ce choix	....
Méthode de Laurent : • pour passer du temps avec les autres joueurs • pour ne pas être fatigué • pour être plus rapide	• .... • .... • ....
Avis du journaliste	....

2. Pourquoi est-ce que Laurent est certain que son équipe gagnera ? (2 réponses)

→ ....

→ ....

3. Montrez que Laurent n'apprécie pas beaucoup les journalistes. (3 réponses)

→ ....

→ ....

→ ....

Comment dit-on dans votre langue ?

« Oui, mais pas longtemps alors. » :

....

« C'est promis. » :

....

ÉCHAUFFEMENT

1 Écoutez et répétez.

Je crois…

ÉCHANGES

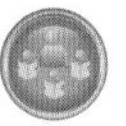

2 Écoutez et imitez.

Qu'est-ce que tu penses faire l'année prochaine ?

Je crois que je commencerai à faire de la natation. Et cet été, j'irai probablement en vacances à Tahiti. Et toi, tu as des projets ?

Oh moi, j'ai décidé de changer de travail. J'espère que je pourrai trouver un meilleur job.

WILL BE ABLE

Bon courage !

HOPE IT GOES WELL!

3 Interrogez-vous en utilisant le vocabulaire que vous connaissez et le vocabulaire ci-dessous.

Variez votre interrogation avec : le week-end prochain – pour tes / vos prochaines vacances – pendant les vacances de fin d'année

DURING

▶ **Parler de ses projets**
- *commencer à* + infinitif ≠ *arrêter de* + infinitif
- avoir des projets TO HAVE PLANS
- *croire que* + futur, *espérer que* + futur
- *penser* + infinitif

▶ **Exprimer la possibilité**
- peut-être (= 50 %) = probablement ≠ certainement, sûrement DEFINITELY!

4 Interrogez-vous à partir des images.

Exemple :
A : – Qu'est-ce qu'il pense faire l'année prochaine ?
B : – Il a décidé de faire de la natation. Et cet été, il ira en vacances à Tahiti.

À VOUS DE JOUER

5 Imaginez un dialogue et jouez-le.

ÉCHAUFFEMENT

6 (1) Faites le découpage, notez les liaisons et les enchaînements. (2) Écoutez l'enregistrement et vérifiez avec votre voisin. (3) Lisez les phrases rapidement.

Le rythme des phrases longues

Exemple : Si vous allez / en France, // vous pourrez / visiter / beaucoup de châteaux / et de très beaux musées.

1. Si vous voulez voir des films français, vous pourrez aller aux soirées cinéma tous les vendredis soir.
2. Si vous faites un séjour linguistique cet été, vous ferez des progrès rapides et vous vous amuserez.
3. Si vous aimez jouer, vous pourrez vous inscrire aux ateliers jeux les mardis et jeudis après-midi.
4. Si vous allez aux goûters le vendredi, vous parlerez avec de jeunes Français qui répondront à vos questions.
5. Si vous prenez une semaine de cours, ça coûtera trois cent trente euros la première semaine.

LECTURE

7 Observez, puis lisez à voix haute.

Cours intensifs session d'été : ***vivez votre passion !***

Vous avez décidé de faire un séjour en France ? Vous pensez profiter de l'été pour améliorer votre français ?
N'hésitez pas, choisissez *Paris Langues* !

Cours tout public

- Communication, expression et compréhension sont au cœur de ce **programme**.
- Des ateliers **au choix** : théâtre, écriture créative, prononciation, jeux (les mardis et jeudis).
- 12 élèves par classe au **maximum**.
- Un **goûter français** tous les vendredis (après les cours) : rencontres avec de jeunes Français qui répondront à toutes vos questions sur la vie en France et les Français.
- Vous aurez accès à la **médiathèque** du centre pendant toute la durée de votre séjour, et notre équipe sera toujours là pour vous aider.

Loisirs et culture : un programme pour tous les goûts

- **Visites dans Paris :** vous ferez des visites guidées de Paris et des grands musées parisiens (Louvre, musée d'Art moderne, musée d'Orsay…)
- **Soirées :** gastronomie, cinéma, théâtre.
- **Visites hors de Paris :** si vous êtes curieux de la France, vous pourrez faire la découverte de Versailles, des châteaux de la Loire, de Giverny et d'autres endroits magnifiques proches de la capitale.

Du 30 juin au 5 septembre et du lundi au vendredi
(9 h – 12 h / 13 h 30 – 16 h 30) *Inscriptions possibles dès le 1er avril*
1 semaine, 30 heures .... **330 €**
2 semaines, 60 heures .... **580 €**
Par semaine supplémentaire .... **280 €**

8 Lisez le document de l'activité 7, puis interrogez-vous à tour de rôle.

Exemple :
A : – Qu'est-ce que propose l'école Paris Langues ?
B : – Elle propose des cours intensifs de français pendant l'été.

1. Est-ce que tout le monde peut prendre ces cours?
2. Qu'est-ce que l'école propose en plus des cours de langue ?
3. Il y a combien d'heures de cours par jour ? Vous pensez que c'est beaucoup ?
4. Quand est-ce qu'on peut décider de s'inscrire à ces cours ? Est-ce qu'il y a des cours tous les jours ?
5. Combien coûte la semaine de cours dans cette école si on s'inscrit pour deux semaines ?

9 Lisez le document de l'activité 7, puis interrogez-vous à tour de rôle.

Exemple :
A : – Combien est-ce qu'il y a d'élèves dans les classes ?
B : – Il y a 12 élèves au maximum.

1. Est-ce qu'il aura des goûters ? Et ce sera à quelle heure ? Qu'est-ce que les élèves pourront faire ?
2. Est-ce que les élèves qui iront dans cette école pourront étudier dans une bibliothèque ?
3. Pour les plus curieux de la France, qu'est-ce que l'école proposera comme activités ?
4. Et vous, si vous prenez ces cours cet été, vous choisirez quel(s) atelier(s) ? Pourquoi ?
5. Quelle est la formule la plus intéressante pour vous : 1 semaine, 2 semaines, plus de 2 semaines ? Pourquoi ?

PRATIQUE DE LA LANGUE

10 Interrogez-vous à tour de rôle comme dans l'exemple.

Exemple : → La Corse ?
A : – Si vous allez en Corse, vous allez faire quoi ?
B : – Si je vais en Corse, je visiterai la « maison Bonaparte » à Ajaccio, je mangerai des huîtres et de la charcuterie à Ghisonaccia et, bien sûr, j'irai à la plage à Porto-Vecchio.

1. → Les Pays de la Loire ?
2. → La Bretagne ?
3. → L'Île-de-France ?
4. → L'Alsace ?
5. → La Provence ?

ÉCHAUFFEMENT

11 Lisez le texte avec vos voisins, recopiez puis comparez.

C'est une tradition, tous les ans, les Français décident de changer un peu leur vie au premier janvier : c'est ce qu'on appelle « les résolutions ». Ils disent qu'ils feront plus de sport, qu'ils s'arrêteront de fumer ou encore qu'ils passeront plus de temps avec leur famille. Mais dire et faire, ce n'est pas la même chose !

GRAMMAIRE

12 Interrogez-vous comme dans l'exemple, puis écrivez vos échanges.

Exemple : (tu) bien parler français ? → (je) aller en France avec des amis
A : – Qu'est-ce que tu feras quand tu parleras bien français ?
B : – Quand je parlerai bien français, j'irai en France avec des amis.

1. (tu) aller en France avec des amis ? → (nous) visiter la région Bourgogne
2. (vous) visiter la Bourgogne ? → (nous) séjourner dans la ville de Beaune
3. (vous) être à Beaune ? → (nous) visiter des caves à vin
4. (vous) visiter des caves ? → (nous) goûter des vins de la région

RÈGLE 46
Le futur simple (2)

- On utilise le futur simple pour exprimer **des décisions ou des promesses**.
  - *Tu pourras faire les courses ?*
    → *Oui, pas de problème, je les* ***ferai****.* (promesse)
  - *Quand je serai grand, je* ***serai*** *président.* (décision)
- On utilise aussi le futur simple après le verbe « **espérer** ».
  - J'espère qu'il **viendra**.

13 Interrogez-vous comme dans l'exemple, puis écrivez vos réponses.

Exemple : (lui) le droit / un métier ? → avocat
A : – Lui, il aime le droit. Qu'est-ce qu'il fera comme métier, à ton avis ?
B : – S'il aime le droit, il sera certainement avocat.

1. (lui) l'art moderne / une visite ? → le Centre Pompidou
2. (elle) la cuisine française / un plat ? → une quiche lorraine
3. (eux) le violon / la musique ? → la musique classique
4. (elles) la littérature française / un roman ? → Victor Hugo
5. (nous) le français / un voyage ? → un pays francophone

RÈGLE 47
Exprimer la probabilité

- Il est possible d'exprimer des projets futurs avec certains verbes :
  – « **penser** » + **infinitif** :
    - ***Je pense*** *partir à la Martinique, mais je ne suis pas encore sûr.* (possibilité, projet)
  – « **décider de** » + **infinitif** :
    - ***J'ai décidé de*** *partir en vacances cet été.* (forte possibilité)
  – « **penser que** » / « **croire que** » + **futur** :
    - ***Je crois que*** *je ferai de la natation l'année prochaine.* (possibilité, projet)
    - ***Je pense qu'****on achètera une voiture cet été.* (possibilité, projet)

DICTÉE

14 Écoutez et écrivez, puis comparez avec vos voisins.

Mes résolutions

ÉCRITURE

15 (1) Discutez de vos résolutions pour les prochains mois. (2) Remplissez le tableau. (3) Rédigez un texte sur les résolutions de votre équipe.

Qui ?	Résolutions	Raisons
Jack	*mangera moins de gâteaux*	*parce qu'il est trop gourmand*
....	....	....

ÉCHAUFFEMENT

16 Écoutez et répétez en imitant l'intonation.

L'incrédulité

1. – Dis donc, tu te réveilles, là ? Il est midi !
2. – Les résolutions ? Ha ha ! Toi ?
3. – La salsa ? Quelle drôle d'idée ! Je croyais que tu n'aimais pas danser.
4. – Tiens, tiens, ton travail ne te plaît plus ?

COMPRÉHENSION

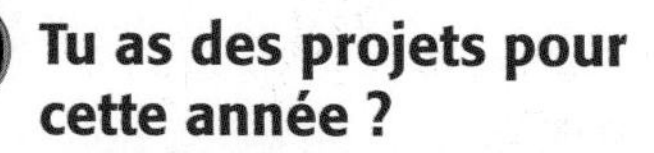

17 Écoutez et répondez.

Tu as des projets pour cette année ?

1. Complétez le document, puis interrogez votre voisin pour vérifier vos réponses.

	Situation actuelle ou situation passée	Résolutions pour la nouvelle année
Romain (1)	*D'habitude, il sort le samedi soir.*	*Il va continuer à sortir le samedi soir.*
Romain (2)	....	....
Romain (3)	....	....
Romain (4)	....	....
Mélanie (1)	*D'habitude, elle ne pense pas assez à elle.*	....
Mélanie (2)	....	....
Mélanie (3)	....	....
Mélanie (4)	....	....

Exemple :
A : – Romain va continuer à sortir le samedi soir.
B : – Oui, d'habitude, il sort le samedi soir et il ne croit pas qu'il va arrêter de sortir.

2. Répondez et justifiez.

1. Pour Mélanie, est-ce que Romain pourra facilement trouver un meilleur travail ? Pourquoi ?
2. Quel événement important s'est passé dans la vie de Mélanie récemment ? Qu'est-ce que ça a changé ?
3. Qu'est-ce que Romain et Mélanie font aujourd'hui ?

18 Écoutez. Qu'est-ce qu'ils disent ?

Exemple : Mélanie trouve que Romain se réveille trop tard.
→ Elle dit : « Dis donc, tu te réveilles, là ? »

1. Mélanie ne croit pas que Romain va prendre des résolutions.
2. Romain dit qu'il ne va pas arrêter de sortir le samedi soir.
3. Romain dit qu'il est d'accord avec Mélanie : il n'est jamais trop tard pour apprendre quelque chose de nouveau.
4. Romain est étonné : il croit que le travail de Mélanie ne lui plaît plus.

À VOUS DE JOUER

19 Imitez, puis utilisez entre vous.

Exprimer son intention de faire quelque chose

a-b

1. A : – Attends, je sais : tu as décidé d'arrêter de sortir le samedi soir. C'est ça ?
B : – Ah non ! Ça, je crois pas... Non, ça y est, c'est décidé : je vais quitter mon travail et je chercherai quelque chose de mieux payé.
A : – Quitter ton travail ? Tu sais, avec la crise, tu ne trouveras pas facilement un travail mieux payé.

2. A : – Tu as des projets pour cette année ?
B : – Ah, moi, cette année, j'ai décidé de penser plus à moi ! Et pour commencer, je vais apprendre à danser la salsa...
A : – La salsa ? Quelle drôle d'idée ! Je croyais que tu n'aimais pas danser.
B : – Il n'est jamais trop tard pour apprendre quelque chose de nouveau, mon cher !

20 En situation.

Votre apprentissage avec *Interactions 3* se termine...
(1) En équipe, faites la liste de ce que vous ferez après le dernier cours de français. Aidez-vous des Post-it ci-dessous.
(2) Échangez vos résolutions avec une autre équipe et comparez.

- Continuer à apprendre le français
- Faire une fête avec la classe
- Faire des révisions
- Faire un voyage dans un pays francophone
- Commencer à lire des romans en français
- Passer un examen de français (le DELF...)
- Essayer de voir des films français sans sous-titres

ÉCHANGES

Aidez-vous des pages annexes : conjugaison et lexique.

1 Utilisez « J'espère que… », comme dans l'exemple.

Exemple : Il n'a pas bien étudié cette année.
(l'année prochaine)
→ J'espère qu'il étudiera plus l'année prochaine.

1. Éva n'est pas venue en cours hier. (demain)
→ ....
2. Mathieu n'a pas beaucoup mangé ce midi. (ce soir)
→ ....
3. Nous n'avons pas pu aller en vacances cette année. (l'année prochaine)
→ ....
4. Ils n'ont pas fini leur travail aujourd'hui. (demain)
→ ....
5. Il n'a pas fait chaud cette semaine. (la semaine prochaine)
→ ....

2 Faites comme dans l'exemple.

Exemple : Je pense aller en vacances à Tahiti cet été.
→ J'irai peut-être en vacances à Tahiti cet été.

1. Nous pensons acheter une voiture cette année.
→ ....
2. Elles pensent faire les magasins sur les Champs-Élysées le week-end prochain.
→ ....
3. Je pense avoir le temps de te voir demain.
→ ....
4. Il pense prendre sa retraite dans cinq ans.
→ ....
5. Elle pense être là à la soirée.
→ ....

3 Écoutez leurs explications et faites comme dans l'exemple.

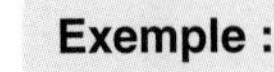

Exemple : Il va aller au cinéma et il regardera un bon film.

1. → ....
2. → ....
3. → ....
4. → ....

LECTURE

4 Lisez et répondez.

LAC DU BOURGET (Savoie)

⇛ **Des points de vue magnifiques**
Cet été, vous avez décidé de découvrir la montagne : bienvenue au lac du Bourget ! De nombreux points de vue, accessibles en voiture, en vélo ou à pied, vous offriront des paysages superbes :
- le Revard, le 2e site le plus visité de Savoie : vous aurez une vue exceptionnelle sur le mont Blanc et le lac du Bourget ;
- le mont du Chat sur l'Épine ;
- Saint-Germain-la-Chambotte, au-dessus du lac du Bourget.

⇛ **Promenades et randonnées**

Sac au dos, petits et grands, sportifs ou promeneurs, vous trouverez sûrement une randonnée faite pour vous. Vous pourrez admirer le mont Blanc, le parc naturel régional du massif des Bauges, la Meije et les Écrins. Des marmottes et des chamois croiseront probablement votre chemin sur les sentiers à 2 000 m d'altitude. Si vous êtes fatigué, vous pourrez choisir une promenade à cheval ou en âne.

⇛ **Idée découverte de la nature en famille :** visite des étangs et du moulin de Crosagny.
Si vous venez avec des enfants, pensez à visiter les étangs et le moulin de Crosagny. Un lieu idéal d'observation des oiseaux et des libellules !

1. Dans quelle région se trouve le lac du Bourget ? Quelle est la montagne célèbre qu'on peut voir ?
→ ....
2. Est-ce qu'il faut une voiture ?
→ ....
3. Faites la liste de ce qu'on peut faire au lac du Bourget.
→ ....
4. Qui peut en profiter ?
→ ....
5. Quels animaux peut-on voir ?
→ ....

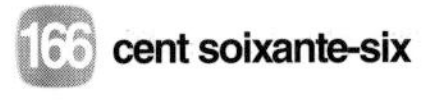

ÉCRITURE

5 **Écoutez et écrivez.**

....

....

....

....

....

....

....

6 **Sur le modèle de l'exercice 4, décrivez un lieu de vacances et les activités à faire.**

....

⇛ ....
....
....
....
....
....

⇛ ....
....
....
....
....
....

DISCUSSION

7 **Écoutez et cochez ce que vous entendez.**

1. ☑ Tu veux un dessert. ❒ Tu veux un désert ?
2. ❒ C'est un restaurant de poisson. ❒ C'est un restaurant de poisons ?
3. ❒ Mes cousins sont afghans. ❒ Mes coussins sont afghans.
4. ❒ Moi, j'ai deux sœurs. ❒ Moi, j'ai deux heures.
5. ❒ Il m'a sapé mon film. ❒ Il m'a zappé mon film.
6. ❒ Elles osent les talons. ❒ Elles haussent les talons.

8 **Écoutez et répondez aux questions.**

1. Complétez la fiche d'information.

Fiche client
Prénom : .... **Nom :** ....
Date de naissance : le .... / .... / ....
Lieu d'habitation : ....
Signe zodiacal :...
Signe zodiacal chinois : ....
N° de carte bancaire :
....
Date d'expiration : .... / ....
Cryptogramme visuel : ....

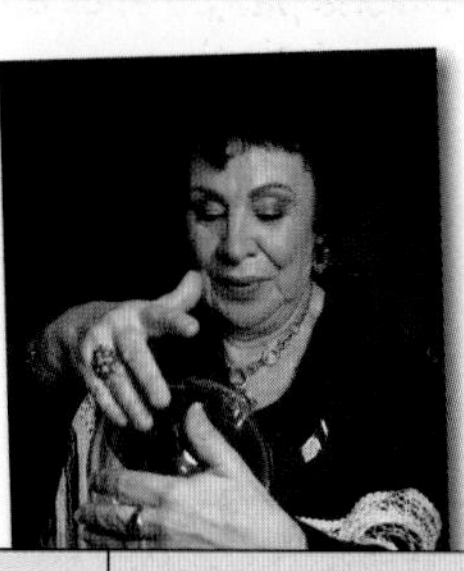

	Situation actuelle	Prévisions / Prédictions de Mme Irma
Santé	....	....
Relations	....	....
Travail	....	....

Comment dit-on dans votre langue ?

« La chance est de votre côté. » :
....

« Je vais suivre vos conseils. » :
....

Présentons les objets utiles selon notre classe

 **Étape 1 : Lisez le document 1 puis discutez d'objets qui sont utiles selon vous.**

 **Étape 2 : Faites des recherches sur un objet que vous souhaitez recommander, puis rassemblez vos informations sur votre objet utile dans le document 2.**

 **Étape 3 : Présentez votre objet à la classe et discutez ensemble de leurs avantages et de leurs inconvénients.**

Document 1

Vous pensez partir en pique-nique ce week-end, mais transporter un couteau, un tire-bouchon et aussi d'autres outils, c'est compliqué, fatigant… Vous voulez voyager léger et avoir pourtant avec vous tous les outils possibles dans votre poche ?

C'est facile grâce au COUTEAU SUISSE ! 100 % des utilisateurs sont satisfaits !

Commandé en 1880 par l'armée suisse, ce couteau « pratique » devait servir à la fois pour manger et pour bricoler. Le premier modèle de « couteau suisse » avait une lame, un ouvre-boîte, un tournevis plat et une pointe.

Aujourd'hui, il y a beaucoup de modèles disponibles, avec fourchette, stylo et même une clé USB ou un laser ! Mais nous recommandons le modèle « couteau de soldat 08 », qui est le plus pratique parce qu'il a des outils très utiles et qu'il reste très léger.

Il y a des couteaux moins chers, mais ils seront moins solides, et sûrement moins pratiques. Attentions aux faux modèles : *demandez un « vrai » couteau suisse, une garantie de qualité.* À notre avis, c'est vraiment l'objet le plus utile, un objet qui changera la vie des voyageurs et des bricoleurs.

Achetez vite votre couteau suisse !

Document 2

Notre objet utile : ……………………………………

……………………………………
……………………………………
……………………………………

Indiquer ici une situation imaginaire où vous avez besoin de quelque chose.

……………………………………
……………………………………
……………………………………

Indiquer ici le nom de l'objet, comment il est et à quoi il sert.

……………………………………
……………………………………
……………………………………

Indiquer ici des variations possibles de l'objet, des versions différentes adaptées à d'autres situations.

……………………………………
……………………………………
……………………………………

Indiquer ici où on peut l'acheter et combien il coûte.

……………………………………
……………………………………
……………………………………

Indiquer ici un slogan publicitaire pour l'objet.

3 verbes irréguliers

Infinitif	Présent	Passé composé	Imparfait	Futur simple
Être	je suis tu es il/elle/on est nous sommes vous êtes ils/elles sont	j'ai été tu as été il/elle/on a été nous avons été vous avez été ils/elles ont été	j'étais tu étais il/elle/on était nous étions vous étiez ils/elles étaient	je serai tu seras il/elle/on sera nous serons vous serez ils/elles seront

Infinitif	Présent	Passé composé	Imparfait	Futur simple
Avoir	j'ai tu as il/elle/on a nous avons vous avez ils/elles ont	j'ai eu tu as eu il/elle/on a eu nous avons eu vous avez eu ils/elles ont eu	j'avais tu avais il/elle/on avait nous avions vous aviez ils/elles avaient	j'aurai tu auras il/elle/on aura nous aurons vous aurez ils/elles auront

Infinitif	Présent	Passé composé	Imparfait	Futur simple
Aller	je vais tu vas il/elle/on va nous allons vous allez ils/elles vont	je suis allé(e) tu es allé(e) il/elle/on est allé(e) nous sommes allé(e)s vous êtes allé(e)s ils/elles sont allé(e)s	j'allais tu allais il/elle/on allait nous allions vous alliez ils/elles allaient	j'irai tu iras il/elle/on ira nous irons vous irez ils/elles iront

Les verbes du 1er groupe (en ~er) :

Infinitif	Présent	Passé composé	Imparfait	Futur simple
Habiter	j'habite tu habites il/elle/on habite nous habitons vous habitez ils/elles habitent	j'ai habité tu as habité il/elle/on a habité nous avons habité vous avez habité ils/elles ont habité	j'habitais tu habitais il/elle/on habitait nous habitions vous habitiez ils/elles habitaient	j'habiterai tu habiteras il/elle/on habitera nous habiterons vous habiterez ils/elles habiteront

Les verbes pronominaux :

Infinitif	Présent	Passé composé	Imparfait	Futur simple
Se promener	je me promène tu te promènes il/elle/on se promène nous nous promenons vous vous promenez ils/elles se promènent	je me suis promené(e) tu t'es promené(e) il/elle/on s'est promené(e)(s) nous nous sommes promené(e)s vous vous êtes promené(e)s ils/elles se sont promené(e)s	je me promenais tu te promenais il/elle/on se promenait nous nous promenions vous vous promeniez ils/elles se promenaient	je me promènerai tu te promèneras il/elle/on se promènera nous nous promènerons vous vous promènerez ils/elles se promèneront

Les verbes du 2e groupe (en ~ir) :

Infinitif	Présent	Passé composé	Imparfait	Futur simple
Finir	je finis tu finis il/elle/on finit nous finissons vous finissez ils/elles finissent	j'ai fini tu as fini il/elle/on a fini nous avons fini vous avez fini ils/elles ont fini	je finissais tu finissais il/elle/on finissait nous finissions vous finissiez ils/elles finissaient	je finirai tu finiras il/elle/on finira nous finirons vous finirez ils/elles finiront

Les verbes du 3e groupe :

Infinitif	Présent	Passé composé	Imparfait	Futur simple
Boire	je bois tu bois il/elle/on boit nous buvons vous buvez ils/elles boivent	j'ai bu tu as bu il/elle/on a bu nous avons bu vous avez bu ils/elles ont bu	je buvais tu buvais il/elle/on buvait nous buvions vous buviez ils/elles buvaient	je boirai tu boiras il/elle/on boira nous boirons vous boirez ils/elles boiront

Infinitif	Présent	Passé composé	Imparfait	Futur simple
Faire	je fais tu fais il/elle/on fait nous faisons vous faites ils/elles font	j'ai fait tu as fait il/elle/on a fait nous avons fait vous avez fait ils/elles ont fait	je faisais tu faisais il/elle/on faisait nous faisions vous faisiez ils/elles faisaient	je ferai tu feras il/elle/on fera nous ferons vous ferez ils/elles feront

Infinitif	Présent	Passé composé	Imparfait	Futur simple
Lire	je lis tu lis il/elle/on lit nous lisons vous lisez ils/elles lisent	j'ai lu tu as lu il/elle/on a lu nous avons lu vous avez lu ils/elles ont lu	je lisais tu lisais il/elle/on lisait nous lisions vous lisiez ils/elles lisaient	je lirai tu liras il/elle/on lira nous lirons vous lirez ils/elles liront

Infinitif	Présent	Passé composé	Imparfait	Futur simple
Prendre	je prends tu prends il/elle/on prend nous prenons vous prenez ils/elles prennent	j'ai pris tu as pris il/elle/on a pris nous avons pris vous avez pris ils/elles ont pris	je prenais tu prenais il/elle/on prenait nous prenions vous preniez ils/elles prenaient	je prendrai tu prendras il/elle/on prendra nous prendrons vous prendrez ils/elles prendront

Infinitif	Présent	Passé composé	Imparfait	Futur simple
Vouloir	je veux tu veux il/elle/on veut nous voulons vous voulez ils/elles veulent	j'ai voulu tu as voulu il/elle/on a voulu nous avons voulu vous avez voulu ils/elles ont voulu	je voulais tu voulais il/elle/on voulait nous voulions vous vouliez ils/elles voulaient	je voudrai tu voudras il/elle/on voudra nous voudrons vous voudrez ils/elles voudront

Le conditionnel présent

Infinitif	Présent
Aimer	j'aimerais tu aimerais il/elle/on aimerait nous aimerions vous aimeriez ils/elles aimeraient

Infinitif	Présent
Devoir	je devrais tu devrais il/elle/on devrait nous devrions vous devriez ils/elles devraient

Infinitif	Présent
Pouvoir	je pourrais tu pourrais il/elle/on pourrait nous pourrions vous pourriez ils/elles pourraient

Infinitif	Présent
Vouloir	je voudrais tu voudrais il/elle/on voudrait nous voudrions vous voudriez ils/elles voudraient

Mot	Nature	API	Leçon
abonnement	n. m.	abɔnmɑ̃	11
abonner	v.	abɔne	11
absence	n. f.	absɑ̃s	3
absolument	adv.	absɔlymɑ̃	15
accès	n. m.	akse	11
accident	n. m.	aksidɑ̃	18
accueil	n. m.	akœj	8
à ce moment-là	adv.	as(ə)mOmɑ̃la	18
achat	n. m.	aʃa	12
acheter	v.	aʃte	9
acheteur	n.	aʃtœʀ	1
action	n. f.	aksjɔ̃	11
activité	n. f.	aktivite	1
actuel	adj.	aktɥɛl	16
adapter	v.	adapte	22
adolescent	n.	adɔlɛsɑ̃	16
aérospatiale	n. f.	aeʀospasjal	17
affaire	n. f.	afɛʀ	21
agent	n.	aʒɑ̃	6
agréable	adj.	agʀeabl	5
agriculture	n. f.	agʀikyltyʀ	17
air	n. m.	ɛʀ	7
ajouter	v.	aʒute	14
alcool	n. m.	alkɔl	13
allergie	n. f.	alɛʀʒi	13
allumer	v.	alyme	15
ambiance	n. f.	ɑ̃bjɑ̃s	2
améliorer	v.	ameljɔʀe	24
amitié	n. f.	amitje	23
amour	n. m.	amuʀ	23
amoureux	adj.	amuʀø	5
amuser	v.	amyze	9
an	n. m.	ɑ̃	9
analyse	n. f.	analiz	3
analyser	v.	analize	3
anglais	n.	ɑ̃glɛ	1
angoisser	v.	ɑ̃gwase	22
animateur	n.	animatœʀ	8
animation	n. f.	animasjɔ̃	8
animer	v.	anime	6
année	n. f.	ane	8
anniversaire	n. m.	anivɛʀsɛʀ	18
annonce	n. f.	anɔ̃s	22
apéritif	n. m.	apeʀitif	4
appareil	n. m.	apaʀɛj	10
appel	n. m.	apɛl	10
appréciation	n. f.	apʀesjasjɔ̃	3
apprécier	v.	apʀesje	1
apprendre	v.	apʀɑ̃dʀ	1
apprentissage	n. m.	apʀɑ̃tisaʒ	22
à proximité	adv.	apʀɔksimite	5
arbre	n. m.	aʀbʀ	5
architecte	n. m./f.	aʀʃitɛkt	16
architecture	n. f.	aʀʃitɛktyʀ	2
arrière	adj.	aʀjɛʀ	10
arrivée	n. f.	aʀive	15
arrondissement	n. m.	aʀɔ̃dismɑ̃	1
art	n. m.	aʀ	5
ascenseur	n. m.	asɑ̃sœʀ	4
asiatique	adj.	azjatik	1
à son avis	adv.	asɔ̃navi	5
asseoir	v.	aswaʀ	4
assiette	n. f.	asjɛt	14
association	n. f.	asɔsjasjɔ̃	4
astrologie	n. f.	astʀɔlɔʒi	23
astrologique	adj.	astʀɔlɔʒik	23
astuce	n. f.	astys	10
atelier	n. m.	atəlje	24
attention	n. f.	atɑ̃sjɔ̃	13
attraction	n. f.	atʀaksjɔ̃	9
au contraire	adv.	okɔ̃tʀɛʀ	4
au grand air	adv.	ogʀɑ̃tɛʀ	6
aujourd'hui	adv.	oʒuʀdɥi	7
au moins	adv.	Omwɛ̃	12
auto	n. f.	oto	11
autonomie	n. f.	otonOmi	10
autorisation	n. f.	Otoʀizasjɔ̃	15
autoriser	v.	Otɔʀize	15
autoroute	n. f.	otOʀut	18
avancer	v.	avɑ̃se	15
avant	adj.	avɑ̃	7
avantage	n. m.	avɑ̃taʒ	5
avenue	n. f.	avəny	5
avis	n. m.	avi	13
à voix haute	adv.	avwaot	8
B.D.	n. f.	bede	11
baby-sitting	n. m.	bebisitiŋ	8
bac (= baccalauréat)	n. m.	bak (= bakalOʀea)	3
baignoire	n. f.	bɛɲwaʀ	6
balader	v.	balade	7
balle	n. f.	bal	19
ballon	n. m.	balɔ̃	19
bande	n. f.	bɑ̃d	11
bar	n. m.	baʀ	5
barbecue	n. m.	baʀbəkju	4
basilique	n. f.	bazilik	21
batterie	n. f.	bat(ə)ʀi	1
besoin	n. m.	bəzwɛ̃	10
bibliothèque	n. f.	biblijɔtɛk	6
bio	adj.	bjo	13
biologique	adj.	bjoloʒik	17
bisou	n. m.	bizu	15
bizarre	adj.	bizaʀ	20
bois	n. m.	bwa	6
bonjour	n. m.	bɔ̃ʒuʀ	3
bonnet	n. m.	bOnɛ	19
boss	n. m./f.	bɔs	13
bouche	n. f.	buʃ	15
boucher	n.	buʃe	1
boucherie	n. f.	buʃʀi	1
bouger	v.	buʒe	17
boulanger	n.	bulɑ̃ʒe	1
boulevard	n. m.	bulvaʀ	5
bouquet	n. m.	bukE	15
boutique	n. f.	butik	5
bras	n. m.	bʀa	18
brasser	v.	bʀase	3
bref	adv.	bʀɛf	13
brésilien	n.	bʀeziljɛ̃	17
brioche	n. f.	bʀijɔʃ	13
brouillard	n. m.	bʀujaʀ	17
bruit	n. m.	bʀɥi	5
brûler	v.	bʀyle	18
bungalow	n. m.	bœ̃galo	21
cadeau	n. m.	kado	12
cafétéria	n. f.	cafEtEʀja	18
caisse	n. f.	kɛs	20
caissier	n.	kɛsje	20
calme	adj.	kalm	4
calmer	v.	kalme	6
camembert	n. m.	kamɑ̃bɛʀ	12
campus	n. m.	kɑ̃pys	8
canapé	n. m.	kanape	7
capable	adj.	kapabl	3
capitale	n. f.	kapital	17
caractère	n. m.	kaʀaktɛʀ	4
caractéristique	n. f.	kaʀakteʀistik	10
caramel	n. m.	kaʀamɛl	13
cardiologue	n. m./f.	kaʀdjɔlɔg	19
casque	n. m.	kask	15
casquette	n. f.	kaskɛt	19
casser	v.	kɑse	14
casserole	n. f.	kasʀɔl	14
catégorie	n. f.	kategɔʀi	4
célibataire	n. m./f.	selibatɛʀ	8
centre	n. m.	sɑ̃tʀ	5
centrer	v.	sɑ̃tʀe	21
certainement	adv.	sɛʀtɛnmɑ̃	24
chalet	n. m.	ʃalɛ	13
champignon	n. m.	ʃɑ̃piɲɔ̃	14
champion	adj.	ʃɑ̃pjɔ̃	23
championnat	n. m.	ʃɑ̃pjɔna	23
changement	n. m.	ʃɑ̃ʒmɑ̃	17
chanter	v.	ʃɑ̃te	3
charcuterie	n. f.	ʃaʀkytʀi	24
chargé	p. p.	ʃaʀʒe	8
charmant	adj.	ʃaʀmɑ̃	13
chaussette	n. f.	ʃosɛt	19
cheminée	n. f.	ʃəmine	6
cher	adj.	ʃɛʀ	5
chercher	v.	ʃɛʀʃe	1
chic	adj.	ʃik	1
chien	n.	ʃjɛ̃	18
chinois	adj.	ʃinwa	13
chips	n. m./f.	ʃips	7
chocolat	n. m.	ʃOkɔla	15
choisir	v.	ʃwaziʀ	2
choix	n. m.	ʃwa	24
chômage	n. m.	ʃOmaʒ	17
chômeur	n.	ʃOmœʀ	17
choquer	v.	ʃɔke	15
chose	n. f.	ʃOz	1
cigarette	n. f.	sigaʀɛt	15
classe	n. f.	klɑs	3
classer	v.	klɑse	4
clic	n. m.	klik	11
clientèle	n. f.	klijɑ̃tɛl	22
climat	n. m.	klimɑ	17
climatique	adj.	klimatik	16
cliquer	v.	klike	11
coaching	n. m.	kotʃiŋ	22
coder	v.	kɔde	11
coin	n. m.	kwɛ̃	5
collègue	n. m./f.	kɔllɛg	4
commande	n. f.	kɔmɑ̃d	20
comme	adv.	kɔm	11
commentaire	n. m.	kɔmɑ̃tɛʀ	5
commun	n. m.	kɔmœ̃	6
communication	n. f.	kɔmynikasjɔ̃	3
communiquer	v.	kɔmynike	3

comparatif	adj.	kɔ̃paʀatif	10
comparer	v.	kɔ̃paʀe	10
compétition	n. f.	kɔ̃petisjɔ̃	23
compréhension	n. f.	kɔ̃pʀeɑ̃sjɔ̃	24
comprendre	v.	kɔ̃pʀɑ̃dʀ	5
compte	n. m.	kɔ̃t	12
compter	v.	kɔ̃te	4
concertiste	n. m./f.	kɔ̃sɛʀtist	1
concours	n. m.	kɔ̃kuʀ	3
confort	n. m.	kɔ̃fɔʀ	6
confortable	adj.	kɔ̃fɔʀtabl	6
conjugaison	n. f.	kɔ̃ʒygɛzɔ̃	20
conjuguer	v.	kɔ̃ʒyge	3
connaissance	n. f.	kɔnɛsɑ̃s	3
connecter	v.	kɔnnɛkte	12
conseil	n. m.	kɔ̃sɛj	9
conseiller	v.	kɔ̃sɛje	9
consigne	n. f.	kɔ̃siɲ	15
consistance	n. f.	kɔ̃sistɑ̃s	19
consulter	v.	kɔ̃sylte	12
contact	n. m.	kɔ̃takt	12
contacter	v.	kɔ̃takte	1
contemporain	adj.	kɔ̃tɑ̃pɔʀɛ̃	5
content	adj.	kɔ̃tɑ̃	4
contenu	n. m.	kɔ̃t(ə)ny	11
contraire	n. m.	kɔ̃tʀɛʀ	17
contrat	n. m.	kɔ̃tʀa	20
contrôle	n. m.	kɔ̃tʀol	3
convenir	v.	kɔ̃v(ə)niʀ	10
copain	n.	kɔpɛ̃	21
cordialement	adv.	kɔʀdjalmɑ̃	9
côté	n. m.	kote	23
couloir	n. m.	kulwaʀ	4
coupe	n. f.	kup	23
couple	n. m.	kupl	4
courageux	adj.	kuʀaʒø	7
coureur	n.	kuʀœʀ	23
courir	v.	kuʀiʀ	7
cours	n. m.	kuʀ	1
cousin	n.	kuzɛ̃	21
couteau	n. m.	kuto	14
couturier	n.	kutyʀje	1
crawl	n. m.	kʀOl	3
créatif	adj.	kʀeatif	24
crème	n. f.	kʀɛm	14
crevette	n. f.	kʀəvɛt	13
crise	n. f.	kʀiz	17
croisé	p. p.	kʀwaze	19
croque-monsieur	n. m.	kʀɔkməsjø	14
cuillère	n. f.	kɥijɛʀ	14
cuire	v.	kɥiʀ	14
cuisiner	v.	kɥizine	1
culture	n. f.	kyltyʀ	2
culturel	adj.	kyltyʀɛl	1
curieux	adj.	kyʀjø	24
CV	n. m.	seve	8
d'abord	adv.	dabɔʀ	14
dame	n. f.	dam	4
dangereux	adj.	dɑ̃ʒ(ə)ʀø	6
dansant	adj.	dɑ̃sɑ̃	17
danse	n. f.	dɑ̃s	1
danser	v.	dɑ̃se	1

dater	v.	date	12
décevoir	v.	desəvwaʀ	21
décider	v.	deside	21
découverte	n. f.	dekuvɛʀt	24
découvrir	v.	dekuvʀiʀ	9
dedans	adv.	dədɑ̃	14
définir	v.	definiʀ	19
définition	n. f.	definisjɔ̃	19
de haut	adv.	dəo	9
dehors	adv.	dəɔʀ	6
déjà	adv.	deʒa	3
déjeuner	v.	deʒœne	7
délicieux	adj.	delisjø	13
demande	n. f.	dəmɑ̃d	9
demander	v.	dəmɑ̃de	9
de manière générale	adv.	də manjɛʀ ʒeneʀal	3
déménager	v.	demenaʒe	4
départ	n. m.	depaʀ	18
dépendre	v.	depɑ̃dʀ	3
déplacer	v.	deplase	6
de plus	adv.	dəplys	20
déranger	v.	deʀɑ̃ʒe	15
désagréable	adj.	dezagʀeabl	13
désert	n. m.	dezɛʀ	21
désodorisant	adj.	dezOdɔʀizɑ̃	20
désolé	adj.	dezɔle	19
dessiner	v.	desine	3
dessus	adv.	dəsy	9
de temps en temps	adv.	dətɑ̃zɑ̃tɑ̃	3
devenir	v.	dəvəniʀ	2
d'habitude	adv.	dabityd	6
dialogue	n. m.	djalɔg	7
dictionnaire	n. m.	diksjOnɛʀ	12
différent	adj.	difeʀɑ̃	11
difficile	adj.	difisil	2
difficulté	n. f.	difikylte	18
dîner	v.	dine	7
diplôme	n. m.	diplom	8
directeur	n.	diʀɛktœʀ	1
discussion	n. f.	diskysjɔ̃	21
discuter	v.	diskyte	2
disputer	v.	dispyte	4
distance	n. f.	distɑ̃s	16
distribution	n. f.	distʀibysjɔ̃	8
document	n. m.	dɔkymɑ̃	3
doigt	n. m.	dwa	15
domicile	n. m.	dɔmisil	17
dommage	adj. m. s.	dɔmaʒ	7
donc	adv.	dɔ̃k	5
donner	v.	dOne	1
dossier	n. m.	dosje	15
douter	v.	dute	23
dragon	n. m.	dʀagɔ̃	13
droit	n. m.	dʀwa	8
drôle	adj.	dʀOl	13
duc	n. m.	dyk	9
dur	adj.	dyʀ	19
durée	n. f.	dyʀe	24
échange	n. m.	eʃɑ̃ʒ	20
échanger	v.	eʃɑ̃ʒe	20
écharpe	n. f.	eʃaʀp	20

échec	n. m.	eʃɛk	3
économie	n. f.	ekɔnɔmi	3
économique	adj.	ekɔnɔmik	6
écran	n. m.	ekʀɑ̃	10
écrire	v.	ekʀiʀ	7
écrit	n. m.	ekʀi	3
écriture	n. f.	ekʀityʀ	24
effort	n. m.	efɔʀ	3
électronique	adj.	elɛktʀɔnik	12
élégant	adj.	elegɑ̃	1
éléphant	n.	elefɑ̃	9
élève	n. m./f.	elɛv	1
émission	n. f.	emisjɔ̃	8
emploi	n. m.	ɑ̃plwa	2
employer	v.	ɑ̃plwaje	8
emporter	v.	ɑ̃pɔʀte	13
endroit	n. m.	ɑ̃dʀwa	5
en famille	adv.	ɑ̃famij	7
enlever	v.	ɑ̃lve	14
en ligne	adv.	ɑ̃liɲ	12
en pleine forme	adv.	ɑ̃plɛnfɔʀm	23
en plus	adv.	ɑ̃ply(s)	4
en retard	adv.	ɑ̃ʀ(ə)taʀ	15
ensemble	adv.	ɑ̃sɑ̃bl	4
entendre	v.	ɑ̃tɑ̃dʀ	16
entre amis	adv.	ɑ̃tʀami	14
entreprise	n. f.	ɑ̃tʀəpʀiz	8
entrer	v.	ɑ̃tʀe	2
environnement	n. m.	ɑ̃viʀɔnmɑ̃	6
épicer	v.	epise	13
épique	adj.	epik	13
éponge	n. f.	epɔ̃ʒ	19
époque	n. f.	epɔk	16
équipe	n. f.	ekip	3
équitation	n. f.	ekitasjɔ̃	8
escalier	n. m.	ɛskalje	4
espace	n. m.	ɛspas	5
espagnol	n.	ɛspaɲɔl	2
espérer	v.	ɛspeʀe	24
esprit	n. m.	ɛspʀi	3
essai	n. m.	esE	11
étage	n. m.	etaʒ	4
étape	n. f.	etap	14
été	n. m.	ete	19
éteindre	v.	etɛ̃dʀ	15
étoile	n. f.	etwal	21
étrange	adj.	etʀɑ̃ʒ	18
étranger	adj.	etʀɑ̃ʒe	2
étude	n. f.	etyd	8
évaluation	n. f.	evalɥasjɔ̃	12
événement	n. m.	evɛnmɑ̃	13
évident	adj.	evidɑ̃	23
exceptionnel	adj.	ɛksEpsjɔnɛl	10
exclamation	n. f.	ɛksklamasjɔ̃	7
exercice	n. m.	ɛgzɛʀsis	4
expérience	n. f.	ɛkspeʀjɑ̃s	8
explication	n. f.	ɛksplikasjɔ̃	3
expliquer	v.	ɛksplike	3
expression	n. f.	ɛkspʀɛsjɔ̃	24
exprimer	v.	ɛkspʀime	3
extra	adj.	ɛkstʀa	21
extraordinaire	adj.	ɛkstʀaOʀ-dinɛʀ	18

facilement	adv.	fasilmɑ̃	5
faible	adj.	fɛbl	3
fait divers	n. m.	fɛdivɛʀ	18
familial	adj.	familjal	17
faute	n. f.	fot	3
faux	adj.	fo	15
fax	n. m.	faks	9
féminin	adj.	feminɛ̃	23
fenêtre	n. f.	fənɛtʀe	15
feuilleton	n. m.	fœjtɔ̃	20
fin	n. f.	fɛ̃	3
final	adj.	final	5
flamenco	adj.	flamɛnko	8
fleur	n. f.	flœʀ	15
fleuriste	n. m./f.	flœʀist	16
flottant	adj.	flOtɑ̃	14
flûte	n. f.	flyt	3
fois	n. f.	fwa	4
forêt	n. f.	fɔʀE	6
formation	n. f.	fɔʀmasjɔ̃	22
forme	n. f.	fɔʀm	7
former	v.	fɔʀme	7
formidable	adj.	fɔʀmidabl	16
formule	n. f.	fɔʀmyl	11
fort	adv.	fɔʀ	4
forum	n. m.	fɔʀɔm	5
fourchette	n. f.	fuʀʃɛt	14
fourmi	n. f.	fuʀmi	21
fragile	adj.	fʀaʒil	10
frais	adj.	fʀE	13
franc	adj.	fʀɑ̃	23
fréquence	n. f.	fʀekɑ̃s	12
futur	n. m.	fytyʀ	2
fête	n. f.	fɛt	4
gagner	v.	gaɲe	17
galerie	n. f.	galʀi	9
galette	n. f.	galɛt	9
garagiste	n. m./f.	gaʀaʒist	22
garde	n. f.	gaʀd	8
garder	v.	gaʀde	9
garer	v.	gaʀe	1
gastronomie	n. f.	gastʀɔnɔmi	24
Gémeaux	n. m.	ʒemo	23
géographie	n. f.	ʒeɔgʀafi	2
gêner	v.	ʒEne	15
général	adj.	ʒeneʀal	3
génial	adj.	ʒenjal	2
gens	n. m. pl.	ʒɑ̃	2
glace	n. f.	glas	23
golf	n. m.	gɔlf	21
goût	n. m.	gu	1
goûter	v.	gute	9
grammaire	n. f.	gʀammɛʀ	3
grandir	v.	gʀɑ̃diʀ	17
gratin	n. m.	gʀatɛ̃	14
grille	n. f.	gʀij	19
gris	adj.	gʀi	17
guêpe	n. f.	gɛp	21
guérir	v.	gEʀiʀ	18
guichet	n. m.	giʃɛ	19
guide	n. m./f.	gid	9
guider	v.	gide	24
guitare	n. f.	gitaʀ	1

habitable	adj.	abitabl	6
habitation	n. f.	abitasjɔ̃	1
hésiter	v.	ezite	13
heureux	adj.	øʀø	17
hier	adv.	(i)jɛʀ	7
histoire	n. f.	istwaʀ	2
hockey	n. m.	ɔkɛ	23
homme	n. m.	ɔm	18
hôpital	n. m.	opital	15
horaire	n. m.	ɔʀɛʀ	12
horizontalement	adv.	ɔʀizɔ̃talmɑ̃	19
horloge	n. f.	ɔʀlɔʒ	5
hôte	n. m./f.	ot	8
huître	n. f.	ɥitʀ	24
humide	adj.	ymid	5
humidité	n. f.	ymidite	17
idéal	adj.	ideal	9
identité	n. f.	idɑ̃tite	4
illimité	adj.	ilimite	10
immeuble	n. m.	imœbl	4
impoli	adj.	ɛ̃pɔli	4
important	adj.	ɛ̃pɔʀtɑ̃	4
inconvénient	n. m.	ɛ̃kɔ̃venjɑ̃	5
incroyable	adj.	ɛ̃kʀwajabl	21
infinitif	n. m.	ɛ̃finitif	24
informaticien	n.	ɛ̃fɔʀmatisjɛ̃	17
information	n. f.	ɛ̃fɔʀmasjɔ̃	8
informatique	adj.	ɛ̃fɔʀmatik	3
ingrédient	n. m.	ɛ̃gʀedjɑ̃	14
inquiet	adj.	ɛ̃kjɛ	18
inquiéter	v.	ɛ̃kjete	20
inscription	n. f.	ɛ̃skʀipsjɔ̃	24
inscrire	v.	ɛ̃skʀiʀ	12
insecte	n. m.	ɛ̃sɛkt	21
installer	v.	ɛ̃stale	5
institut	n. m.	ɛ̃stity	8
instrument	n. m.	ɛ̃stʀymɑ̃	3
intensif	adj.	ɛ̃tɑ̃sif	24
intéressant	adj.	ɛ̃teʀɛsɑ̃	2
intérêt	n. m.	ɛ̃teʀɛ	8
international	adj.	ɛ̃tɛʀnasjɔnal	2
interroger	v.	ɛ̃tɛʀɔʒe	12
interviewé	p. p.	ɛ̃tɛʀvjuve	17
italien	adj.	italjɛ̃	20
jaune	adj.	ʒOn	20
jeter	v.	ʒəte	20
jeu	n. m.	ʒø	3
job	n. m./f.	dʒɔb	8
joueur	n.	ʒwœʀ	23
journal	n. m.	ʒuʀnal	8
journalisme	n. m.	ʒuʀnalism	8
judo	n. m.	ʒydo	23
laine	n. f.	lɛn	19
laisser	v.	lɛse	18
langue	n. f.	lɑ̃g	2
large	adj.	laʀʒ	10
largeur	n. f.	laʀʒœʀ	10
leçon	n. f.	ləsɔ̃	3
lecture	n. f.	lɛktyʀ	7
léger	adj.	leʒe	10
légume	n. m.	legym	13
lent	adj.	lɑ̃	10
liberté	n. f.	libɛʀte	6

librairie	n. f.	libʀɛʀi	19
licence	n. f.	lisɑ̃s	8
lieu	n. m.	ljø	1
linguistique	adj.	lɛ̃gɥistik	8
lion	n.	ljɔ̃	21
liquide	adj.	likid	19
literie	n. f.	lit(ə)ʀi	21
littéraire	adj.	liteʀɛʀ	8
livre	n. m.	livʀ	7
livrer	v.	livʀe	11
location	n. f.	lɔkasjɔ̃	21
logement	n. m.	lɔʒmɑ̃	4
loger	v.	lɔʒe	21
logiciel	n. m.	lɔʒisjɛl	3
loin	adv.	lwɛ̃	21
longtemps	adv.	lɔ̃tɑ̃	16
loyer	n. m.	lwaje	5
lumière	n. f.	lymjɛʀ	5
machine	n. f.	maʃin	4
magazine	n. m.	magazin	4
mail	n. m.	mɛl	12
maîtrise	n. f.	mEtʀiz	22
malheureux	adj.	malœʀø	4
mandarin	n. m.	mɑ̃daʀin	1
manquer	v.	mɑ̃ke	5
marathon	n. m.	maʀatɔ̃	7
marin	n. m./f.	maʀɛ̃	20
marquer	v.	mɑʀke	23
marseillais	n.	maʀsɛjɛ	3
master	n. m.	mastɛʀ	8
matière	n. f.	matjɛʀ	3
maximum	n. m.	maksimɔm	24
mayonnaise	n. f.	majɔnɛz	13
mécanicien	n.	mekanisjɛ̃	1
médecine	n. f.	medsin	2
méditerranéen	adj.	meditɛʀaneɛ̃	1
meilleur	adj.	mEjœʀ	6
mélanger	v.	melɑ̃ʒe	14
membre	n. m./f.	mɑ̃bʀ	12
même	adv.	mɛm	5
mémoire	n. f.	memwaʀ	10
mention	n. f.	mɑ̃sjɔ̃	8
message	n. m.	mesaʒ	12
métal	n. m.	metal	19
métier	n. m.	metje	1
mieux	adv.	mjø	6
militaire	adj.	militɛʀ	3
mode	n. f.	mɔd	1
modèle	n. m.	mɔdɛl	10
monter	v.	mɔ̃te	9
montrer	v.	mɔ̃tʀe	17
monument	n. m.	mɔnymɑ̃	2
morceau	n. m.	mɔʀso	11
mot	n. m.	mo	3
motivation	n. f.	mɔtivasjɔ̃	2
motiver	v.	mɔtive	3
mou	adj.	mu	19
moule	n. m.	mul	20
moustique	n. m.	mustik	21
mouton	n. m.	mutɔ̃	3
moyen	adj.	mwajɛ̃	3
moyenne	n. f.	mwajɛn	3
musicien	n.	myzisjɛ̃	1

nageur	n.	naʒœʀ	23
national	adj.	nasjɔnal	11
naturel	adj.	natyʀɛl	13
nécessaire	adj.	nesesɛʀ	19
négatif	adj.	negatif	5
niveau	n. m.	nivo	8
nombreux	adj.	nɔ̃bʀø	5
normal	adj.	nɔʀmal	15
normalement	adv.	nɔʀmalmɑ̃	15
normand	adj.	nɔʀmɑ̃	2
note	n. f.	nɔt	5
nul	adj.	nyl	21
numérique	adj.	nymeʀik	10
objet	n. m.	Obʒɛ	18
obligatoire	adj.	Obligatwaʀ	15
obligatoirement	adv.	Obligatwaʀmɑ̃	21
observer	v.	ɔpsɛʀve	8
obtenir	v.	ɔptəniʀ	8
occupation	n. f.	Okypasjɔ̃	7
occuper	v.	Okype	22
odeur	n. f.	Odœʀ	13
office	n. m./f.	Ofis	9
offrir	v.	Ofʀiʀ	15
olympique	adj.	Olɛ̃pik	23
omelette	n. f.	Omlɛt	14
oncle	n. m.	ɔ̃kl	21
opérer	v.	ɔpeʀe	16
opinion	n. f.	ɔpinjɔ̃	2
option	n. f.	ɔpsjɔ̃	10
or	n. m.	ɔʀ	5
oral	n. m.	ɔʀal	3
ordre	n. m.	ɔʀdʀ	8
organisation	n. f.	ɔʀganizasjɔ̃	2
organiser	v.	ɔʀganize	22
orient	n. m.	ɔʀjɑ̃	13
original	adj.	ɔʀiʒinal	1
origine	n. f.	ɔʀiʒin	1
orthographe	n. f.	ɔʀtɔgʀaf	3
oubli	n. m.	ubli	18
ours	n.	uʀs	21
page	n. f.	paʒ	19
paie	n. f.	pɛ	22
pain	n. m.	pɛ̃	1
pair	n. m.	pɛʀ	8
paire	n. f.	pɛʀ	20
palais	n. m.	palɛ	9
pape	n. m.	pap	9
papier	n. m.	papje	18
parasol	n. m.	paʀasɔl	21
par avance	adv.	paʀavɑ̃s	20
par contre	adv.	paʀkɔ̃tʀ	5
parcours	n. m.	paʀkuʀ	17
par exemple	adv.	paʀɛgzɑ̃pl	9
parfumé	p. p.	paʀfyme	13
parisien	adj.	paʀizjɛ̃	5
partager	v.	paʀtaʒe	12
partenaire	n. m./f.	paʀtənɛʀ	23
participer	v.	paʀtisipe	4
partie	n. f.	paʀti	4
partout	adv.	paʀtu	15
passion	n. f.	pasjɔ̃	17
passionnant	adj.	pasjɔnɑ̃	2
pâte	n. f.	pɑt	14
pâtisserie	n. f.	pɑtis(ə)ʀi	20
patron	n.	patʀɔ̃	13
payant	adj.	pɛjɑ̃	12
payé	p. p.	peje	22
payer	v.	peje	17
pays	n. m.	pei	8
peindre	v.	pɛ̃dʀ	1
peinture	n. f.	pɛ̃tyʀ	1
pendant	n. m.	pɑ̃dɑ̃	8
penser	v.	pɑ̃se	6
permettre	v.	pɛʀmɛtʀ	8
persil	n. m.	pɛʀsi(l)	14
personne	n. f.	pɛʀsɔn	4
philosophie	n. f.	filozofi	17
photo (=photographie)	n. f.	fɔto (=fɔtɔgʀafi)	1
phrase	n. f.	fʀɑz	16
pianiste	n. m./f.	pjanist	1
pied	n. m.	pje	13
pierre	n. f.	pjɛʀ	6
piéton	n.	pjetɔ̃	15
pique-nique	n. m.	piknik	21
placard	n. m.	plakaʀ	6
placer	v.	plase	1
plaisir	n. m.	pleziʀ	2
plan	n. m.	plɑ̃	1
plastique	n. m.	plastik	19
pleuvoir	v.	pløvwaʀ	21
plombier	n.	plɔ̃bje	1
pluie	n. f.	plɥi	4
plutôt	adv.	plyto	8
poche	n. f.	pɔʃ	10
poêle	n. f.	pwal	14
poids	n. m.	pwɑ	10
poissonnerie	n. f.	pwasɔn(ə)ʀi	19
poli	adj.	poli	15
policier	n.	polisje	1
poliment	adv.	polimɑ̃	20
politesse	n. f.	politɛs	15
politique	n. f.	politik	2
polluer	v.	polɥe	6
pollution	n. f.	polysjɔ̃	6
portefeuille	n. m.	pɔʀtəfœj	18
porter	v.	pɔʀte	16
poser	v.	poze	16
positif	adj.	pozitif	5
posséder	v.	pɔsede	12
possibilité	n. f.	pɔsibilite	23
poulet	n. m.	pulɛ	13
pour cent	n. m.	puʀsɑ̃	12
préciser	v.	pʀEsize	15
préfecture	n. f.	pʀefɛktyʀ	19
préférer	v.	pʀefeʀe	3
prénom	n. m.	pʀEnɔ̃	1
prépa	n. f.	pʀEpa	3
préparation	n. f.	pʀEpaʀasjɔ̃	3
préparatoire	adj.	pʀEpaʀatwaʀ	3
préparer	v.	pʀepaʀe	3
près	adv.	pʀɛ	6
présenter	v.	pʀezɑ̃te	1
presque	adv.	pʀɛsk	21
presse	n. f.	pʀɛs	11
prévision	n. f.	pʀevizjɔ̃	23
principal	adj.	pʀɛ̃sipal	3
probablement	adv.	pʀɔbabləmɑ̃	23
processeur	n. m.	pʀɔsɛsœʀ	10
prochain	adj.	pʀɔʃɛ̃	7
proche	adj.	pʀɔʃ	24
produit	n. m.	pʀɔdɥi	5
professionnel	adj.	pʀɔfɛsjɔnɛl	8
profil	n. m.	pʀɔfil	4
profiter	v.	pʀɔfite	24
programme	n. m.	pʀɔgʀam	23
progrès	n. m.	pʀɔgʀɛ	2
projet	n. m.	pʀɔʒɛ	1
promotion	n. f.	pʀɔmɔsjɔ̃	11
prononcer	v.	pʀɔnɔ̃se	3
prononciation	n. f.	pʀɔnɔ̃sjasjɔ̃	3
proposer	v.	pʀOpoze	1
propreté	n. f.	pʀɔpʀəte	21
propriétaire	n. m./f.	pʀOpʀijetɛʀ	18
province	n. f.	pʀOvɛ̃s	17
proviseur	n.	pʀOvizœʀ	3
proximité	n. pr.	pʀOksimite	6
psychologie	n. f.	psikɔlɔʒi	17
public	adj.	pyblik	15
publier	v.	pyblije	12
purée	n. f.	pyʀe	13
qualité	n. f.	kalite	10
quart d'heure	n. m.	kaʀdœʀ	15
quelquefois	adv.	kɛlkəfwa	15
question	n. f.	kɛstjɔ̃	16
quitter	v.	kite	17
quiz	n. m.	kwiz	15
radio	n. f.	ʀadjo	8
ranger	v.	ʀɑ̃ʒe	18
rapide	adj.	ʀapid	6
rapidement	adv.	ʀapidmɑ̃	3
rater	v.	ʀate	3
rayé	p. p.	ʀeje	20
récemment	adv.	ʀesamɑ̃	7
réception	n. f.	ʀesɛpsjɔ̃	11
recette	n. f.	ʀəsɛt	14
recevoir	v.	ʀəsəvwaʀ	9
réchauffement	n. m.	ʀeʃofmɑ̃	16
recherche	n. f.	ʀəʃɛʀʃ	21
réclamation	n. f.	ʀeklamasjɔ̃	20
recommander	v.	ʀəkɔmɑ̃de	10
reconnaître	v.	ʀəkɔnɛtʀ	4
rédiger	v.	ʀediʒe	13
refaire	v.	ʀəfɛʀ	20
référence	n. f.	ʀefeʀɑ̃s	20
règle	n. f.	ʀɛgl	15
rejoindre	v.	ʀəʒwɛ̃dʀ	5
relation	n. f.	ʀəlasjɔ̃	4
rendre	v.	ʀɑ̃dʀ	4
renseignement	n. m.	ʀɑ̃sɛɲmɑ̃	9
repas	n. m.	ʀəpɑ	8
repasser	v.	ʀəpɑse	20
répondre	v.	ʀepɔ̃dʀ	16
réponse	n. f.	ʀepɔ̃s	15
reposer	v.	ʀəpoze	23
reprendre	v.	ʀəpʀɑ̃dʀ	16
requin	n. m.	ʀəkɛ̃	21
R.E.R.	n. m.	ɛʀœɛʀ	5
réseau	n. m.	ʀezo	5

résidence	n. f.	ʀezidɑ̃s	1
résidentiel	adj.	ʀezidɑ̃sjɛl	5
respect	n. m.	ʀɛspɛ	15
responsable	n. m./f.	ʀɛspɔ̃sabl	22
résultat	n. m.	ʀezylta	3
retard	n. m.	ʀətaʀ	3
retraite	n. f.	ʀətʀɛt	16
retrouver	v.	ʀətʀuve	12
réussir	v.	ʀeysiʀ	3
rêve	n. m.	ʀɛv	17
revenir	v.	ʀəvniʀ	18
réviser	v.	ʀevize	3
revoir	v.	ʀəvwaʀ	20
revue	n. f.	ʀəvy	16
rez-de-chaussée	n. m.	ʀed(ə)ʃose	5
rond	adj.	ʀɔ̃	19
rose	n. f.	ʀOz	19
rôti	p. p.	ʀOti	13
rythme	n. m.	ʀitm	22
saison	n. f.	sɛzɔ̃	16
salaire	n. m.	salɛʀ	22
salé	p. p.	sale	20
salon	n. m.	salɔ̃	6
salutation	n. f.	salytasjɔ̃	20
samba	n. f.	sɑ̃mba	3
sandwich	n. m.	sɑ̃dwi(t)ʃ	15
sans doute	adv.	sɑ̃dut	23
santé	n. f.	sɑ̃te	7
sapin	n. m.	sapɛ̃	19
sauce	n. f.	sOs	13
saumon	n. m.	somɔ̃	13
sauté	p. p.	sote	13
sauvage	adj.	sovaʒ	21
savoir-vivre	n. m.	savwaʀvivʀ	15
science	n. f.	sjɑ̃s	2
science-fiction	n. f.	sjɑ̃sfiksjɔ̃	11
scientifique	adj.	sjɑ̃tifik	8
scolaire	adj.	skɔlɛʀ	16
séjour	n. m.	seʒuʀ	6
séjourner	v.	seʒuʀne	9
sentir	v.	sɑ̃tiʀ	20
série	n. f.	seʀi	11
sérieusement	adv.	seʀjøzmɑ̃	16
service	n. m.	sɛʀvis	4
serviette	n. f.	sɛʀvjɛt	19
servir	v.	sɛʀviʀ	13
session	n. f.	sɛsjɔ̃	24
seulement	adv.	sœlmɑ̃	6
siècle	n. m.	sjɛkl	6
siège	n. m.	sjɛʒ	18
signe	n. m.	siɲ	23
signer	v.	siɲe	22
signifier	v.	siɲifje	3
silencieux	adj.	silɑ̃sjø	10
site	n. m.	sit	1
situation	n. f.	sitɥasjɔ̃	21
situer	v.	sitɥe	5
skier	v.	skje	9
skieur	n.	skiœʀ	23
socialiser	v.	sɔsjalize	4
société	n. f.	sɔsjete	3
soigner	v.	swaɲe	18

soin	n. m.	swɛ̃	18
soirée	n. f.	swaʀe	7
solaire	adj.	sɔlɛʀ	21
solde	n. m.	sɔld	20
solder	v.	sɔlde	20
solide	adj.	sɔlid	10
sombre	adj.	sɔ̃bʀ	5
sommet	n. m.	sɔmɛ	9
sondage	n. m.	sɔ̃daʒ	8
sonner	v.	sɔne	4
sorte	n. f.	sɔʀt	19
souhaiter	v.	swete	18
soupe	n. f.	sup	20
souriant	adj.	suʀjɑ̃	4
souvenir	n. m.	suv(ə)niʀ	9
spécial	adj.	spesjal	7
spécialisé	p. p.	spesjalize	6
spectacle	n. m.	spɛktakl	5
sportif	n.	spɔʀtif	1
stage	n. m.	staʒ	2
stress	n. m.	stʀɛs	6
stressant	adj.	stʀesɑ̃	6
stresser	v.	stʀese	6
studio	n. m.	stydjo	5
styliste	n. m./f.	stilist	1
suffisant	adj.	syfizɑ̃	22
suivant	adj.	sɥivɑ̃	20
suivre	v.	sɥivʀ	22
sujet	n. m.	syʒɛ	4
supplémentaire	adj.	syplemɑ̃tɛʀ	24
sûr	adj.	syʀ	6
sûrement	adv.	syʀmɑ̃	24
surface	n. f.	syʀfas	6
survêtement	n. m.	syʀvɛtmɑ̃	20
synchroniser	v.	sɛ̃kʀɔnize	11
table	n. f.	tabl	13
tablette	n. f.	tablɛt	10
taille	n. f.	taj	10
tailler	v.	taje	10
tango	n. m.	tɑ̃go	3
tante	n. f.	tɑ̃t	21
tant pis	adj.	tɑ̃pi	6
taper	v.	tape	11
technique	adj.	tEknik	10
technologie	n. f.	tEknɔlɔʒi	16
téléchargement	n. m.	teleʃaʀʒəmɑ̃	10
télécharger	v.	teleʃaʀʒe	11
télévisé	p. p.	televize	11
témoignage	n. m.	temwaɲaʒ	17
témoigner	v.	temwaɲe	22
terrain	n. m.	teʀɛ̃	6
terrasse	n. f.	teʀas	13
test	n. m.	tɛst	10
tester	v.	tɛste	15
texte	n. m.	tɛkst	23
T.G.V.	n. m.	teʒeve	6
titre	n. m.	titʀ	11
tomber	v.	tɔ̃be	18
tôt	adv.	to	7
total	n. m.	tɔtal	12
touriste	n. m. f.	tuʀist	21
touristique	adj.	tuʀistik	9
tournoi	n. m.	tuʀnwa	23

tousser	v.	tuse	15
traditionnel	adj.	tʀadisjɔnɛl	13
traduire	v.	tʀadɥiʀ	3
tranquille	adj.	tʀɑ̃kil	5
tranquillement	adv.	tʀɑ̃kilmɑ̃	18
transport	n. m.	tʀɑ̃spɔʀ	5
traverser	v.	tʀavɛʀse	15
trimestre	n. m.	tʀimɛstʀ	3
trou	n. m.	tʀu	20
tulipe	n. f.	tylip	19
TV	n. f.	teve	20
type	n. m.	tip	6
ultra	adj.	yltʀa	10
une fois	adv.	ynfwa	12
unique	adj.	ynik	9
usine	n. f.	yzin	9
ustensile	n. m.	ystɑ̃sil	14
utile	adj.	ytil	2
utilisation	n. f.	ytilizasjɔ̃	10
utilité	n. f.	ytilite	19
vanille	n. f.	vanij	14
vapeur	n. f.	vapœʀ	13
varié	p. p.	vaʀje	21
végétal	n. m.	veʒetal	19
vendeur	n.	vɑ̃dœʀ	1
vendre	v.	vɑ̃dʀ	1
vente	n. f.	vɑ̃t	2
verbe	n. m.	vɛʀb	3
verticalement	adv.	vɛʀtikalmɑ̃	19
vidéo	adj.	video	10
villa	n. f.	vila	6
village	n. m.	vilaʒ	5
virtuel	adj.	viʀtɥɛl	11
visite	n. f.	vizit	24
vitesse	n. f.	vitɛs	10
voisin	n.	vwazɛ̃	4
vol	n. m.	vɔl	18
voler	v.	vɔle	18
voleur	n.	vɔlœʀ	18
volley-ball	n. m.	vɔlɛbOl	23
voyage	n. m.	vwajaʒ	18
voyager	v.	vwajaʒe	1
vrai	adj.	vʀɛ	4
vue	n. f.	vy	13
W.-C.	n. m. pl.	vese	6
zodiaque	n. m.	zOdjak	23

LE DVD-ROM

Le DVD-Rom contient les ressources complémentaires (vidéo, audio et images) de votre méthode.

Vous pouvez l'utiliser :

• **Sur votre ordinateur (PC ou Mac)**
Pour visionner la vidéo, écouter l'audio, extraire l'audio et le charger sur votre lecteur mp3 ou convertir les fichiers mp3 en fichier audio Windows Media Player (PC) ou AAC (Mac) et les graver sur un CD-audio à usage strictement personnel.

• **Sur votre lecteur DVD compatible DVD-Rom**
Pour visionner la vidéo et écouter l'audio.

Mode d'emploi et contenu du DVD-Rom

Pour afficher le contenu du DVD-Rom, il est nécessaire d'explorer le DVD à partir de l'icône du DVD. Après insertion du DVD-Rom dans votre ordinateur, celle-ci s'affiche dans le poste de travail (PC) ou sur le bureau (Mac).
– **Sur PC :** effectuez un clic droit sur l'icône du DVD et sélectionnez « Explorer » dans le menu contextuel.
– **Sur Mac :** cliquez sur l'icône du DVD.
Dans le cas où la lecture des fichiers vidéo ou audio démarre automatiquement sur votre machine, fermez la fenêtre de lecture puis procédez à l'opération décrite ci-dessus.

Le contenu du DVD-Rom est organisé de la manière suivante :

• **un dossier AUDIO**
Double-cliquez ou cliquez sur le dossier AUDIO. Vous accédez à deux sous-dossiers : LIVRE_ELEVE et EXERCICES.
Double-cliquez ou cliquez sur le sous-dossier correspondant aux contenus audio que vous souhaitez consulter.
Afin de vous permettre d'identifier rapidement l'élément audio qui vous intéresse, les fichiers audio ont été nommés en faisant référence à la page du manuel, à la leçon et à l'activité à laquelle le contenu audio se rapporte.
Exemple : P010_L01_ACT01 → Ce fichier audio correspond à l'activité 1 de la leçon 1, page 10 du manuel.

• **un dossier VIDÉO**
Double-cliquez ou cliquez sur le dossier VIDEO. Vous accédez à deux sous-dossiers : VO et VOST.

Double-cliquez ou cliquez sur le dossier correspondant aux contenus vidéo que vous souhaitez consulter (VO pour la version originale sans les sous-titres, VOST pour la version originale avec les sous-titres en français).
Double-cliquez ou cliquez sur le fichier vidéo correspondant à la séquence que vous souhaitez visionner.

• **un dossier IMAGES**
Double-cliquez ou cliquez sur le dossier correspondant aux contenus images que vous souhaitez consulter. Puis double-cliquez ou cliquez sur le fichier image correspondant à l'image que vous souhaitez visionner.

• **un dossier ANNEXES**

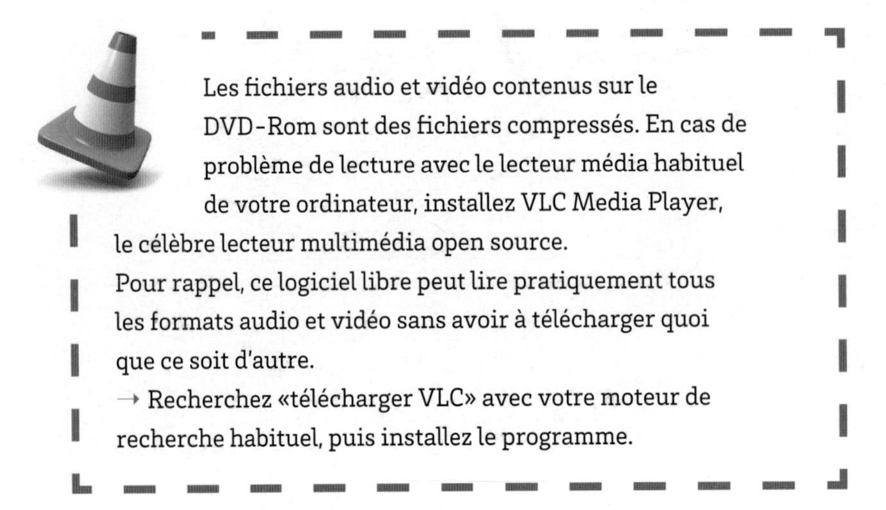

Les fichiers audio et vidéo contenus sur le
DVD-Rom sont des fichiers compressés. En cas de
problème de lecture avec le lecteur média habituel
de votre ordinateur, installez VLC Media Player,
le célèbre lecteur multimédia open source.
Pour rappel, ce logiciel libre peut lire pratiquement tous
les formats audio et vidéo sans avoir à télécharger quoi
que ce soit d'autre.
→ Recherchez «télécharger VLC» avec votre moteur de
recherche habituel, puis installez le programme.

N° de projet : 10201988 - Dépôt légal : septembre 2014
Imprimé en France par I.M.E. - 25110 Baume-les-Dames